FFWRNEISIAU

CRONICL BLYNYDDOEDD MEBYD

GWENALLT

GWASG GOMER
1982

Argraffiad Cyntaf—Rhagfyr 1982

ISBN 0 85088 588 4

Argraffwyd gan J. D. Lewis a'i Feibion, Cyf.,
Gwasg Gomer, Llandysul, Dyfed.

DIOLCHIADAU

Wrth gyflwyno'r gyfrol hon rhaid imi ddiolch o galon i'r Cyn-Athro J. E. Caerwyn Williams am fy nghynorthwyo i roi'r llawysgrif ar gof a chadw; gwaith blinderus a phryderus imi. Diolch hefyd am ei barodrwydd gyda'r proflenni. Yn olaf diolch i Mr. Elgan Davies am gynllunio'r siaced; i Wasg Gomer am eu hynawsedd arferol ac am waith glân a destlus, a'u diddordeb yng ngwaith Gwenallt o'r cychwyn cyntaf.

Nel Gwenallt

RHAGAIR

Gwyddai aelodau'r Academi Gymreig fod Gwenallt wrthi'n ysgrifennu nofel rai blynyddoedd cyn iddo farw oblegid darllenodd ddarnau ohoni iddynt yn un o'u cyfarfodydd yn Aberystwyth. Dangosai'r darnau hynny ei fod wrth ysgrifennu yn tynnu ar ei hanes ef ei hun a hanes ei fro.

Pan welais ef yn yr ysbyty yn dioddef oddi wrth ei afiechyd olaf, yr oedd yn llawn cynlluniau, a'i lygaid yn pefrio wrth sôn amdanynt, ond ni chyfeiriodd o gwbl at ei nofel. Tybiais nad oedd wedi gallu bwrw ymlaen arni fel yr oedd wedi arfaethu. Syndod, felly, oedd clywed gan ei briod a fu'n gymaint o ymgeledd iddo, ac yn arbennig yn ei gystudd olaf, ei fod wedi gadael nofel a oedd bron wedi ei gorffen, a drafft neu ddrafftiau o'i diwedd.

Yn anffodus, anodd oedd penderfynu a fwriadai ef ddefnyddio'r drafftiau hyn. O'r diwedd, daeth Mrs. Gwenallt â'r drafftiau hyn i mi ynghyd â theipysgrif o saith bennod, a gofyn a oedd dichon defnyddio'r drafftiau neu ddarnau ohonynt i gwblhau'r nofel. 'Roedd yn amlwg nad oedd Gwenallt wedi gallu rhoi cymaint o sylw i rannau olaf y nofel ag i'r rhannau cyntaf, nad oedd wedi gallu adrodd diwedd yr hanes mor llawn â'i dechrau hyd yn oed ar ffurf drafft, a bod ambell ddrafft yn rhy anorffen i'w ddefnyddio o gwbl. Ond ymddangosai i mi fod dau ddarn y gellid eu defnyddio fel dwy bennod i gloi'r stori, nid yn gwbl foddhaol, ond yn weddol gredadwy. Trefnais fod dau ddarn yn cael eu teipio'n ddwy bennod, a dychwelais y cwbl i Mrs. Gwenallt.

Aeth hithau â theipysgrif y naw pennod at berch-
nogion Gwasg Gomer a gofyn iddynt gyhoeddi'r nofel
fel yr oedd erbyn hyn. Cytunasant hwythau i'w chy-
hoeddi gyda gair o eglurhad gennyf i. Teimlwn i
fod rhaid i mi gael gweld llawysgrif y saith bennod
gyntaf, a'i bod yn ddyletswydd arnaf gymharu'r llaw-
ysgrif â'r deipysgrif. Cefais weld y cyfan, ond nid oedd
angen mwy na chipolwg i'm hargyhoeddi mai'r peth
gorau i mi oedd derbyn fod teipysgrif y saith bennod
gyntaf yn union fel y dymunai'r awdur iddynt fod.
Gobeithiaf, serch hynny, y caiff yr holl lawysgrif a'r
teipysgrifau gartref parhaol yn y Llyfrgell Genedlaethol.

Bu raid golygu'r deipysgrif i osgoi gwallau ac anghys-
ondebau o fathau gwahanol. Gwnaethpwyd hynny dan
fy nghyfarwyddyd i, ac yr wyf yn mawr obeithio nad
oes llawer o'r cyfryw'n aros. Ond afraid dweud, ni
allwyd rhagweled pa gyfnewidiadau a wnaethai'r awdur
petasai wedi cael byw, ac y mae'n sicr y buasai wedi
gwneud mwy o gyfnewidiadau nag a wnaed. Ni ellir
gwybod chwaith a fuasai ef wedi bodloni i gyhoeddi'r
nofel fel y mae. Ni allai neb ond ei briod, yr un a'i
hadwaenai orau, wneud y penderfyniad hwnnw drosto,
ac y mae hi o'i hadnabyddiaeth ohono yn sylweddoli
cystal â neb gymaint rhagor o waith a wnaethai ef ar y
nofel cyn ei chyhoeddi.

Mae'n amlwg mai fel portread o'i gefndir ef ei hun
a chefndir ei gyfoedion yng Nghwm Tawe y bwriadodd
Gwenallt y nofel. Dyna pam yr aeth i drafferth i chwilio
hanes y Cwm yn bur fanwl. Mae'n hawdd gennyf gredu
y buasai wedi chwynnu peth ar y ffeithiau hanes-
yddol, pe buasai wedi byw i'w gorffen yn iawn. Ond
ofer, ysywaeth, yw dychmygu pa gyfnewidiadau a
wnaethai. ' Ffwrneisiau ' oedd y teitl a roesai Gwenallt,

meddai ei briod, petasai wedi cael byw. Chwanegwyd
' Cronicl Blynyddoedd Mebyd ' fel is-deitl am ei fod
yn cyfleu cystal â dim yr hyn a'i symbylodd i sgrifennu,
sef y penderfyniad i roi ar gof a chadw bortread o'r
graig y naddwyd ef ohoni.

J. E. Caerwyn Williams

Nid yw tymhorau'r flwyddyn yn cerdded yn union yr un fath drwy bentre diwydiannol ag y maent yn cerdded drwy'r wlad. Cyn codi'r Gwaith Dur ac Alcan yn 1891, a Gweithiau o flaen hwn, yng Ngwaun-coed yng Nghwm Tawe, gwlad oedd yno: darn plwy ac ynddo ffermydd, rhai bythynnod melyn a thyddynnod gwyngalch, to-cawn; a'r ochor chwith i'r Cwm yr oedd coedwig. Ar y tir y codid gwenith, barlish a cheirch; a chedwid gwartheg, lloi, ŵyn, ebolion, hychod, geifr, gwyddau a gwenyn. Ar wahân i'r amaethwyr, yr oedd yn y fro grefftwyr fel saer maen, teiliwr, gof, crydd a hwper; a mân ddiwydiannau fel pandy, gwaith llestri, iard goed a phwll llifo coed, ffatri wehydd, melin flawd, gwaith brics a chwarel. Un siop oedd yno; llawer o dafarndai a bractai; ysgolion; dwy hen eglwys a phlastai. Fe redai'r afon drwy'r fro yn lân, ac o ben yr hen bont fe allech weld yr eogiaid a'r brithyllod yn ei dŵr.

Ar ôl codi'r Gweithiau fe ddôi dylifiadau o bobol i'r pentre, ac yn 1901 yr oedd y boblogaeth dros bedair mil ar hugain. Cymry o Sir Forgannwg, Sir Benfro, Sir Aberteifi ac yn enwedig o Sir Gaerfyrddin oedd mwyafrif y dynion dod; ychydig Ogleddwyr; ychydig Saeson a Gwyddelod; Eidalwr ac Iddew neu ddau i gadw siopau. Am fod y mwyafrif yn Gymry, a'r brod-orion hefyd, yr oedd Gwaun-coed yn bentre Cymraeg. Cwm rhwng dau fynydd ydoedd; ac ar ochor y mynydd ar y dde yr oedd dwy res o dai, y rhes isaf yn rhes o dai gweithwyr a'r rhes uchaf yn rhes o dai parchus—tai siopwyr, clercod y Gwaith Dur ac Alcan, penaethiaid gwahanol gwmnïoedd a gafferiaid, ac ar ben y stryd yr oedd tŷ mawr y Doctor Hedley. Yr enw ar y stryd hon oedd *High Street*. Y tu hwnt i ben arall y stryd yr oedd Eglwys San Pedr, eglwys a godwyd gan berchennog y Gwaith Dur ac Alcan, sef Mr. William Parsons; a heb fod nepell oddi yno yr oedd ei blasty. Ar yr ochor chwith i'r afon yr oedd bryn a elwid y Graig, ac arni yr oedd tair rhes o dai gweithwyr; y rhes isaf yn rhes uwchben y rheilffordd a redai drwy'r pentre, ac a elwid yn *Railway Terrace* ; yr ail res *Edward Street*, a'r rhes isaf, *Graig Road*. Terasau o dai a godwyd yn barau oedd y tai gweithwyr ar y ddwy ochor; tai solet o gerrig nadd y chwarel leol, ac yr oeddent yn edrych fel pe byddent wedi tyfu o'r tir. Bob ochor i'r Gwaith Dur ac Alcan ar lawr y dyffryn yr oedd rhesi o dai, a rhyngddynt fe redai'r briffordd; ac ar y bont newydd yr oedd hon yn wastad, ac nid yn codi ac yn disgyn fel yr hen ffordd dros yr hen bont. Fe edrychai'r tai yn ymyl y Gwaith yn frwnt. Pan chwythai'r gwynt i'w cyfeiriad rhaid oedd cau'r ffenestri rhag iddo chwythu mwg a lludw ar ddillad y gwely, y celfi a'r bwyd. A phan nad oedd gwynt treiddiai'r llwch a'r huddygl i bob man. Yng ngerddi'r tai hyn anodd oedd tyfu dim am fod y mwg a'r manlwch yn atal pob tyfiant. Fe arhosai ambell hen fwthyn a thyddyn, er bod rhai ohonynt wedi eu hadnewyddu: ond fe ddinistriwyd y ffermydd, y tyddynnod a'r bythynnod, cwympo'r coed a lladd y mân ddiwydiannau i roi lle i'r tai newydd, y siopau, y swyddfeydd a'r Gwaith Dur ac Alcan. Bywyd diwydiannol wedi ei osod ar sail yr hen fywyd gwledig oedd bywyd diwydiannol Gwaun-coed.

Yn y pentre yr oedd llawer o dafarnau, capeli, siopau a swyddfeydd. Y tafarnau agosaf at y Gwaith

Dur ac Alcan a'i gwnâi hi orau, ac yn enwedig ym mhoethder haf, canys danfonai'r gweithwyr a yfai gwrw y prentisiaid i'w nôl, a'i nôl yn fynych, am fod y syched o flaen y ffwrneisiau yn annioddefol. Po fwyaf yr yfent, mwyaf i gyd y chwysent. Fe rofiai rhai y sgrap i'r ffwrnais yn hanner meddw, a bu mwy nag un bron â syrthio iddi yn ei feddwdod. Y dafarn hynaf yn y pentre oedd Y Ceiliog Coch, tafarn y beirdd gwlad a'r telynorion yn y ddeunawfed ganrif a'r ganrif ddiwethaf. 'Roedd yn y pentre, ar bob ochor i'r afon, eglwysi a chapeli; capeli Cymraeg a Saesneg; ond y ddau enwad hynaf oedd yr Undodiaid a'r Annibynwyr; a'r Annibynwyr oedd yr enwad cryfaf. Fe gychwynnodd rhai ohonynt wrth gynnal gwasanaethau mewn tai annedd: yna godi capeli: eu hadnewyddu a'u hailgodi; ac yn nechrau'r ganrif hon fe helaethwyd rhai ohonynt, oherwydd y cynnydd yn y boblogaeth, fel Seion, capel y Methodistiaid Calfinaidd, a Gogleddwr, y Parch. Morris Parri, yn Weinidog arno; a Bethel, capel mwyaf yr Annibynwyr, a'r Parch. Llechryd Morgan yn Weinidog arno. Ymhlith y swyddfeydd yr oedd swyddfa argraffu *Llais Rhyddid*, wythnosolyn Rhyddfrydol y Cwm. Nid Rhyddfrydiaeth S. R., Gwilym Hiraethog a Henry Richard oedd Rhyddfrydiaeth y papur hwn yn niwedd y ganrif ddiwethaf a dechrau'r ganrif hon, ond y Rhyddfrydiaeth gyfalafol ac imperialaidd. Nid meddiannu gwledydd yr oedd Prydain yn awr, ond eu gorfodi, fel yr Aifft, er enghraifft, i adael i siawnsfentrwyr fuddsoddi eu harian yn y wlad, ac am fod cyflog yr Eifftiaid y nesaf peth i ddim, fe wnaent elw mawr, llawer mwy o elw nag a wnaent wrth fuddsoddi eu harian yn eu gwlad eu hunain. Tlodi'r gwledydd hyn oedd cyfoeth Prydain. Yn y Rhyfel rhwng Prydain a'r

Böeriaid, yr oedd *Llais Rhyddid* o blaid Prydain, a chondemniai Mr. Lloyd George a Rhyddfrydwyr eraill am ei wrthwynebu. Papur Cymraeg oedd *Llais Rhyddid*, neu, a bod yn fanwl, yr oedd tri chwarter ohono yn Gymraeg, a chwarter neu lai yn Saesneg. Am fod y pentre mor uniaith Gymraeg yr oedd hyd yn oed yr hysbysiadau yn y papur hwn yn Gymraeg: rhai fel

CYMDEITHAS DDYNGAROL GWAUN-COED
A'R CYLCH

Byddwch ffyddlon i'r cynllun sydd wedi arbed i chwi Dros £2,500 Yn Mhris Coffinau Yn ystod yr 20 mlynedd diweddaf. Wedi 20 mlynedd o brofiad gyda phob math o Goffinau, ac mewn pob math o amgylchiadeu, nid oes arnom ofn unrhyw gystadleuaeth mewn

PRIS NA FINISH

* * *

Cadwch Eich Arenau Yn Dda, a Hwy A'ch Cadwant Chwi Yn Dda. Pob Darlun A Ddywed Hanes. Meddyg: Ai yna mae'r boen ? Ah ! Annhrefn yn yr Arenau yw. Defnyddiwch BELENI ARENAU CEFNBOEN DOAN at Boen y Cefn, Annhrefnau Troethol, Grafel, Cryd Cymmalau, Dyfrglwyf.

Pe byddech yn edrych o'r naill ochor ar draws y Cwm fe welech y Gwaith Dur ac Alcan, y tai, y siopau a'r swyddfeydd ar y gwastad, ac uwchben y ddwy res dai gyferbyn fe welech goedwig a phen y mynydd, lle'r oedd tymhorau'r flwyddyn yn cerdded heibio: o'r ochor arall fe welech y pentre ar lawr y dyffryn, ac uwchben y tair rhes o dai fe welech goed, mieri, rhedyn a phen y Graig, ac yno yr oedd y tymhorau yn symud ac yn newid. Ar lawr y Cwm fe welech y Gwaith Dur a'r Gwaith Alcan fel angenfilod pygddu; a'r chwe stac fel allorau cyntefig yn mygu. Wrth y mwg y gwelech gyfeiriad y gwynt. Y mwg oedd ceiliog y gwynt yn y pentre. Yr

14

hwter oedd y cloc diwydiannol. Fe agorai'r ffwrneisiau eu safnau coch, a'u cau; a phe byddech yn mynd o flaen y ffwrnais ac edrych i mewn iddi â'r llygaid noeth, fe fyddai yn eich dallu ac ni allech weld dim am dipyn, ond pe caech fenthyg y sbectol las gan ffwrneisiwr ac edrych drwyddi, fe welech y metel yn berwi fel llyn byrlymog gwynias. Fe fyddech yn cofio am y tân a ddygodd Promethews oddi ar Zews a'i ddefnyddio i'w bwrpas ei hun, a hwn a osodwyd yn y gwahanol ddiwydiannau, ac yn y ffwrneisiau i doddi'r deunyddiau crai. Pan fyddai'r ffwrnais ar gau fe osodai'r ffwrneisiwr y sbectol ar ei dalcen, ac wrth edrych arno fe welech rhwng top ei drowsus a gwaelod y crys bach glas ei fwtwm bola, a'r cnawd rhyngddynt fel gwregys melyngoch.

Y tu mewn i'r Gwaith fe welech yr ager yn chwyrlïo fel rhyw ysbryd gwyn. O sylwi ar ddrysau'r ffwrneisiau a'r pileri fe welech luniau sialc, lluniau digri, lluniau dychan a lluniau cnawdol: yr oedd dawn llun yn brigo i'r wyneb yn y byd peiriannol hwn. Y tu allan i'r Gwaith yr oedd rhwydwaith o reilffyrdd, a'r rheiliau wedi eu hariannu gan drafnidiaeth y peiriannau a'r tryciau. Fe fyddai tryciau haearn yn mynd â'r cols a'r sindrins coch o'r ffwrneisiau i ben y tip, ac yr oedd y tip yn cadw'r afon yn ei gwely. Fe edrychai'r tip fel twmpath mawr a godwyd gan gewri o wahaddod wrth dwrio'r ddaear. Pan fyddai enjin yn tynnu tryciau fe fyddai yn pwffian yn rheolaidd i gychwyn; cyflymu wedyn a phwffian yn rheolaidd yr eildro: pwff-pwff-pwff-pwff-pwff pwff pwff pwff pwff-pwff-pwff-pwff-pwff. Wrth shynto fe fyddai byfferi'r tryciau yn taro yn erbyn ei gilydd fel symbalau swnllyd; yn cloncian yn araf i gychwyn a chyflymu tua'r diwedd: clonc-clonc-clonc-

clonc-clonccloncclonc. Wrth shynto fe fyddai'r shynter yn troi'r pwyntiau a gwelid y tryciau heb enjin yn rhedeg ar eu pennau eu hunain yn y *sidings*. Fe redai'r rheilffyrdd hyn i'r brif reilffordd a ddirwynai i fyny ac i lawr y Cwm uwchben yr afon, gan ddwyn glo o'r pyllau a sgrap oddi wrth y masnachwyr i'r Gwaith; a chario cynnyrch y Gwaith i'r porthladd: ac fe fyddai'r brif reilffordd hon hefyd yn disgleirio fel neidr arian. Yn ymyl y Gwaith yr oedd tomen fawr o sgrap rhydlyd —yn fframiau gwely, fframiau beisiclau a threisiclau, blychau a phethau o'r fath—ac yr oedd melyn y rhwd mor danbaid rhwng y Gwaith pygddu a'r tip llychlyd fel y gallech dybio weithiau fod y domen ar dân. O'r Gwaith Alcan fe redai *feeder* i'r afon, ac am fod y dŵr yn dwym fe fyddai anwedd ar ei wyneb, ac fe fyddai llygod yn neidio o'r ymyl iddo—blop.

Yn y pentre yr oedd y gerddi fel ynysoedd bychain yn y môr haearnaidd; a'r lawntiau o flaen y tai hefyd lle byddai coed a blodau yn tyfu. Hefyd fe gadwai llawer o'r gweithwyr foch yn y twlc; eraill yn cadw ieir, a rhai yn cadw clomennod. Fe welech y clomennod hyn yn codi o'r cwb yn nhop yr ardd ac yn ehedeg drwy'r awyr, a'r llaid ar eu traed a mwg y Gwaith ar eu hadenydd. Am y clomennod rasis, fe welech hwy ar blatfform y stesion mewn basgedi isel, ac india corn ar eu gwaelod, a label wrth y fasged, ac arno enw'r lle yng Nghymru neu yn Lloeger y gyrrid y clomennod iddo yn *van* y gard. Fe wyddai'r clomenwyr pryd y gollyngid hwy o'r basgedi, ac yna fe fyddent yn mesur yr amser a gymerent o'r lle hwnnw i'r cwb yng Ngwaun-coed. Fe fyddent yn dychwelyd bob cynnig yn ddi-ffael i'r hen bentre myglyd. Fe fyddai rhai gweithwyr hefyd yn cadw ffarm neu dyddyn, ac fe gaent amser yn rhydd o'r Gwaith neu'r pwll glo i hel y ddau gynhaeaf. Yn ei thro fe ddôi Natur wyllt i ymyl y pentre ac i'w ganol. Pan ddôi'r curyll coch i'r awyr, ni fyddai'r un glomen yno, ac yr oedd yr adar yn y perthi yn fud. Mi ddôi'r cadno a'r mochyn daear i ladd ieir a chwennod yn y gerddi ar ymyl y pentre. Fwy nag unwaith fe ddaliwyd dwrgi yn y bipen ddŵr. 'Roedd y rhes uchaf o dai mewn lle peryglus am fod y Graig yn eu bygwth; y trigolion yn ofni y gallai darn o graig ymryddhau, ac yn enwedig ar dywydd rhew, a rholio i lawr ar hyd yr ochor am ben y tŷ. Unwaith y digwyddodd hyn. Darn o graig yn mynd yn rhydd; rholio i lawr a dryllio un ochor i'r tŷ, a malu'r celfi. Y peth cyntaf a wnaeth y cymdogion oedd casglu arian a'u rhoi i'r wraig i dalu am at-gyweirio'r tŷ a phrynu celfi. Ie, pentre diwydiannol gwledig oedd Gwaun-coed.

Pan oedd hi yn y gwanwyn, ac yn enwedig ym mis Ebrill, yn bwrw glaw yn ei harllwys hi, fe fyddai yn gloywi shitiau sinc y Gwaith Dur ac Alcan ac yn golchi'r staciau, a thu mewn fe fyddai'r diferion yn mygu ar y melinau, to'r ffwrneisiau, y ladl a'r *ingots*. Yn ymyl y Gwaith yr oedd y llwybrau yn llacs; pyllau a glo ynddynt fel pyllau inc; pyllau a lliwiau olew ar wyneb eu dŵr; pyllau coch fel pe byddai'r dŵr wedi rhydu. Yn y glaw fe fyddai llechi to'r tai yn disgleirio, a phan ddôi haul sydyn ar ei ôl fe godai anwedd ohonynt. Pan oedd corwynt, ac nid oes rhuthr fel rhuthr corwynt drwy gwm cul rhwng dau fynydd, fe dorrai'r staciau ar ei ryferthwy, y shitiau sinc a oedd yn rhydd yn cael eu hysgwyd, a thu mewn i'r Gwaith yr oedd diferion yn mygu ar y melinau, to'r ffwrnais, y ladl a'r *ingots*. Melyn oedd lliw'r afon gan y fitrel a redai iddi o'r Gwaith Alcan, a phan oedd y dŵr yn isel fe redai yn araf fel afon o goffi: ond pan godai llif, fe garlamai yn afon ffrochwyllt a llwydfelyn, gan gario coedach a hyd yn oed anifeiliaid. Y tu hwnt i ben y tip, yr oedd yn gorlifo ei glannau, gan guddio caeau ar y gwastad, rhuthro i'r tai yng nghanol y pentre ac i'r Sgwâr. Pan oedd hi yn niwl ni allech weled y Gwaith, ond ped aech yn agos ato, fe welech ei fod fel adeiladwaith lledrithiol; tân y ffwrnais fel pelen hud; a'r staciau yn annelwig braffach a'u pennau ar goll. Ym mhoethder haf, yr oedd dau gryndod yn yr awyr, cryndod gwres yr haf a chryndod gwres y Gwaith: ac yn y Gwaith ei hun yr oedd y ddau wres, a rhwng deuddeg a dau yn y prynhawn yr oeddent yn annioddefol. Rhaid oedd ei gadael hi, a mynd allan i ben y tip i gael awyr, ac fe âi rhai i lawr i'r afon i ddiffodd eu hesgidiau. Ni allai unrhyw ffwrneisiwr gytuno â'r gân, ' O na byddai'n haf o hyd '. Ar storm o fellt a tharanau, rhwng swn y Gwaith a thwrw'r tyrfau, rhwng y fflamau ar ben y staciau a'r lluched yn gwibio heibio iddynt a'r ffwrneisiau, fe allech dyngu fod y cosmos i gyd yn ddiwydiannol. Un o'r golygfeydd mwyaf trawiadol oedd gweled bwa'r arch yn pontio'r Cwm, a'i seithliw yn danbaid ddisglair uwchben mwg y staciau, llwch a llwydni'r Gwaith. Yr hydref oedd yn cydweddu orau â diwydiant. Ar ochor y mynydd ac ar ochor y Graig yr oedd y coed a'r llwyni wedi melynu; coed y gerddi wedi gwywo; gwrysg y tatws, y pys, y ffa a'r cydna-bêns a'r chwyn wedi eu bwrw yn domen ar ben yr ardd, a honno yn mudlosgi. 'Roedd llwydni Natur yn un â llwydni'r Gwaith, ac yr oedd y ddau fel ei gilydd yn mygu. Pan oedd hi yn eira fe roddai ei gynfas oer ar noethni'r coed a'r llwyni; ar y gerddi a tho'r tai, ac o dan y to fe edrychai'r muriau yn llwytach; ar ochrau'r ddau fryn ac ar eu pennau yr oedd môr o

wynder: rhewai'r llynnoedd a darnau o'r afon, ond nid
iâ glân oedd iâ'r afon, ond iâ melynwyn: fe guddiai'r
eira y tip, y llwybrau a'r rheilffordd yn ymyl y Gwaith
fel pe byddai Natur yn ceisio gwyngalchu diwydiant;
ond nid arhosai'r eira ar do a muriau'r Gwaith am eu
bod yn gynnes. Ar ddiwrnod oer yn y gaeaf, yn ddigon
oer i sythu brain, fe fyddai'n gynnes yn y Gwaith ond
y perygl oedd cael annwyd wrth symud yn sydyn o
wres i oerni. Fe syrthiodd un ffwrneisiwr yn farw o
flaen y ffwrnais, ac wedi i feddyg ei archwilio, fe
welwyd mai niwmonia oedd arno, y math hwnnw y
byddwch yn ei gario heb yn wybod i chwi. Yn ymyl y
Gwaith, ac o dan y staciau, yr oedd y tai yn edrych
yn fach, a dynion yn ddiymadferth, ond ped aech i ben
y mynydd neu i ben y Graig ganol dydd neu yn y nos,
fe welech fod y Gwaith Dur ac Alcan ei hun yn edrych
yn egwan a distadl dan haul, lloer a sêr y ffurfafen.

II

Ni welai gweithwyr y Gwaith Dur ac Alcan, na'r glowyr chwaith a weithiai yn y pyllau glo ar ymylon y pentre, olau dydd o gwbwl yn y gaeaf, ar wahân i ddydd Sul, canys fe aent erbyn chwech yn y bore, cyn iddi oleuo, a dod adre ar ôl chwech yn y tywyllwch. 'Roedd y rhain yn falch o weled y dydd yn ymestyn, ac erbyn y Calan yr oedd wedi ymestyn gam ceiliog, ac o weled y gwanwyn yn dod. Yn y gerddi y gwelent hwy y gwanwyn. Fe âi Tomos Hopcin, ar ôl te, bob noson ond nos Fawrth a nos Iau—noson y Cwrdd Gweddi a noson y Seiet—i balu'r ardd; ac am ei fod wedi codi'r pridd yn yr hydre er mwyn i'r rhew a'r eira ladd y pryfed, yr oedd hi yn haws ei phalu yn y gwanwyn. Yn yr haul a'r pridd gloywddu yr oedd ei offer—caib, pâl, fforch, a rhaw a rhaca—yn disgleirio am ei fod wedi eu sgwrio a'u gloywi cyn eu rhoi heibio yn y sièd dros y gaeaf. Fe balai yn rheolaidd a chyson; ni fyddai yn ei ladd ei hun wrth frysio: ac er ei fod wedi blino wrth weithio o flaen y ffwrnais drwy'r dydd, yr oedd yn synnu fod dyn yn gallu gweithio gystal ar ôl newid gwaith. ' Ma newid gwaith yn sbel,' meddai. Ar ôl palu am dipyn fe gymerai sbel, gan sylwi ar y nythaid o forgrug yr oedd wedi ei chyffroi; edrych ar y robin goch, y fronfreithen a'r aderyn du yn tynnu'r mwydod o'r pridd, a'r aderyn du yn llyncu malwoden yn grwn; y chwilen glec yn symud fel darn bach o wifren felen; sioncyn-y-gwair yn neidio na wyddech ddim i ble; gwas-y-neidr yn hedfan heibio mor gyflym fel na welech ond ei liw; brogaid bach yn neidio; y llyffant anadlog yn llechu o dan garreg; Jac y Coese yn sefyll ar flodyn dant-y-llew; y gwybed yn chware yn yr awyr fel cwmwl

bach aflonydd; a'r fuwch fach gota yn codi ar ei had-
enydd, ac yr oedd hynny yn arwydd o dywydd teg.
Ar ôl palu un ochor i'r ardd, a phalu'r calch i mewn
iddi, fe fyddai Tomos Hopcin yn gosod pishyn pren yn
y pridd ar un pen a phisyn arall yn y pen arall, a chordyn
rhyngddynt, ac fe fyddai yn troi un pishyn nes yr oedd
y cordyn yn dynn; â phen y rhaca fe dynnai linell yn y
pridd â'r cordyn, ac agor y rhych wrth ddilyn y llinell
union yn ei chanol. Fe fesurai hefyd y lled rhwng pob
rhych. Ar ôl agor rhych mi gariai ludw o'r domen ar
ben yr ardd mewn bwced a'i wasgaru ar hyd pob rhych;
codi tail o'r domen dail mochyn ym mhen yr ardd i
wilber, a'i wasgaru ar waelod pob rhych ar ben y lludw.
Wedyn fe blannai'r tatws ar ben y tail, ac yr oedd
ganddo ddarn o bren i fesur yr hyd rhwng pob taten.
Yna fe gaeai bob rhych â'r rhaw, a llyfnhau pob ochor
iddi â'r bâl. Ar ôl gorffen yr ochor honno o'r ardd fe
edrychai ar y rhychau, a gweled pen pob rhych fel to
union, a'r grynnau rhwng y rhychau yn gymesur: ac
fe fyddai yn cofio am y caeau y bu ef yn eu haredig yn y
Gelli Ucha. Myned i ochor arall yr ardd wedyn, a rhoi
tail o'r domen wrth fôn y rhiwbob, y llwyni gwsberis,
y coed afans, y coed cyrrens coch a'r coed cyrrens duon,
y syfi a'r ddwy goeden afalau, y naill yn afalau bwyta
a'r llall yn afalau digoni. Nid tail o'r domen yn unig
a roddai, ond hefyd y dom yn y bwced o dan sêt y tŷ-
bach a oedd ar dop yr ardd. Is-law'r llwyni a'r coed fe
balai'r pridd, a phalu'r tail i mewn iddo: shifio'r pridd
wedyn yn fân; a'i bwnio â'r bâl nes yr oedd yn wely llyfn,
a rhwng y pâmau fe adawai lwybrau i fyned at y llysiau.
Ar ôl mesur pob pâm â'r cordyn a'r ddeubren fe dynnai
rigolau yn gynnil ar ei draws â brigyn, ac yn y rhigolau
fe blannai hadau garetsh, persli, cennin, wynwns,

21

bitrwt a letys; a thynnu'r rhaca yn ysgafn ar draws y
pâm i lanw'r rhigolau â phridd. Fe wnâi wely wedyn i'r
shilots; agor rhychau i osod cabej, ffa, pys a chydna-
bêns. Mi adawai ddarn ar waelod yr ochor hon, ar ôl
ei balu, i roi ynddo lysiau ar ôl eu teneuo ar y pâmau.
Mewn mannau gwag ar ymyl y ddwy ochor yr oedd
mint, teim, y wermwd lwyd, yr hen ŵr a'r safri fach
yn tyfu. Y peth olaf oedd glanhau llwybr yr ardd a
oedd yn y canol rhwng y ddwy ochor. Tynnu dant-y-
llew, dail tafol a'r mwswm a dyfai ar yr ymylon, gan
ddinoethi nytheidiau o forgrug, a rhai ohonynt yn cario
eu hwyau, a moch-y-coed a oedd yn gwau drwy'i
gilydd. Sgubo â'r brwsh câns y chwyn, a'r tail a'r
lludw a'r pridd a gollwyd arno, a'u rhofio i ymyl yr
ardd rhwng y rhychau. Wrth lanhau fe gâi sbel, gan
edrych ar y jini flewog yn crwm-union ymgripad;
llysnafedd y malwod ar y llwybr; y malwod cragen yn
dilyn eu cyrn; iâr fach-yr-haf yn hedeg yn oriog;
gwrando ar y cachgi-bwm yn mwmian a'r gwenyn yn
sio wrth symud o flodyn i flodyn. Ar ôl gorffen y cwbwl,
yr oedd rhywbeth i'w wneud o hyd. Gwneud bwbach,
sef rhoi hen got ar brennau, a het ar ei ben, er na wnâi
bwgan bob pryd gadw'r brain a'r adar eraill draw, a
rhaid oedd plethu rhwydwaith o edafedd ar draws pob
pâm, a gosod darnau papur lliw wrthynt, ac yn y
gwynt fe fyddai'r rhain yn ysgwyd. Torri topau'r ffa
yn gynnar. Cropo'r berth a'i chadw dan y cryman.
Tocio'r llwyni gwsberis. Torri glaswellt y lawnt a
chymhennu'r gwelyau blodau. Gwylio'r lindys a'r
malwod o dan ddail y cabej a'r llwyni, a lladd y lindys
rhwng bys a bawd a rhoi troed ar falwoden gragen-
gransh. Coedo'r pys a'r cydna-bêns—coed y cydna-
bêns yn uwch na choed y pys, a gwifren yn eu clymu yn

agos i'r top. Ac ar dywydd sych dyfrhau'r ardd o'r pot, a'r dŵr drwy ei drwyn yn disgyn fel glaw mân ar y pridd a'r llysiau. Priddo'r tatws, y pys, y ffa a'r cydnabêns. Pan oedd hi yn bryd fe dynnai'r tatws cynnar, ac wedyn y tatws diweddar; ac yn yr hydre eu tynnu i gyd, gan ddidoli'r tatws iach oddi wrth y tatws a chlais a chrach arnynt: rhoddai'r tatws iach mewn cladd ar ben yr ardd, sef eu rhoi yn bentwr ar ben ei gilydd ar sach, a bwrw pridd ar eu pen. Am y tatws eraill fe'u berwid mewn *boiler* ar dân y gegin i'r mochyn.

Mari Hopcin a fyddai'n rhoi bwyd i'r mochyn yn ystod y dydd, ond dydd Sul; Tomos Hopcin a roddai'r bwyd yn y cafan bob nos ar ôl te. Yn ymyl y twlc yr oedd casgen y bwyd sur, sef gweddill bwyd a golchon llestri; ac wrth basio hon ym mhoethder yr haf fe fyddai'r drycsawr bron â'ch cwympo; ac yn y sièd rhwng y tŷ-bach a'r twlc y cedwid y sach flawd. Fe gymysgid y blawd â'r bwyd sur, neu ei gymysgu â sgiletaid o datws neu gabej wedi eu berwi, a'u rhoi yn fwyd yng nghafan y mochyn. Yn yr hydre fe dorrai Tomos Hopcin â chryman y rhedyn ar ochor neu ar ben y Graig; eu gadel i grino; yna eu casglu a'u rhoi ar sach, a rhoi pen-lin arnynt i'w gwasgu yn dynn; rhoi rhaff a chwlwm rhedeg arno, a chario sacheidiau ohonynt ar ei gefn, a'u gosod yn nhowlod y twlc. Pan fyddai'r sarn yng ngwâl y mochyn ac yn y twlc yn frwnt, fe'u cariai i'r domen; a gosod coeled o sarn glân yn eu lle. Y peth cyntaf ar ôl cael porcyn oedd ei swiflo. Fe gâi help ei gymydog, Gomer Powel, i ddal y mochyn wrth ei glustiau yng nghornel y twlc, ac yntau yn gwthio'r swiflen trwy flaen trwyn y mochyn, ac wedi ei gwthio i'r pen, fe fyddai'n troi'r ddau flaen yn ôl â phinsiwrn yn ddau gylch bychan. Wrth ei swiflo fe glywech y mochyn o bell yn sgrechen, ac ar ôl gorffen y gwaith fe fyddai ei drwyn yn gwaedu, ac yn gwaedu wrth fwyta'r bwyd. 'Roedd y mochyn yn cael ei swiflo rhag iddo dwrio gormod i lawr y twlc. Pan oedd y mochyn yn frwnt, fe fyddai Tomos Hopcin yn ei olchi â dŵr claear a brwsh a sebon, ac wrth gael ei rwbio fe safai'r mochyn yn llonydd, ac yr oedd y winc yn ei lygaid yn dangos ei fod yn mwynhau'r olchfa. Ond nid yn hir yr erys mochyn yn lân. Pan oedd y mochyn tua deg sgôr yr oedd yn barod i'w ladd; ac fe dynnid y ffwrwm o'r cwtsh glo, a'i glanhau; berwi dŵr yn y *boiler* ar dân y gegin; clirio'r gegin i gael lle i hongian y mochyn ar y gambren; gofalu bod padell yn barod i'w rhoi tan ei ben; a chlirio'r fainc garreg yn y pantri i osod y cig arni. Dyna'r dyn-lladd-mochyn yn mynd i'r twlc ac yn cydio yn ei glustiau, ac yn tynnu'r mochyn, a Tomos Hopcin y tu ôl yn cydio yn ei gwt ac yn ei wthio o'r tu ôl; y mochyn yn sgrechen wrth gael ei dynnu a'i wthio ar lwybr yr ardd; y mochyn yn sgrechen, yn gwingo ac yn stryglan ac yn mynd i ganol yr ardd, gan sarnu'r rhychau tatws a'r pâmau: a dyna Gomer Powel yn clywed y gwichian ac yn dod i roi help. (Un tro fe ddihangodd y mochyn o'u gafael: rhedeg ar hyd y llwybr a heibio i dalcen y tŷ a thrwy gât y ffrynt i'r hewl; ac fe fu'n rhaid cael help hanner dwsin o gymdogion i'w ddal, a'i gael yn ôl.) Rhwng y tri fe geid y mochyn yn ymyl y ffwrwm, a'i godi arni ac yntau yn sgrechen nerth ei ben, gwingo a strancian, ac fe dorrid ei wythïen fawr gan gyllell y bwtshwr. Fe bistyllai'r gwaed ar draws y lle: fe âi'r gwingo a'r sgrechen yn llai ac yn llai; ac ar ôl y cyffrad olaf fe orweddai ar y ffwrwm yn waedlyd lonydd, a'i lygaid fel marbls pŵl. Yna arllwysid dŵr twym o'r *boiler* i stên, a'i arllwys o'r stên ar ddarn o'r mochyn, a chrafu'r gwrych â sgrafell: ac felly o ddarn i ddarn nes yr oedd y mochyn yn borcyn gwyn, ar wahân i rai marciau coch ar y croen. Yna yr oedd yn cael ei gario ar y ffwrwm i'r gegin, ac fe roddid rhaff trwy dwll a wnaeth y bwtshwr rhwng y gewyn a'r asgwrn yn y ddwy droed ôl, a'i rhoi am y gambren; a thynnu'r mochyn i fyny, symud y ffwrwm ac yna yr oedd yn hongian. Fe fyddai'r bwtshwr yn cracio'r traed blaen yn y cymalau, ac yn torri'r pen bron i'r bôn, a'r gwaed yn diferu o'r pen i'r badell. Wedyn fe holltid y mochyn ar hyd ei ganol; tynnu'r bledren, yr afu, y galon a'r perfedd allan, a chladdu'r perfedd yn yr ardd rhag i gŵn a chathod gael gafel arno. Fe fyddent yn cadw'r ffedog am y perfedd, ac yn ei hongian ar ben y mochyn. Fe fyddai'r mochyn yn hongian drwy'r nos; y pen a'r traed blaen fel pe byddent am ymadael ag ef; a'r gwaed yn dal i ddiferu.

Pan oedd angen glo mi arllwysid tunnell o lorri ar yr hewl o flaen gât y ffrynt, ac yr oedd Tomos Hopcin yn ei wilbero i'r cwtsh glo, gan osod y cnapau yn stacan ar un ochor, a'r glo mân yn beil ar yr ochor arall. Wrth gymysgu'r glo mân â chlai a dŵr mi wnâi belau, a gosod dwy neu dair ohonynt cyn mynd i'r gwely yn y grat wrth nuddo'r tân, ac yr oedd yno dân yn y bore. Mi gâi flociau o goed o'r Gwaith, ar ôl cael caniatâd, a'u torri â bwyall ar flocyn; torri pentwr ar y tro, a thorri rhai yn fanach na'i gilydd; y coed mân i gychwyn y tân, a'r coed tewach ar eu pen. Ar silff yn y cwtsh glo fe gadwai bob math o hoelion mewn bocsis, a darnau o ledr, a'r offer, sef morthwyl, pinsiwrn a last; a phan fyddai'n sych fe fyddai yn coblera o flaen drws y cwtsh glo, ac ar dywydd gwlyb y tu mewn. Efe a oedd yn tapo ei esgidiau ei hun, esgidiau'r wraig ac esgidiau'r

25

plant. Pan oedd eisiau fe drôi ei law at waith saer, gan reparo drws a ffenestr yn y tŷ ac yn y tai allan; rhoi llawr newydd yn y twlc pan oedd y planciau wedi treulio; naddu estyll â phlâm a'u hymylon â sbocshafft a'u gosod yn silffoedd; a gwneud jobsis o'r fath.

Wrth arddio, gofalu am y mochyn, coblera a gorchwylion eraill yn yr awyr agored fe anghofiai Tomos Hopcin y llafur o flaen y ffwrnais trwy'r dydd. Y peth cyntaf a wnâi ar ôl myned allan i'r ardd oedd llanw ei ysgyfaint ag awyr iach a lledu ei ffroenau i arogleuo coed, blodau a llysiau. Mi symudid o'i lygaid gochni'r ffwrnais a llwydni peiriannol y Gwaith gan liwiau esmwyth Natur. Ar ôl mwstwr y Gwaith nid oedd dim yn hyfrytach ganddo na distawrwydd gwlithog yr ardd yn yr hwyrnos, a gwrando ar y 'deryn du yn canu. Fe godai ei ben o'r pridd pan glywai'r gwcw am y tro cyntaf. Pan nad oedd dim i'w wneud, ac ni fyddai neb yn gwneud pwt yn yr ardd ar y Groglith, y Pasg, a'r Llungwyn, ni fyddai dim yn well ganddo na gwylio tyfiant ffrwythau, llysiau a blodau, a gweled pob dim yn glasu ar ôl glaw mân. Yn yr hydre fe fyddai pob dim yn llonydd, a haul Gŵyl Bach Mihangel yn sychu'r shilots a'r wynwns ar ffetan yn yr ardd. Fe fyddai yn rhyfeddu at wyrthiau creadigaeth Duw. Da ganddo hefyd ar noson waith ac ar y Sul oedd myned i'w dŷ-bach ei hun ar dop yr ardd am fod y sêt yn lân a sgwarau o bapur yn hongian wrth gordyn ar hoelen yn y wal, oherwydd fe fyddai tai-bach y Gwaith yn amal yn frwnt am fod rhai gweithwyr mochynnaidd yn pisho ac yn cachu ar y sedd.

Felly, gŵr amyneddgar, pwyllog a gwastadfryd oedd Tomos Hopcin; gŵr yn mesur a phwyso cyn rhoi barn; gŵr yn ceisio cerdded ar ganol y ffordd. Dyn byr, cydnerth ydoedd; melynwyn oedd ei wallt, a hwnnw wedi ei rannu yn daclus; melynwyn oedd ei fwstàsh, ac fe fyddai yn troi pen hwn â'i law dde pan fyddai mewn penbleth; llygaid llonydd oedd ganddo; gruddiau coch, ond nid cochni haul oedd y cochni, ond gwrid y ffwrnais; ac fe allech weld hwn hefyd ar ei wegil. Mab ffarm ydoedd, ffarm Gelli Ucha yn ymyl Rhydcymerau, Sir Gaerfyrddin; ond am eu bod yn wyth o blant yr oedd yn rhaid i'r rhai hynaf fyned dros y nyth. Fe glywodd Tomos Hopcin yn Rhydcymerau fod gweithwyr y De yn ennill cyflogau mawr; er hynny, nid oedd am fyned i weithio mewn pwll glo neu Waith: a phan welodd mewn hysbysiad fod ar Mr. William Parsons, perchennog y Gwaith Dur ac Alcan yng Ngwaun-coed, eisiau garddwr fe aeth yno a chael y gwaith. Ar ôl bod yno am dair neu bedair blynedd mi welodd nad oedd cyflog o bunt yr wythnos yn ddigon i gynnal teulu o bedwar; a chafodd gan y perchennog waith pitman yn y Gwaith Dur. Ni fu wrth y gwaith hwn yn hir: aeth i weithio wedyn ar y 'jinis', gwaith peryglus iawn; a chododd oddi yno i fod yn drydydd helpwr ar y ffwrnais; yna yn ail helpwr; ac wedyn yn ffwrneisiwr. Fe godódd yn gyflym iawn am ei fod yn weithiwr gonest a chyd-wybodol. Fel ffwrneisiwr, ei gyflog oedd pedair punt yr wythnos. Un o Lansawel oedd ei wraig; merch ffarm; ond gan ei bod yn rhy eiddil i wneud gwaith ffarm fe ddysgodd grefft wnïo gan wniadyddes yn y pentre; ac ar ôl dysgu ei chrefft fe âi o ffarm i ffarm i wneud dillad. Yn ffair Llansawel y cwrddodd hi â Tomos Hopcin gyntaf, a dechrau caru; a chyn iddo fyned yn arddwr i Waun-coed fe'u priodwyd hwy yn y Capel. Yn 1900 deugain oed oedd ef, a hithau ddwy flynedd yn iau. Yn un o dai y rhes isaf ar ochor chwith y pentre, y rhes dai uwchben y rheilffordd, ac oherwydd hynny a elwid yn *Railway Terrace*, No. 18, yr oedd Tomos a Mari Hopcin yn byw. Tŷ ar gynllun yr holl dai yn y rhes, ac yn y rhesi eraill, oedd y tŷ hwn: yr oedd ynddo gegin, pantri, cegin ffrynt ac yn ei chornel gwtsh-dan-stâr a pharlwr; ac ar y llofft yr oedd tair ystafell wely, neu a bod yn fanwl, ddwy ystafell wely a bocsrwm, er y gellid gosod yn hwn, pe byddai raid, wely bychan; ac yr oedd yn rhaid gwneud hynny pan oedd nifer o blant.

Llawr pren oedd llawr y parlwr, ac ar y bwrdd yno y cedwid y Beibl mawr â chlasbiau aur arno, ac ar flaen y Beibl yr oedd dalennau gweili i sgrifennu ar y llinellau ddyddiadau geni a marw aelodau'r teulu. Yn y parlwr hefyd yr oedd cwpwrdd llestri, cowtsh a dwy gadair: ac ar y waliau yr oedd lluniau'r perthnasau ac yn enwedig lun y tad-cu a'r fam-gu; llun y Frenhines Victoria; pictiwr ac adnod, ' Duw, cariad yw ', wedi ei hargraffu, ynddo; ac ar y mantl-pîs yr oedd lluniau'r teulu, ac yn enwedig y plant. Ystafell oer oedd y parlwr, a llaith hyd yn oed ar ddiwrnod poeth yn yr haf, a hynny nid yn unig am na chyneuid tân ynddi, ond ar y Nadolig, eithr hefyd am mai ynddi y gosodid arch y marw. Yn y gegin ffrynt yr oedd y teulu yn byw ac yn cael bwyd, ac yr oedd ynddi danllwyth o dân hyd yn oed yn yr haf i ferwi'r tegil ac i dwymo'r ffwrn. Llawr cerrig oedd iddi, a'r fflagiau mor arw fel y gadewid tameidiau o'r clwtyn llawr arno ar ôl ei sychu. Gwaith caled oedd cadw'r gegin ffrynt yn lân; polisho'r ffender; blacledo'r ashban, y barrau, y stand, y pentan a'r shiten y tu cefn i'r tân: glanhau'r roden bres, y canwyllerni pres, y *trays* pres ac arian, a'r ddau gi llester gwyn-a-du, un ar bob pen i'r mantl-pîs. Ar yr aelwyd, o dan y

ffender, fe dynnai Mari Hopcin linellau â charreg wen,
a gwneud ar yr ymylon sgalops. Lle y cerddid ar lawr
y gegin gefn, ar lawr y gegin ffrynt ac ar ganol grisiau'r
llofft fe osodai hi ddalennau o'r *Carmarthen Journal*, ac
yn enwedig ar dywydd gwlyb. Ar ôl glanhau, fe fyddai
Mari Hopcin yn glanhau glendid.

' Ta faint yn y byd lanhewch chi ar yr hen dŷ 'ma,
'r un faint o annibendod fydd 'ma o hyd.'

Gwraig gymen, a gwraig barticwlar oedd hi; ac yr
oedd yn meddwl y byd o'i thŷ. Golwg eiddil oedd arni,
ond yr oedd yn wydn iawn hefyd. Ar furiau'r gegin
ffrynt yr oedd llun Kitchener, a llun gweinidogion
enwog Oriel y Methodistiaid Calfinaidd, llun yr oedd
y ddau yn ei anwylo. Yn y cwpwrdd y naill ochr i'r
tân yr oedd llestri ond ar y silff isaf yr oedd y gyfrol
o *Weithiau* Pantycelyn gan Kilsby Jones, cyfieithiad
Cymraeg o *Weithiau* Bunyan, *Traethodau Duwinyddol* gan
Lewis Edwards, D.D., a nifer o Esboniadau—llyfrgell
Tomos Hopcin: ac ar yr ochor arall yr oedd cwpwrdd
yn llawn llestri. O dan y ffenestr yr oedd cowtsh, a'r
ochor arall gyferbyn ag ef yr oedd cest-an-drârs.

Dydd Gwener oedd diwrnod crasu. Fe godai Mari
Hopcin y darn haearn ar waelod y ffwrn, a gwthio â'r
pocer y glo coch dani i'w thwymo. Y tu cefn i ddrws y
pantri yr oedd sach o gan gwyn ar stôl, i'w gadw rhag
y llygod, a phrynai ychydig gan brown hefyd, a chym-
ysgu'r ddau gan am fod y brown ar ei ben ei hun yn rhy
gryf. Ar ôl cymysgu'r toes fe'i rhoddai mewn padell
bridden, a lliain gwyn ar ei hwyneb, ac yna ei gosod ar
stand yn ymyl y tân i'r toes godi. Fe fyddai'r ffwrn wedi
ei phoethi drwy godi'r darn haearn ar ei gwaelod, a
gwthio â'r pocer ddarnau o lo coch odani. Ar ôl i'r
toes godi fe dorrai ddarnau ohono a'u tylino ar y pren

29

gwyn a chan arno ar y bwrdd, a thorri darnau sgwâr, eu siapo fel torthau sgwâr, neu eu siapo fel torthau crwn, a'u rhoi mewn tuns bara, sgwâr a chrwn, a'u gosod ar lawr y ffwrn. Gwnâi hefyd 'bice drwy'r tôs', sef cymryd peth o'r toes gwyn, rhoi siwgir, cyrrens ac ychydig lard ynddo, a'i wneud yn 'bice', a'u rhoi i godi ar yr aelwyd yn deisenni. Fe wnâi yn eu tro deisen lap, teisen gyrrens, pice-ar-y-mân a theisen blaen a hadau carwe ynddi. Fe wnâi hefyd ffroesod. Pan oedd yn gwneud tarten fe roliai'r toes â rowlin pin ar y darn pren crwn a dolen iddo; gosod darn o'r toes dros y plât, a'i dorri gyda'r ymyl â chyllell; gosod y ffrwyth ar y toes, ysgwyd siwgir drosto, rhoi darn o does ar y rheini, a'i dorri gydag ymyl y plât; a gwasgu'r ddeudoes ar ymyl y plât â blaen fforc. Yn eu tro fe wnâi darten 'falau, tarten riwbob, tarten gwsberis, tarten gyrrens coch, tarten gyrrens duon, tarten afans, tarten eirin, tarten fwyar a tharten llysi-duon-bach; y ffrwythau hyn, ar wahân i'r ddau olaf, wedi eu tyfu yn yr ardd; a'r ddau olaf wedi eu casglu ar ochor y Graig a mannau eraill. Ar wahân i'r tartenni, fe wnâi o'r ffrwythau hefyd jam; a gwelid y potiau jam yn rhes ar silff y pantri erbyn y gaeaf. Yn yr hwyr tua saith o'r gloch, ar wahân i ddydd Sul, y byddai cinio, ac fe brynai yn y siop yn eu tro gig eidon, cig oen, cig gwedder, cig llo a phorc; berwi llysiau o'r ardd, ac o'r tatws, potsh tatws neu datws drwy'r pil oedd flasusaf. Pan leddid mochyn nid oedd angen prynu cig yn y siop am fisoedd.

Pan oeddech yn mynd i'r gegin yn y tywyllwch, a'r mochyn yn hongian yno wrth y gambren, fe allech daro eich pen yn ei erbyn, a chael braw: neu, pan aech yno â golau cannwyll fe welech ef yn hongian yno fel rhyw ysbryd, a'r gwaed yn dal i ddiferu. Y diwrnod ar ôl hynny fe ddôi'r dyn-lladd-mochyn, a bag lleder ganddo, ac yn y bag weiniau i ddal y gwahanol gyllyll ac i ddal bwyall, ac wrth ei ochor fe fyddai'r hogwr stîl yn hongian i agor y mochyn. Â'r fwyall fe dorrai'r mochyn yn ddau hanner; ac ar y ffwrwm mi dorrai'r ddwy gamwn, y ddwy ystlys a'r ddwy balfais. Fe dorrai hefyd y braster, a byddai Mari Hopcin yn toddi hwn yn lard, ac yn ei osod ar silff y pantri mewn basnau. O'r cig mân, y cig yn y pen ac yn y traed blaen fe wnâi ffagots brôn, sef gosod y brôn mewn basn, a haearn smwddio ar ei ben; ac wedi iddo seto, fe droid y basn wyneb i waered, a byddai'r brôn yn dalp llwydwyn ar lun basn. O'r afu, y galon, a'r sbarrib fe wnâi ffagots, sef cymysgu'r cig a bara a wynwns a theim, ac fe fyddai yn rhoi'r bilen am y ffagots. O'r cig mochyn fe wnâi hefyd gawl, ac nid oedd yr un cawl â chynifer o sêrs ar ei wyneb â chawl cig mochyn. Ar ôl lladd mochyn, yr oedd y tŷ yn orlawn o gig, ac wrth glywed y stecen yn ffrio yn y ffrympan, a'r ais yn digoni yn y ffwrn fe godai chwant bwyd arnoch, a dôi dŵr i'ch dannedd wrth ddisgwyl am y gwleddoedd blasus. Yr arfer, ar ôl lladd mochyn, oedd rhoi darnau o sbarrib i gymdogion, a disgwyl cael cig ganddynt hwy pan fyddent yn lladd mochyn, ond yr oedd Tomos Hopcin yn rhoi cig hefyd i'r anghenus. Nid oedd ei wraig yn fodlon ei fod wedi rhoi pishyn o gig i Mrs. Job, gwraig a adawyd yn weddw pan gollodd ei gŵr mewn anap yn y Gwaith Dur, ac yr oedd ganddi dri o blant.

' Pam ôt ti yn rhoi cig i'r fenyw 'na, Tomos? 'Rwyt ti'n gwbod nad ôs enw da iddi. Ma dynon yn mynd i'r tŷ ati.'

' Wel, Mari, 'rwyt ti'n gwbod 'i bod hi yn fain arni. 'Dôs dim rhyw lawer o arian yn dod i miwn i'r tŷ, ac ma tri o blant gyda hi. Ma'n rhaid i ni gofio am y gwragedd gweddwon, fel y dwedodd y Beibl. Ac y ma Duw yn rhoi 'I fendithion i'r da ac i'r drwg.'

'Ofni 'rwy i y byddi dithe hefyd, Tomos, yn câl enw drwg, a thithe yn aelod yn y Capel.'

'Paid â hido, Mari. Bod yn iawn gyda Duw sydd yn bwysig, a nid bod yn barchus gyda dynion.'

Tomos Hopcin a fyddai'n halltu'r mochyn ar y fainc garreg yn y pantri, ac yr oedd halltu mochyn yn grefft, crefft a ddysgodd ef gan ei dad, a thrwy ei harfer ar hyd y blynyddoedd. Fe rwbiai a rhwbio'r halen i mewn i'r ddwy gamwn, y ddwy ystlys a'r ddwy balfais, a phe rhwbiai ry ychydig o halen fe allai'r cig lwydo a phryf-edu: a phe rhwbiai ormod fe fyddai'r cig yn rhy hallt. Profiad a'i dysgodd i osgoi'r ddau eithaf. Ar ôl gorffen rhwbio fe roddai saltpiter o amgylch bôn yr esgyrn rhag i'r pryfed a'r clêr chwythu arno. Fe roddid y ddwyen hefyd yn y picl halen. Fe gedwid y cig yn yr heli am wythnosau, a phan oedd yr heli wedi rhedeg i'r fainc fe'i codid ef yn ôl ar y cig. Ar ôl gorffen halltu fe fyddid yn sychu'r cig; yna yn hongian y ddwy gamwn, a chwdyn amdanynt, a'r ddwy ystlys wrth fachau yn silin y pantri a'r gegin.

Pan oedd golchad mawr gan Fari Hopcin fe gych-wynnai olchi fore Sadwrn; ond, fel rheol, dydd Llun oedd y diwrnod golchi yn yr ardal. O gasgen o flaen drws y cefen, casgen a ddaliai ddŵr glaw trwy bipen o'r bargod, y câi ddŵr golchi, a berwai'r dillad gwyn mewn *boiler* ar dân y gegin, a'u golchi mewn padell sinc ar hen gadair heb gefen iddi. Fe rwbiai'r dillad yn erbyn ei gilydd â'i llaw. Golchai'r gwlenyn ar wahân, a'u rhwbio ar y rwber; a rhaid oedd cael mwy nag un dŵr

32

cyn y doent yn lân. Yn yr haf fe fyddai trowsus rib ei gŵr a'i 'sanau yn wlyb potsh fel pe byddent wedi eu tynnu drwy ddŵr yr afon, ac yr oedd y crys bach glas wedi pannu gan y chwys. Wrth olchi yr oedd y gegin yn llawn anwedd a oedd yn lleithio pob dim ynddi, a rhaid oedd cau drws y pantri rhag i'r anwedd leithio'r bwyd a'r llestri, a gadel drws y gegin ar agor i'r anwedd fyned allan yn gymylau. Yna fe fyddai'n pegio'r dillad ar y lein, a phan oedd gwynt fe fyddai'r dillad yn ysgwyd fel adar lliw yn ysgwyd eu hadenydd ac yn ceisio mynd yn rhydd. Pan oedd eira ar y llawr fe edrychai'r dillad glân yn llwyd a di-raen, a phan oeddent wedi rhewi fe safent yn stiff ar y lein fel milwyr ar barêd. Ar ôl i'r dillad sychu yn y bore fe'u smwddid hwy yn y prynhawn. Fe osodai heter yn y tân, ac wedi iddo gochi, fe'i codai â'r tongs a'i osod yn yr haearn smwddio, ond cyn ei roi fe boerai arno i weld a oedd yn ddigon poeth, a'i lanhau wedyn ar y mat. Pan oedd yn smwddio â'r heter hwn, yr oedd un arall yn y tân yn poethi. O dan y dillad yr oedd hen flanced ar y bwrdd, ac fe glywech gnoc yr haearn ar ôl disgyn ar y dillad . . . Ar ôl i gasis gobennydd a ffedogau sychu yn grimp fe fyddai Mari Hopcin yn taenellu dŵr arnynt, yn eu rholio ac yn eu gadel yn llaith: yna fe dynnai'r haearn drostynt yn ysgafn i dynnu'r gwrymiau, ac wedyn yn drwm nes eu troi yn loyw stiff. Am goleri fe roddai startsh berwedig arnynt, eu gwasgu â'r llaw, a'u rholio mewn tywel; eu gadael am awr; yna eu hagor ar y bwrdd yn fflat, rhoi gorchudd o liain drostynt, a rhedeg yr heter yn boeth eirias yn ôl a blaen drostynt. Haearn claear a smwddiai'r dillad sidan. Ar ôl smwddio fe roddai'r dillad ysgafnaf ar ddrws y ffwrn i galedu; y rhai trymaf ar y lein o dan y silin ac eraill ar y rhoden uwchben y lle tân.

33

Pan oedd ganddi hamdden fe fyddai yn gwnïo; ac, fel y dywedwyd, mi ddysgodd ei chrefft yn Llansawel. Fe brynai hi frethyn a gwlanen yn Ffair Fedi Gwaun-coed, ond ni phrynai ddim â chotwm ynddo; mi wyddai hi wrth ei bysedd naws y brethyn a'r wlanen. Hi a wnâi ddillad i'w mab, Cynddylan, ac i'w merch, Myfanwy; ac i'w gŵr mi wnâi grys parch, crys bach glas i'r Gwaith a drafersi. Fe ellir dywedyd am y mwyafrif o bobol Gwaun-coed fod eu dillad isaf o'r deunydd gorau. Hi hefyd a wnâi ddillad iddi hi ei hun. Pan oedd hi'n gwnïo yr oedd y mashîn yn chwyrnu; ei llaw yn troi'r handlen fel y meil, y wennol yn codi ac yn disgyn a'r rhilen edau yn troi ar dop y mashîn. Fe fyddai ei llaw chwith yn troi ymyl y dilledyn at y nod-wydd. Ym mhoced y mashîn fe gadwai edafedd, nod-wyddau, rhiliau edau, siswrn, bobins, cŵyr teiliwr a sialc. Ar wahân i wneud gobenyddion gwely a'r casis a llenni fe fyddai yn yr haf yn rhoi'r ffrâm gwilt o flaen ffenestr y gegin ffrynt, ac yn ystofi cwiltiau o fatiau rhacs. Am ei bod yn brin o flancedi fe brynodd un gan werthwr wrth y drws un tro, ac ar ôl ei olchi fe welodd ei bod yn llawn calch, ac ni phrynodd ddim gan y gwerth-wr hwnnw wedyn. 'Ar ôl y golchi di'r calch ohono,' meddai, 'fe fydd yn shrinco fel clwtyn.' Pan glywai John Jones ar y stryd fore Sadwrn yn gweiddi, ' 'Sane a gwlân,' fe âi allan, pan oedd angen, i brynu 'sanau ac nid i brynu gwlân, am nad oedd ganddi ddiddordeb mewn gweu. Nid yw gwniadreg fel rheol yn weureg. Mi gadwai stoc o shitiau, blancedi a llieiniau bwrdd yn nhreiriau'r cest-an-drârs, ac mewn bocsis tun ar y llofft rhag i angau a thostrwydd ddod i'r tŷ. Fe allai ei gŵr gael ei ladd mewn damwain yn y Gwaith Dur.

Teulu cysurus oedd teulu Tomos Hopcin. 'Roedd y

gŵr a'r wraig yn byw gyda'i gilydd mor hapus â Phwnsh a Jiwdi. Ar ôl i'r ddau weithio yn galed drwy'r dydd ni chaent eu blino gan feddyliau afiach. Fe godai'r ddau am bump bob bore: Tomos Hopcin yn llanw bwced o lo yn barod, ac yn mynd i'r tap ar y stryd i nôl dŵr yn y stên: a Mari yn gwneud brecwast, ac ar ôl brecwast yn rhoi bwyd yn y bocs ac yn arllwys te i'r stên fach: ond yn yr haf, yn lle te, fe âi â photel o ddiod fain, diod yr oedd hi wedi ei wneud o ddanadl poethion, siwgir a burum. Fe welech yn yr haf res o boteli o'r ddiod dan y fainc yn y pantri, a'r gwaddodion ar eu gwaelod, ac ar ddiwrnod poeth iawn fe glywech gorcyn yn neidio o enau potel bop. Edrychai'n llawen wrth ddywedyd ' Bore da ' wrth ei gŵr, ond o dan y wên yr oedd pryder am na wyddai beth a ddigwyddai iddo cyn yr hwyr. Miwsig i'w chlustiau oedd clywed tua hanner awr wedi chwech gât y ffrynt yn agor, am fod ei gŵr yn fyw ac yn ddianaf am ddiwrnod arall: ac yr oedd y ginio yn barod iddo. Cyn bwyta fe dynnai ei esgidiau gwaith, ac yn yr haf pan oeddent yn wlyb diferu gan chwys fe osodai hwy allan yn yr haul i sychu. 'Roedd ei wraig wedi gosod ei slipers ar y ffender i gynhesu. Ar ôl cinio, pan oedd Mari yn golchi'r llestri, a'r plant yn chware yn y tŷ, yr oedd Tomos yn ymolch drosto yn y badell sinc o flaen y tân: ymolch yr hanner uchaf o'r corff yn gyntaf, o'i ben i'w fol, ac wedi sychu rhoi crys gwlanen amdano: ac wedyn yn ymolch yr hanner isaf, a champ oedd cuddio ei noethni rhag y wraig a'r plant. Fe wisgai wedyn ddrafers, 'sanau a dillad diwetydd. 'Roedd gan weithwyr y Cwm dri math o ddillad—dillad parch, dillad diwetydd a dillad gwaith; a thri math o esgidiau—esgidiau parch, esgidiau diwetydd ac esgidiau gwaith. Ar ddydd Sul ac ar wyliau Cristionogol fel y

Nadolig, y Groglith, y Pasg a'r Sulgwyn, ac i angladdau, y gwisgid y dillad parch a'r esgidiau parch. Ar ôl gwisgo, fe hoffai Tomos Hopcin yn y gaeaf, a'r lamp oel wedi ei chynnu, gydio yng *Ngeiriadur* Charles, neu *Draethodau Duwinyddol* Lewis Edwards, ond, fynychaf, ar ôl gweithio drwy'r dydd, gwell oedd ganddo ddarllen *Gweithiau* Bunyan neu'r gyfrol o *Weithiau* William Williams Pantycelyn. Ac weithiau fe fyddai'r wraig yn anfodlon ei fod yn darllen.

"Rwy i wedi bod yma drwy'r dydd, Tomos, heb neb i ddal pen rheswm â fi, ond 'rwyt ti wedi câl cwmni drwy'r dydd.'

' Y ma'n flin gen i, Mari. Rhyw greadur hunanol iawn wy i, ac fe fydda i 'nghasáu fy hun am fod mor hunanol. Am be y cawn ni siarad?'

' Odd 'na ryw newyddion yn y Gwaith yna heddi?'

' Na, 'dodd yr un newydd. Dim ond clebran a wnaethon ni amser bwyd. Rhai yn sôn am Rygbi; eraill yn adrodd storïe; rhai yn tynnu côs 'i gilydd; ac eraill yn dadle ar wleidyddieth a chrefydd. Ma gan y Gomer Powel 'na ryw syniade od iawn. 'Wn i ddim ai dadle er mwyn dadle ma fe, ond os yw e yn credu ynddyn nhw 'dyw e ddim ffit i fod yn aelod o Gapel Seion.'

Bryd arall fe fyddai Mari yn gadael i'w gŵr ddarllen am ei fod yn newid iddo ar ôl gweithio yn galed drwy'r dydd o flaen y ffwrnais drosti hi a'i phlant: a chydiai hithau yn y *Llyfr Tonau*, oherwydd mewn cerddoriaeth yr oedd ei diddordeb hi, ac yr oedd ganddi lais soprano clir. Ar ôl rhoi'r plant yn y gwely, yr oedd y ddau yn mwynhau'r nosweithiau gyda'i gilydd; ac fe fyddent weithiau yn cyfri eu bendithion. Ni chollodd ef yr un diwrnod yn y Gwaith oherwydd afiechyd, ac ni fu hithau yn y gwely ond ar enedigaeth y ddau blentyn. Ar ôl talu'r rhent a thalu am eu cynnal, yr oedd ganddynt yn y Cop arian yn gefn iddynt, sef y cynilion a'r difidend, a hynny yn bennaf am ei fod ef yn trin yr ardd ac yn tapo esgidiau, a hithau yn gwnïo. Ond pan fo dyn ddedwyddaf y daw gofid, ac yn ddiarwybod iddynt y daeth damwain i'r tŷ.

Fe gafodd Tomos Hopcin grafad ar ei fraich â darn o sgrap wrth eu rhoddi yn y ffwrnais: fe gafodd sawl crafad o'r blaen, ac ni wnaeth sylw ohonynt, nac o hwn; ond ymhen deuddydd neu dri dechreuodd ei fraich wynegu a chwyddo. Hwyrfrydig ydoedd i fynd i weld doctor fel y gweithwyr yn gyffredin, am nad oedd ganddynt arian i dalu'r doctor; ond fe aeth y fraich yn waeth a rhaid oedd myned ato. Fe ddwedodd y doctor wrtho am fyned adre ar unwaith a myned i'w wely am fod y gwenwyn wedi mynd i'w waed. Fe gafodd Mari Hopcin help cymdogion i gario'r gwely o'r llofft i gornel yr ystafell ffrynt am y gallai hi ei dendio yn well 'fan honno. Fe orweddai Tomos Hopcin yn ei wely yn welw a swrth, ac yr oedd ei fraich yn ddulas, a chymalau ei law wedi mynd ar goll yn y chwyddi; yr oedd ei fraich yn debyg i fraich rhyw gawr. Ni thynnodd Mari Hopcin ei dillad amdani am ddwy noson; ond fe'i gorfodwyd i fyned i'w gwely y drydedd noson gan Hanna Powel; a daeth cymdogion i olchi'r llawr, y llestri a'r dillad, a mynd i siopa drosti. Nid oedd y moddion yn gwneud lles iddo, ac meddai'r Dr. Hedley, Sais wedi dysgu Cymraeg, wrth Fari Hopcin:

' Ma dy ddyn di yn dost iawn, Mari. Ma'n rhaid i fi neud *operation*. Fi'n galw bore 'fory; a ti'n berwi'r tegil i fi.'

Bore trannoeth daeth a'i fag gydag ef, a thynnodd yr offer ohono a'u rhoi ar gadair yn ymyl y gwely.

Symudodd Mari ac ef y claf i ymyl y gwely fel yr oedd ei fraich yn hongian dros yr erchwyn: fe roddodd stwff brown o botel fach lle'r oedd y man geni: fe roddodd gyllell loyw mewn padell o ddŵr twym, a lanso'r fraich. Fe lifodd stwff gwyrdd o'r fraich i fwced oddi tani; ac fe fu yn llifo ac yn diferu am amser maith. Ar ôl gorffen diferu, rhoddwyd plaster ar y cwt a rhwymyn am y fraich, a symudodd Mari a'r doctor y claf o'r erchwyn i ganol y gwely; ac yno y gorweddai fel corff marw. Yno y gorweddodd am ddeuddydd heb symud na chymryd dim, a Mari a'r cymdogion, ac yn enwedig Hanna Powel, yn ei wylad ddydd a nos, a dôi'r plant i ymyl y gwely i edrych arno yn syn; ond y drydedd noson fe wenodd a rhoi arwydd ei fod am gael rhywbeth i'w yfed. Yr oedd wedi dod dros y tro—y tro at fyw neu'r tro at farw—ac yr oedd wedi troi at fyw. Pan welodd y doctor hyn fe ddywedodd wrth Fari:

' Ma dy dyn di yn mynd i wella, Mari. Ti yn lwcus iawn. Fuodd e jyst â mynd. Dim ond trwch y blewyn. Ma fe yn dyn cry iawn; ac ma 'i galon e fel y gloch. A 'dyw e ddim yn yfed cwrw ed. Ti pido rhoi gormod o fwyd iddo, Mari. Ti'n hapus iawn. Bore da.'

Yr oedd Mari yn rhy fud gan lawenydd i ddweud dim byd wrtho, ond fe welodd y doctor ei diolchgarwch yn ei hwyneb hi. Nid y doctor yn unig a wellodd ei gŵr, ond ei gweddïau hi hefyd.

Bwyd ysgafn a gafodd y claf i gychwyn—griwel, bara-a-llaeth a chawl; ac fe fu un cymydog mor garedig â lladd ffowlyn iddo; ac fe gafodd gawl ffowlyn a dechrau bwyta'r cig tyner ar ei frest. Ymhen tipyn yr oedd gwanc y bedd arno, ond ni roes ei wraig ormod o fwyd iddo ar y tro, ond ei gynyddu yn raddol, yn ôl cyngor y meddyg. Yn ei wendid fe gysgai lawer a breuddwydio;

breuddwydio ei fod yn hedfan drwy'r eangderau a thros y canrifoedd; a phan oedd yn deffro ni wyddai le yr ydoedd na phwy oedd ei wraig. Myned yn ôl at ei gynefin a wnâi fwyaf yn ei fyfyrdodau: cofio am ei gartref, Gelli Ucha yn ymyl Rhydcymerau: cofio amdano yn mynd â'r fuwch i darw; mynd i nôl hwrdd; gweithio ar y ddau gynhaeaf, a'r hyn a gofiai gliriaf oedd y gwres o dan do sinc y tŷ gwair pan oedd y gwair yn uchel; 'roedd y gwres yn llethol, mor llethol bron â'r gwres o flaen y ffwrnais. O, ie, y ffwrnais. 'Roedd wedi anghofio pob dim amdani, ac yn amau a fu erioed yn gweithio o'i blaen hi. 'Roedd y Gwaith Dur a'r gweithwyr mor bell. Ie, sut y cofiodd am y cyw? Pan oedd yn grwt fe gydiodd mewn cyw bach melyn, a'i wasgu yn ei law nes ei fod yn shwps. Sut y gallai wneuthur y fath beth creulon? Sut na chofiodd am y cyw cyn yn awr? Fe fu'r cyw ar ei gydwybod am ddyddiau, ond ni ddwedodd wrth ei wraig. Ei freudd-wyd mawr, pan oedd ar ddi-hun, oedd hwn. Ar ôl i'w fab, Cynddylan, dyfu, a chael ysgol a choleg, cael galwad fel gweinidog, a dod yn un o bregethwyr mawr y Methodistiaid Calfinaidd; ar ôl i'w ferch, Myfanwy, dyfu, a phriodi a chael plant, fe fyddai ei wraig ac ef yn gadael Gwaun-coed, ac yn prynu ffarm fach yn ymyl y ffordd fawr rywle yn agos i Rydcymerau; ffarm fach i gadw buwch ac ychydig ddefaid, ac yr oedd ganddo ychydig ddefaid yn eiddo iddo yn Gelli Ucha. Ond nid oedd y rhagolygon yn ddisglair. Er ei fod yn cael ychydig iawndal ymhen pythefnos ar ôl iddo fynd yn sâl, nid oedd yn ddigon i gynnal teulu; ac yr oedd y cynilion a'r difidend yn y Cop wedi eu gwario, ac yr oedd yn byw ar hen gownt. Ac fe fyddai'n rhaid talu'r doctor. Pe byddai wedi marw ni fyddai dim gan ei wraig a'i blant yn gefn, a byddai'n rhaid iddynt fynd ar y plwy oni allai ei wraig grafu bywoliaeth ar ei chrefft wnïo. Hyn oedd ei ofid mawr yn ei dostrwydd. Ar ôl iddo gryfhau tipyn yr oedd am ddarllen, ac yr oedd ei wraig yn ddigon bodlon iddo er mwyn tynnu ei feddwl oddi ar ei salwch. Fe gydiai yn *Traethodau Duwinyddol* Lewis Edwards, ond yr oedd yn rhy drwm; yn y gyfrol o *Weithiau* Williams Pantycelyn, ac yr oedd hwn yn well er na allai ddarllen llawer ohono; yn *Gweithiau* Bunyan, ac yr oedd hwn yn well fyth am fod stori ynddo; ond ni allai ddarllen llawer ar y tro oherwydd ei wendid. Fel yr oedd yn cryfhau, fe allai ddarllen mwy ar bob un o'r llyfrau.

Fe ddôi ei Weinidog, y Parch. Morris Parri, yn gyson i'w weld, ond yr oedd yn ddigon doeth i beidio â sgwrsio yn hir â dyn yn ei wendid, ond ar ôl iddo godi o'r gwely fe'i gwahoddwyd i de. Teulu yn parchu Gweinidog oedd teulu Tomos Hopcin; nid parchu'r person yn unig, ond parchu'r swydd hefyd. Fe aeth Mari Hopcin i'r cest-an-drârs i nôl y lliain bwrdd gorau, lliain a oedd yn loyw stiff; i'r cwpwrdd llestri i nôl y dysglau, y soseri a'r platiau gorau, a'r llwyau, cyllyll a ffyrc gorau; a rhoi ar y bwrdd y basn bach growns te; basn na fyddai ar y bwrdd ond pan ddôi rhywrai arbennig i de.

' Ar ôl i chwi fendio,' meddai'r Gweinidog, ' fe allwn ddweud iddi fod dipyn yn gyfyng arnoch, Tomos Hopcin?'

' Do, Mr. Parri. Fe fues fel y Cristion yn *Nhaith y Pererin* yng Nghors Anobaith; fe fues drwy Lyn Cysgod Ange, ac fe fues hefyd yn ymyl yr hen Iorddonen.'

' Ai dyna'r unig brofiada?'

' Na. Fe fues hefyd ar ben y Mynyddoedd Hyfryd;

yn y Tŷ Prydferth, ac ar wastadedd Beula. Fe weles
hefyd fwy nag unweth y baich yn cwmpo oddi ar war
Cristion o flân y Groes.'

'Fe fuoch yn darllan Pantycelyn hefyd yn eich salwch.
A oes rhyw emyn neu bennill wedi eich taro?'

'Ma Pantycelyn, Mr. Parri, yn rhy ddwfwn i ddyn
cyffredin fel fi, ond fe fuodd fwy nag un pennill yn help
mawr i fi, fel hwn:

> Yn y ffwrnais danllyd greulon,
>   Os Tydi a ddaw ymlaen,
> 'D oes ond heddwch a mwyneidd-dra
>   A thiriondeb yn y tân :
>   Gwên dy gariad
>   Wna bob cystudd yn ddi-rym.

Dyna bennill y tu mewn i 'mhrofiad i fel dyn ffwrnes
a dyn claf.'

Pan oedd hi yn ddistawrwydd fe fyddai Mari Hopcin
yn bwrw ei phig i mewn.

'Bytwch, Mr. Parri. 'Dŷch chi ddim yn byta llawer.
Pigo'ch bwyd ŷch chi. Dewch 'nawr. Bytwch yn harti.
Beth am dipyn o darten 'fale?'

''Rwy'n gneud yn iawn, Mari Hopcin.'

'Cymrwch ddisgled arall o de.'

Ac arllwysodd y growns te o'r ddysgl i'r basn, a rhoi
dysgled arall o de iddo.

'Bytwch 'nawr fel 'sech chi gartre. Ôs gyda chi ferch
yn y North 'na, Mr. Parri?'

'Pam ŷch chwi'n gofyn, Mari Hopcin?'

'Wel, peth lletwhith yw dyn shengel mewn capel.
Os nad ôs gyda chi ferch yn y North, fe allwch briodi
merch o'r Sowth. Ma merched y Sowth gystel â merched
y North, a dweud y lleia.'

41

' 'Nawr, Mari, paid â chynghori'r Gwinidog. Fe sy'n gwbod ore.'

Pan aeth Mari Hopcin i'r pantri i nôl rhagor o fwyd, fe ddwedodd Tomos Hopcin wrth y Gweinidog:

' Un o'r siort ore yw Mari ni. Hi yw'r wraig a roddodd Duw i mi. Fe gas hi law galed iawn gyda fi. 'Thynnodd hi ddim 'i dillad am noswithe, ac y ma wedi tendio arna i, law a thrôd. Ma hi wedi teneuo ed; a bydd yn rhaid i fi neud tipyn o waith yn y tŷ iddi hi gâl tipyn o orffws. Ac ma'r cymdogion hefyd wedi bod yn ffein iawn.'

' 'Rŷn ni wedi gweled eich eisia yn y Capal, Tomos Hopcin. 'Roedd eich lle yn wag ar y Sul, ac yn y Cwrdd Gweddi a'r Seiat. Ac y mae'r saint wedi gweddïo llawer am eich adferiad ac y mae Duw wedi ateb ein gweddïau.'

' 'Rwy'n ddiolchgar iawn i'r Eglwys, Mr. Parri. Wedi meddwl, y mae bendithion mewn afiechyd.'

' Beth yw'r rheini, Tomos Hopcin?'

' Wel, 'rw i wedi bod yn iach drw 'mywyd. 'Fues i ddim un diwrnod yn y gwely. Ond ar ôl câl y tostrwydd 'ma fe alla i gydymdeimlo â phobol dost. Peth arall, ma'r afiechyd wedi dangos fod bywyd yn ansicir iawn. Dim ond crafad â phishyn o sgrap ges i, ac fe fu bron â mynd â 'mywyd. 'Rodd gan Dduw ryw bwrpas, sbo, i 'nghadw yn fyw, er nad wy i ddim yn gwbod pam yr oedd yn cadw hen bechadur.'

' Wel, Tomos Hopcin, ar Ei drugaredd, Ei faddeuant a'i gariad 'rŷn ni i gyd yn byw. Mae'n rhaid i fi fynd. Mae hi yn noson Seiat heno.'

Ar ôl mynd allan y dechreuodd Tomos Hopcin wella yn iawn. Fe aeth i weld yr ardd, ac yr oedd yn llawn

chwyn, dant-y-llew, dail tafol a dyned. 'Wel, ardd
fach, pan fydda i yn holliach fe ddof i dy drin fel cynt.'
Yna fe aeth allan i'r hewl a'i cherdded hi o un pen i'r
llall. 'Roedd yn ei fwynhau ei hun. 'Roedd pob
diwrnod fel diwrnod i'r brenin. Ac yn y tŷ yr oedd ei
wraig yn ei sbwylio ac yn ei faldodi. Ar ôl cryffa yn
iawn, fe ddringodd i ben y Graig, ac wrth ei dringo yr
oedd fel Cristion yn dringo i ben y Mynyddoedd Hyfryd.
Ar ben y Graig fe welodd y pentre oddi tanodd, y
Gwaith Dur a'r Gwaith Alcan; a'r afon felen yn llifo
drwy'r Cwm. 'Roedd hi yn llifo pan oedd e'n sâl er na
chofiai amdani: yn llifo yn ddi-baid, gan ddwyn ein
blynyddoedd ar ei chefen. Cyn iddo fynd yn dost yr
oedd yn credu na allai'r byd fynd yn ei flaen hebddo,
ond fe aeth yn union yr un fath. Mor hunanol yw dyn.
Yn y pellter fe welai oleuni uwchben y môr, a chofiodd
am y goleuni y soniodd yr Efengylydd yn *Nhaith y*
Pererin amdano; y goleuni disglair acw a oedd yn arwain
at y Porth Cyfyng. Ar ben y Graig fe sugnodd i'w
ysgyfaint yr awel iach, ac yn yr ehangder fe welodd ei
bod hi wedi bod yn gyfyng arno yn y pylau o ddi-
galondid ac amheuon tywyll, ond yr oedd yn rhaid iddo
ymegnïo. 'Sut y galla i dalu'r hen gownt?' gofynnodd
iddo ef ei hun, gan droi pen ei fwstàsh. 'O, ie,' meddai
ymhen tipyn, 'fe gadwa i ddau fochyn y flwyddyn
nesa: cadw un, a gwerthu'r llall.'

Gefn-yng-nghefen â gardd Tomos Hopcin yr oedd
gardd Gomer Powel, ac yng nghornel y wal gerrig
rhyngddynt yr oedd camfa. Ar ôl dod adre o'r Gwaith
yn y nos, a chael cinio, fe fyddai Gomer Powel yn cydio
yn y *South Wales Daily News*, a pheth anghyffredin i

weithiwr oedd prynu papur dyddiol. Bob nos Wener fe ddarllenai'r papur lleol, *Llais Rhyddid*; ac wedi eistedd a darllen y rhain, anodd oedd myned i'r ardd. Fe godai yn sydyn ar ganol darllen papur, ac allan i'r ardd ag ef. Achos nad oedd wedi codi'r pridd yn yr hydre, caletach oedd y palu; a phwniai arni fel niger er mwyn cael mynd yn ôl i'r tŷ i orffen darllen y papur. Wrth amcan, ac nid wrth fesur, y byddai Gomer Powel yn agor y rhychau a gosod y tatws arnynt; ac ar ôl eu cau fe welai nad oedd pob rhych yn union. Yr un modd gyda'r gwelyau hadau, a'r rhychau pys, ffa a chydna-bêns, ac erbyn hyn yr oedd ei offer yn lân loyw: cyn cychwyn palu yr oedd rhwd arnynt am nad oedd wedi eu glanhau cyn eu rhoi heibio dros y gaeaf. 'Roedd yn falch o orffen yr ardd er mwyn cael darllen, ond yr oedd rhai pethau i'w gwneud o hyd. ' 'Dôs dim diwedd ar waith gardd,' meddai. 'Roedd llwybr yr ardd yn chwyn i gyd cyn iddo ddechrau ei lanhau; fe fyddai tyllau yn nail y cabej cyn iddo ddechrau codi'r malwod a'r lindys; yr oedd yr ardd yn llawn chwyn cyn iddo gychwyn chwynnu: fe fyddai'r pys a'r cydna-bêns wedi gŵyro cyn iddo eu coedo; ac yr oedd y tatws wedi tyfu gormod cyn iddo eu priddo. Fe fyddai'r berth brifet wedi tyfu yn hir cyn ei thorri â'r cryman: yr oedd ei thorri unwaith y flwyddyn yn ddigon. Wrth arddio ni sylwai ar y robin na'r fronfreithen; ni wrandawai ar gân y 'deryn du, ac ni ddywedai wrth ei wraig na'i blant pan glywai'r gwcw y tro cyntaf. Peth dwl, meddai, yw golchi mochyn: ar ôl ei olchi fe fydd yn frwnt cyn i chwi droi rownd. Mochyn yw mochyn. Fe fyddai gwâl y mochyn yn llawn tom yn gymysg â'r rhedyn, a'r twlc yn llawn tail cyn y byddai yn eu carthu. Mi anghofiai weithiau roi bwyd i'r mochyn yn y nos ac ar y Sul, ac oni bai am ei wraig fe fyddai wedi llwgu fwy nag un-waith.

Rhyddfrydwr oedd Gomer Powel, fel ei dad. Mab ffarm ydoedd, un o'r ffermydd yn y Cwm a werthwyd i berchennog y Gwaith Dur ac Alcan. Yn y Gwaith Dur y gweithiai fel pitman. Ni chododd yn ffwrneisiwr am i'r gaffer ei ddal fwy nag unwaith yn cymryd sbel, ond nid diogyn ydoedd, ond gweithiwr yn cael hoe ar ôl gweithio yn rhy gyflym ac yn rhy galed. Wrth sgwrsio yn y Gwaith bryd bwyd, a dadlau ar bynciau gwleid-yddol, ac yr oedd tri neu bedwar ohonynt yn aelodau o'r Blaid Lafur Annibynnol, fe newidiodd Gomer Powel ei syniadau. Fe droes y Rhyddfrydwr yn Rhyddfrydwr radicalaidd. David Lloyd George a Mabon oedd ei arwyr yn awr, ac yn enwedig Fabon. Fe anghytunai â pholisi *Llais Rhyddid* am i hwnnw ochri gyda Phrydain yn erbyn y Böeriaid ac am ei fod yn rhoi gormod o le i areithiau'r cyfalafwyr, ac yn enwedig i Alfred Mond. Fe sgrifennodd lythyr at y Golygydd i fynegi ei farn:

Syr,

Y mae Rhyddfrydiaeth ar y groesffordd. Y mae'n amlwg nad yw'r Blaid Ryddfrydol yn Lloeger a Chymru yn ddigon *progressive*. Y ma'n rhaid imi eich hysbysu mai ffolineb o'r mwya oedd ochri gyda Phrydain yn y Rhyfel â'r Boers, oher-wydd os bu Rhyfel erioed, hwn oedd Rhyfel y *capitalists*. Rhaid eich hysbysu hefyd eich bod yn rhoi gormod o le yn eich papur i *speeches* y *capitalists*, ac yn enwedig i Alfred Mond. Mae Mr. Mond yn Rhyddfrydwr mawr ac yn credu mewn *Home Rule* i Gymru. Nid yw'r gweithwyr eisiau cael *Home Rule* tan y *capitalists*. Os *Home Rule* o gwbwl, mae'n rhaid i ni gael *Home Rule* i'r werin. Nid yw'r pethau yr ydych yn sôn amdanynt fel Datgysylltiad Eglwys Loeger o un gwerth i'r gweithwyr. Y pethau pwysig i weithwyr y wlad yw cael gwell tai, gwell addysg, wyth awr y dydd, pensiwn i'r hen bobol, gwell *compo* a mwy o gyflog. Meddyliwch am weithwyr yn ennill punt yr wythnos ac yn cadw teulu. A all dyn fod yn Gristion ar bunt yr wythnos? Os na fyddwch chi fel Rhyddfrydwyr yn dihuno cyn hir, y mae'r Blaid Lafur yn sicr o ennill y dydd. Nid wyf yn credu mewn *Socialism*, ond y mae *Socialism* yn well i weithwyr na *capitalism* y Blaid Ryddfrydol. Ar y groesffordd y mae'r Blaid Ryddfrydol ac y mae'n rhaid iddi ddilyn y llwybr *progressive;* llwybr Lloyd George ac nid llwybr Alfred Mond; llwybr Mabon, ac nid llwybr Bryn Thomas a David Thomas.

Yr eiddoch,
Gomer Powel

Ar wahân i erthyglau ar wleidyddiaeth, yr oedd yn *Llais Rhyddid* hefyd lithiau ar Gristionogaeth. Yn rhai ohonynt fe ddywedwyd nad oedd sail hanesyddol i Lyfr Genesis am fod Darwin wedi profi fod dyn wedi datblygu o'r epa. Nid Duw oedd wedi creu Adda yng Ngardd Eden; stori oedd y Dilyw; myth oedd hanes Jona ym mol y morfil. Ni ellid credu yn yr Enedigaeth Wyryfol. Sut y gallai morwyn fod yn forwyn ar ôl geni plentyn? Am yr Iesu, dyn perffaith ydoedd, ac nid Duw-ddyn; proffwyd, ac nid Gwaredwr; rebel, ac nid Achubwr. Nid oedd yr Atgyfodiad yn ffaith: dylanwad yr Iesu ar ei ddisgyblion ar ôl iddo ef farw ydoedd. Nid oedd pechod ond olion anifeilaidd mewn dyn, ac yng nghwrs datblygiad fe gâi wared arno fel y cafodd wared ar ei gynffon. Am Paul, yr oedd hwn wedi llygru efengyl seml y Galilead â'i ddiwinyddiaeth am yr Iawn, cyfiawnhad drwy ffydd, gras ac yn y blaen. Newydd oedd y syniadau hyn i Gomer Powel, ac er nad oedd yn credu ynddynt, eto yr oedd ganddo rai amheuon. Dros y syniadau hyn y byddai Gomer Powel yn dadlau yn y Gwaith yn erbyn diwinyddiaeth uniongred Tomos Hopcin.

Gŵr tal, tenau oedd Gomer Powel, mor denau â rhaca; a phe gwelech ef heb ei ddillad fe allech gyfri ei asennau. Ar ei ben yr oedd trwch o wallt llwyd anhrefnus; llygaid llym, trwyn bwaog a gwefusau main oedd ganddo; ac wyneb aflonydd a hebogaidd. Am ei wraig, Hanna Powel, yr oedd fel sachabwndi; llygaid direidus oedd ganddi; ceg fach; dwy dagell dan ei gên; dwy fraich fel roli-poli; ac yr oedd ei bronnau yn hongian dros linyn ei ffedog. Pan wisgai esgidiau ni allai dynnu'r careion ynghyd heb gael help; ac yn y tŷ fe wisgai hen esgidiau wedi eu hollti yn y canol. Wrth edrych arni fe glywech sŵn babanod yn sugno. Hi oedd y fydwraig, neu'r widwiff fel y gelwid hi yn y Cwm, a hyhi hefyd a oedd yn troi heibio gyrff y meirw. Yn y nos pan oedd ei gŵr yn darllen y *South Wales Daily News* neu *Llais Rhyddid* yn y gegin ffrynt, fe fyddai hi yn adrodd ei helyntion yn y gegin gefen wrth gymdoges: mi siaradai fel pwll tro; ni allai neb gael gair i mewn ar ei big. Fe fyddai'n sôn amdani yn rhoi dwy geiniog ar ddau lygad y marw i'w cadw rhag agor, a gofelid yn y tai fod dwy geiniog bob pryd yn barod. Ar ôl gofalu fod ffenestr yr ystafell wely ar gau rhag i unrhyw adar arogleuo'r corff, y peth cyntaf a wnâi oedd golchi'r corff â dŵr a sebon o badell, ac wedyn fe stwffiai dwll y pen-ôl â gwlân rhag i'r dŵr dorri trwodd. Yna fe glymai figyrnau'r marw â nished a chlymu ei benliniau: gosod y Beibl fynychaf dan ei ên, a rhoi nished am y pen a'i chlymu ar y top. Fe roddai ŵn nos wedyn am y marw (gŵn nos a gedwid yn arbennig at yr achlysur) a gwisgo 'sanau gwyn am y coesau. Weithiau pan fyddai'r marw wedi gorwedd yn hir, a'r rhwnc yn ei wddwg wrth farw, pan godid y corff i roi gŵn nos amdano, fe roddai ochenaid siarp fel pe byddai'r corff yn fyw. Fe blethai Hanna Powel wallt menyw, ar ôl marw, yn ddwy blethen, a'u gosod ar eu hyd i orwedd ar ei bronnau, a thorrai ewinedd traed a dwylo dynion a menywod am eu bod yn dal i dyfu yn y bedd. Fe

47

wisgodd un wraig a fu farw, gwraig a'i hystyriai ei hun
yn well na'r cyffredin, yn ei gwisg briodas, a'r dillad
isaf amdani, y fodrwy ar ei bys a'r tlysau am ei gwddwg.
Gwaith caled, meddai hi, oedd gwisgo'r holl ddillad
hyn am y marw. Ychydig wragedd a adawai fodrwy
ar eu bysedd ar ôl marw: gwell oedd gan y mwyafrif
dynnu'r fodrwy oddi ar y bys a'i rhoi i'r merched a'r
wyresi. Fe wisgodd un gŵr marw, meddai hi, (er nad
oedd yn enwi'r bobol) yn ei grys gwlanen, ei ddrafers, ei
'sanau, ei wasgod, a rhoi watsh aur yn un boced iddi, a
chadwyn aur ar draws ei frest; a'i wisgo yn ei got-â-
chwt, a rhoi coler a thei am ei wddwg. Fe edrychai yn
ei arch, meddai hi, fel blaenor yn mynd i Gwrdd Misol;
ac fe chwarddai nes bod ei bronnau yn siglo dros linyn ei
ffedog. Ond eithriadau oedd y rhain. Fel rheol, ar ôl
gosod y corff, mi ddôi saer i'w fesur, ei fesur â'r ' groes ',
sef prennau wedi eu gosod ar lun croes, a'u pennau wedi
eu cydio, ond fe estynnai'r pren croes y tu hwnt i'r ddau
gydiad. Ar ôl ei fesur, fe eid â'r corff i lawr i'r parlwr, a'i
osod ar ystyllen, a gosod honno i bwyso ar gefen dwy
gadair. Ymhen deuddydd neu dri fe ddoid â'r arch i'r
parlwr, ac ar ôl tynnu'r llen fe roddai Hanna Powel
amdo amdano, a'i roi yn yr arch, a hoelid ffrilen yr
amdo wrth ymyl yr arch. Fe fyddai rhai am glymu'r
breichiau wrth ochrau'r corff: eraill yn croesi'r breichiau
ar y fron, sef dyn yn gorwedd ' dan ei grwys '; ac eraill
yn estyn y breichiau a rhoi'r dwylo ynghyd fel pe bydd-
ent yn gweddïo. Os na fyddai'r corff yn ffitio'r arch,
fe roddid shafings tan ei draed neu uwch ei ben neu
wrth ei ochrau. Fe godid yr arch wedyn i ben yr
estyllen. Ar wyneb y marw rhoddid gorchudd, a chodid
hwn i'r rhai a ddeuai i weled y corff. Yn erbyn y wal
yn y gornel y pwysai clawr yr arch, ac arno enw ac

48

oedran y marw ar blât gloyw, ac adnod. Pan soniai rhyw gymdoges mewn sgwrs am rywun a fu farw, fe gofiai Hanna Powel sut y bu farw, ac os oedd rhywbeth yn anghyffredin yn ei farw, fe adroddai'r hanes. Fe fu John John farw â'i goesau i fyny, ac ni ellid ei roi yn ei arch: nid oedd dim amdani ond rhoi y *Llyfr Tonau* ar y ddwy ben-lin, a rhoi ergyd arnynt â morthwyl. Fe fu Ethel Lewis farw â bysedd ei llaw chwith wedi eu cau gan wynegon, a rhaid oedd torri asgwrn y cymal cyn cael y fodrwy oddi ar ei bys. Ni fyddai Hanna Powel fyth yn sôn am helyntion ynglŷn â genedigaethau. Pan gwrddai â gwragedd ar yr hewl neu eu gweled yn y siop neu yn y Capel, fe gofiai sut enedigaethau a gawsant hwy. Wrth arfer trin cyrff y meirwon nid oedd Hanna Powel fyth yn cyffroi wrth glywed am farwolaeth rhywun; yr oedd marwolaeth iddi hi mor naturiol â bywyd: ond fe fyddai yn wylo ar farwolaeth baban, ac yn enwedig pan gredai hi y gallai'r doctor fod wedi ei arbed. Ni châi arian yn dâl am droi cyrff heibio, dwyn plant i'r byd na gwylad y cleifion, ond fe gâi wyau gan y rhai a gadwai ffowls; cig gan y rhai a laddai fochyn; ffrwythau a llysiau o'r ardd gan eraill; ac ar ôl genedig-aeth dau blentyn Mari Hopcin fe wnaeth hi grysau a drafersi i Gomer Powel, fel am wylad ei gŵr pan oedd ef yn dost; a dillad i'w plant, Evan Mabon, y mab, a Tabitha, y ferch. Am mai punt yr wythnos oedd cyflog Gomer Powel yn y Gwaith yr oedd y rhoddion hyn yn help mawr i fyw.

Yr un math o dŷ oedd gan Gomer a Hanna Powel â Tomos a Mari Hopcin, ond ei fod mewn stryd arall, *Graig Road*. 'Roedd Hanna Powel yn ei thŷ fel iâr ar ben y domen. Am nad oedd ganddi glem ar waith tŷ, ac am ei bod allan mor amal, fe fyddai'r llestri yn

49

fynych heb eu golchi, y lloriau heb eu glanhau, a'r ddwy gegin yn sang-di-fang. Pan oedd hi allan nid oedd Gomer yn fodlon ei bod yn rhoi'r ddau blentyn yng ngofal cymdoges. Pan ddeuai adre o'r Gwaith, a'r ginio heb fod yn barod, fe fyddai yn dwrdio ac yn rhegi, ac yn dannod iddi am esgeuluso'r plant, ond ni ddwedai hi ddim am ei bod yn wraig a oedd yn llawn o natur dda; ac ar ôl i'w dymer oeri y byddai yn ei ateb. Ei phrif gŵyn yn ei erbyn oedd hwn:

'Pam 'rwyt ti yn poeni dy ben gyda'r hen bolitics 'na, Gomer? 'Dŷn nhw ddim wedi gneud dim lles i ti. Fe fyddi â dy ben yn y papur bob nos a thrw'r nos, a heb ddweud gair wrth dy wraig a'r plant. Edrych ar Tomos Hopcin. Ma e yn ddyn call.'

'Ydi, ma Tomos Hopcin yn ddyn call iawn. Ni sy'n ymladd am wellianna yn y Gwaith 'na, ond ma fe yn 'u câl nhw heb godi bys bach. Ni sy'n ymladd am bensiwn i hen bobol, insiwrans, wyth awr y dydd a gwell compo; a phan gawn ni nhw, fe fydd Tomos Hopcin yn 'u derbyn, ond 'fydd dim diolch iddo fe.'

Fe wyddai Hanna Powel nad oedd gwleidyddiaeth ei gŵr ddim yn help iddo godi o'r pwll i lawr y ffwrnais yn y Gwaith Dur, a chyda'r codi gael mwy o gyflog i'w chynnal hi a'r plant; ac oni bai am y rhoddion a gâi hi am ei gwaith fe fyddai'n amhosibl cael deupen y llinyn ynghyd.

Am y berth â gardd Tomos Hopcin yr oedd gardd Dafydd Niclas; gardd a oedd yn laswellt ac yn chwyn, ar wahân i ddarn a drinnid ar y gwaelod yn ymyl y tŷ. Bardd oedd ei dad, Bardd yr Allt, wrth ei ffugenw, ac yr oedd yn ymddiddori mwy mewn barddoniaeth ac yng nghwmnïaeth y dafarn nag yn ei ardd. Yn hyn o beth dilynwyd ef gan ei fab. Fe fu farw ei dad pan oedd y mab tua deuddeg oed, a thynnwyd ef o'r ysgol i gynnal ei fam. Fe gafodd job yn y Gwaith Alcan, sef rhoi saim ar y *cold rolls*, gwaith brwnt iawn; ac ymhen blynyddoedd fe gafodd waith *behinder*. Mewn barddoniaeth yr oedd ei ddiddordeb yntau, ac ymhlith llyfrau ei dad yr oedd *Yr Ysgol Farddol* gan Ddafydd Morganwg, ac o hwn y dysgodd y cynganeddion, er na ddysgodd hwy yn hollol gywir. Yn y *Band of Hope* yn y Capel y dysgodd sol-ffa, pan oedd yn fachgen, ac wedyn yn yr Ysgol Gân ar nos Sul; ac yr oedd ganddo lais tenor go arbennig. Pan oedd yn ei fan, yr oedd yn ddyn tal a golygus; dyn ' apal ' yn iaith y Cwm; ei wallt oedd cyn ddued â'r frân, a'i flaen yn syrthio fel bargod ar ei dalcen, a phen y blaen ar ael ei lygad dde, a phan fyddai yn cael ei gyffroi, fe fyddai'n codi'r gwallt yn amal rhag y llygad. Rhyw fis neu chwech wythnos cyn yr Eisteddfod Genedlaethol fe adawai i'w wallt dyfu yn hir, a gorweddai hwnnw y tu ôl fel cnwd ar ei wegil, canys yr oedd yn aelod o Orsedd Beirdd Ynys Prydain. Ar fore Llun wythnos yr Eisteddfod fe fyddai ar sgwâr y pentre yn disgwyl cerbyd neu fws; bag bach du yn ei law lle cadwai wisg yr Orsedd; y cnwd gwallt ar ei wegil fel gwallt Howel Harris neu Bantycelyn; a'i wyneb, ac yn enwedig ei lygaid, yn awchu am gael wythnos yn yr Eisteddfod; ac ar wahân i'r Orsedd, yn awchu am gael cwmni rhai merched a gwragedd yr arferai eu cyfarfod yno. Ar ôl diwrnod o Eisteddfod y câi efe ei wynfyd. Llygaid drygionus oedd ganddo; llygaid yn chwerthin ac yn chware yn ei ben; llygaid a fyddai yn cyffroi rhai merched a gwragedd ac yn treiddio trwyddynt. Fe synnai pawb na fyddai dyn

51

golygus fel efe wedi priodi, canys yr oedd llawer o ferched, hen ac ifainc, a rhai gwragedd gweddw, yn dwli arno: ond nid oedd Dafydd Niclas am briodi pan oedd ei fam yn fyw. Fe fu hi farw, a rhaid oedd iddo gael rhywun i ofalu amdano, canys nid oedd ganddo glem ar wneud gwaith tŷ na choginio. Fe ddechreuodd garu Miss Letitia Morton, athrawes yn yr Ysgol Elfennol, ac fe synnodd pawb, oherwydd hen ferch oedd hi, a hen ferch bigog: ni fedrech fynd yn agos iawn ati am ei bod mor oer a chaled. Ond pe byddech yn adnabod Letitia Morton fe welech fod y tu ôl i'r iâ gronfa nwydau. Ar ôl gorffen ei gwaith yn yr Ysgol a chael te, fe gerddai am filltiroedd lawer er mwyn blino a rhoi i'w chorff lonyddwch; neu, fe ddringai i ben y Graig, cerdded ar hyd y caeau ar y top a dringo'r waliau sych rhyngddynt, a phan oedd y wal yn weddol isel fe neidiai drosti. Wedyn yr oedd yn rhaid cael hoe, ac wedi edrych nad oedd neb yn y golwg, fe orweddai yn y glaswellt yn ei hyd, ac agor ei choesau. Pan gwrddodd Dafydd Niclas â hi gyntaf, yr oedd wedi synhwyro fod nwyd y tu ôl i'r oerni, ond ar ôl bod gyda hi rai troeon fe welodd ei bod yn bigog fel llwyn drain: eithr un noson, wrth ffarwelio â hi yn ymyl clwyd ei chartref, fe roes iddo yn sydyn gusan, a dywedyd, ' Nos da, Telynfab ': ac yr oedd anwyldeb yn ei llais pan ddwedodd ei enw. Yr oedd yr iâ yn dechrau toddi. Fe aeth y garwriaeth ar ôl hyn yn fwy brwd, ond yn yr angerdd ffyrnicaf, ni wnaeth hi, er iddo wneud ei orau, roi ei chorff iddo, oherwydd arhosai darn o'i hymennydd hi yn glaear tan ddisgyblaeth y blynyddoedd, a'r ymwybod ei bod yn athrawes barchus. Fe briodwyd y ddau yn Seion, Capel y Methodistiaid Calfinaidd, ac yn y Capel ac ar y stryd yr oedd pawb yn sylwi ar y gwahaniaethau rhyngddynt: efe yn ŵr hardd a hoyw, gŵr yn ei fan; a hithau yn wraig ddiolwg, yn ceisio cuddio ei hoedran tan y wisg briodas, y gorchudd ar ei hwyneb a'r blodau yn ei chôl. Yn union ar ôl y briodas fe wnaeth Mrs. Letitia ddau beth: fe brynodd dŷ â'i henillion, tŷ ar ei ben ei hun a lawnt o'i flaen. Nid oedd hi am fyw yn nhŷ gweithiwr. Yr ail beth a wnaeth oedd tynnu ei gŵr o'r Gwaith Alcan, ac nid oedd angen llawer o berswâd arno, oherwydd nid oedd llawer o waith yn ei groen ac fe gredai fod gwaith *behinder* yn waith a oedd yn annheilwng i fardd a golygydd ' Y Golofn Farddol ' yn *Llais Rhyddid.* ' Pwdryn y diawl ' oedd disgrifiad rhai o'i gydweithwyr ohono. Fe gafodd swydd gydag un o Gwmnïau Yswiriant y pentre fel casglwr, neu, a rhoi enw'r Cwm ar gasglwr yswiriant, ' clerc yr ange '. Clerc angau llwyddiannus iawn oedd Telynfab Niclas, oherwydd, fel y dywedwyd, yr oedd yn ŵr golygus a chanddo lygaid drygionus; ac yr oedd hefyd yn ŵr llawen a direidus; yr oedd yn glebryn diddan am fod merched a gwragedd yn rhyddhau ei dafod, ac yn ei sgwrs â hwy fe fyddai yn gwenieitho lawer iddynt. Hefyd yr oedd ganddo stôr o storïau, ac fe rannai'r rhain yn dri dosbarth: storïau diniwed, storïau awgrymog a storïau coch. Fe ddewisai stori fel pysgotwr yn dewis plufyn i ateb y dŵr. Dwywaith yn unig y methodd. Un tro adroddodd stori goch yn lle stori awgrymog, ac fe gafodd gernod gan y wraig: a'r tro arall, stori awgrymog yn lle stori barchus, a chaewyd y drws yn glep yn ei wyneb. Wrth gwrs, nid oedd gan rai gwragedd gynnig i'r hen lolyn, ac ni fyddent yn dal pen rheswm ag ef wrth y drws. Rhaid dweud hefyd fod Telynfab yn glerc angau caredig. Pan oedd gwraig yn methu talu'r yswiriant am fod ei gŵr wedi cael damwain yn y Gwaith, fe dalai ei chyfran drosti hyd nes y gallai dalu yn ôl iddo. Fe dalai hefyd dros ambell wraig weddw pan na allai dalu, a gwyddai na fedrai honno fyth ei dalu yn ôl. Y dull mwyaf cyffredin o yswirio oedd rhoi ceiniog yr wythnos ar hen bobol fel mam-gu neu dad-cu. Fe gredodd Telynfab yn sicr y câi bolisi gan Domos a Mari Hopcin am iddynt fod yn gymdogion iddo, ond gwrthod a wnaethant hwy. Iddynt hwy yr oedd yswirio ar angau yn anfoesol ac Anghristionogol; fe ddylai Cristion ymddiried yn Nuw sydd yn gofalu am Ei blant. Gwrthod hefyd a wnaeth Gomer a Hanna Powel (er nad oedd hi mor bendant), a dywedyd wrtho mai'r Llywodraeth a ddylai roi pensiwn i weddwon a phensiwn i hen bobol. Nos Wener a bore Sadwrn a dydd Llun y gweithiai Telynfab galetaf am mai ar nos Wener y câi'r gweithwyr eu cyflog, ac nid oedd rhyw lawer ohoni ar ôl gan rai pobol ar ôl dydd Llun. Nid yn y pentre yn unig y casglai ef, ond fe âi y tu allan i'r ffermydd a'r tyddynnod; ac ar gynhaeaf gwair a chynhaeaf llafur fe fyddai'n helpu'r ffermwyr ar y meysydd, ac yr oedd pawb yn synnu ei fod yn gallu gweithio mor galed. Fe droai ei law hefyd at wahanol orchwylion fel atgyweirio ffenestri ac offer ffarm: ond diwedd y gân oedd gofyn am bolisi.

Bywyd anghysurus oedd bywyd priodasol Mr. a Mrs. Telynfab Niclas; bywyd y ci a'r hwch. Fe fyddent yn ffraeo yn dân golau, a phan fyddent yn codi eu cloch, fe allai'r cymdogion agosaf eu clywed, er bod eu tŷ ar ei ben ei hun. Fe geisiai Lets (enw anwes Letitia) droi ei gŵr yn ŵr parchus, ac fe lwyddodd i raddau, ond fe fethodd ei dynnu o'r dafarn, Y Ceiliog Coch. Pan ddôi adre o'r dafarn nos Sadwrn wedi ei dal hi, fe fyddai Lets yn dwrdio a thafodi, ac yn dannod ei fod

54

yn cymysgu â phob math o bobol gomon fel y beirdd
a'r hen delynor, Eos y Waun. Wrth iddi ymosod ar y
beirdd a'r hen delynor fe âi Telynfab o'i go ac fe fyddai
yn rhegi fel tincer. O'i phlaid hi, fe ellid dywedyd fod
ar Delynfab eisiau disgyblaeth, ond disgyblaeth plisman
ydoedd, a dyna pam y galwai ef ei wraig yn Y Ceiliog
Coch ' y bobi '. Fe fyddai'n gywirach ei disgrifio fel
disgyblaeth athrawes ar fachgen drwg, ac nid oedd
ganddi'r ddawn i'w gocso yn ogystal â'i geryddu. At
hyn hefyd, fe wyddai'r wraig nad oedd ei gŵr yn
ffyddlon iddi, ac ofnai ei bod yn rhy hen i'w fodloni ef
yn llwyr. Ond fe ddôi pethau yn well am ei bod hi yn
disgwyl babi, ac fe fyddai'r babi yn eu huno hwy. Ar
eni'r plentyn nid oedd am gael gwraig gomon fel Hanna
Powel yn widwiff; a threfnodd i gael bydwraig barchus
o Abertawe. Caled oedd yr esgor; a bu hi farw, ond
achubwyd y plentyn. Bachgen oedd ef, ond babi tan
bwysau; un bach ac eiddil yr olwg arno, ac fe edrychai
fel dol fach. Ar ôl claddu ei wraig ni alarodd ei gŵr
ryw lawer ar ei hôl, meddai rhai pobol; ond nid yw pob
dyn yn dangos ei deimlad. Tawel oedd y tŷ ar ei hôl;
tawel heb y ffraeo, y tafodi a'r rhegfeydd; ac fe hiraethai
ar ôl y pethau hyn yn yr unigrwydd; ac ymhen blynydd-
oedd fe droesant yn bethau annwyl. Fe gafodd wraig
weddw i gadw tŷ ac i godi'r plentyn; ac yr oedd hi yn
weithreg ddyfal, gan weithio ambell nos yn y gwely ar
ei chefen.

David Nicholas oedd ei enw bedydd: Dafydd Niclas
ar lafar, ac efe a roddodd y ffugenw—Telynfab—rhwng
y Dafydd a'r Niclas. Pan aeth y troeon cyntaf i'r
Ceiliog Coch fe gwrddodd yno â hen delynor. Erbyn
hyn yr oedd bron â mynd yn dywyll, ac yr oedd yn
dlawd, ac yn y dafarn fe dalai Telynfab am gwrw iddo.

Fe hoffai Telynfab wrando ar yr hen delynor yn adrodd ei atgofion, canys yn y gorffennol yr oedd yn byw yn awr.

'Shwd le odd 'ma slawer dydd?' gofynnodd Telynfab.

'Beth ddwedest ti? Siarad yn uwch, w. 'Rw i yn drwm 'y nghlyw.'

'Shwd le odd 'ma slawer dydd?'

'O! lle braf. 'Roedd y Cwm 'ma yn wlad i gyd, yn ffermydd, yn dyddynnod a bythynnod; ac 'rodd 'ma lawer o hen arferion fel y cwrw bach a'r . . .'

'Beth odd y cwrw bach?'

'Wel, 'rodd pobol yn dod ynghyd mewn tŷ neu ffarm i yfed cwrw a meth, ond 'dodd neb yn talu am y rhain am 'u bod yn anghyfreithlon. Talu am y pice 'rôn nhw. 'Rodd yr arian yn mynd i helpu pobol dlawd. Beth yw'r hen bennill 'na 'nawr? Ma 'ngho i wedi mynd yn wael. O, ie.

> 'Roedd y cwrw'n fain a bach,
> 'Roedd y meth yn ddigon iach:
> 'Roedd y pice gwenith gwyn
> Yn fara iach y dyddiau hyn.
> Y mae hiraeth yn fy mron
> Ar ôl y pice'r funud hon:
> A gresyn, onid e, yn awr
> I'r cwrw bach droi'n gwrw mawr.

Ôs, ma hireth yn 'y mron i ed.'

'Ond ma'n well gen i, Eos, y cwrw mawr.'

'A'r pasteiod wedyn.'

'Beth odd y pasteiod? Fe glywes 'y mam a 'nhad yn sôn amdanyn nhw, ond 'rôn i yn rhy fach i ddeall.'

'Cinio mewn tafarn odd y baste. William Mandri,' (gan ofyn i'r tafarnwr) 'ŷch chi'n cofio'r pasteiod yn y dafarn 'ma? Hon odd y dafarn ore i gyd am y baste.'

'Ma gyta fi go plentyn amdanyn nhw. Ar y llofft

56

yr odd y ginio a'r dawnsio, ac ma 'na stafell draw fanna ôn nhw yn 'i galw "Stafell y Delyn".'

' Do, fe fues i'n byta'r baste fan hyn,' meddai Eos y Waun, ' ac yn dawnsio pan own i yn ddyn ifanc:

> Hanswm lanc ac unionsyth,
> Stepo bant heb stopo byth,

a fe fues yn canu'r delyn 'ma lawer gwaith.'

' A odd byd da ar delynor yr amser hyn?' gofynnodd Telynfab.

' Odd, byd da iawn. 'Rôn i yn canu'r delyn yn y pasteiod, yn y neithiore, yn y ffeirie ac yn y plase. 'Rôn i'n canu'r delyn bob Nadolig ym Mhlas Cilybebyll. Ond ma'r hen Weithe 'ma wedi lladd y delyn ac wedi dwyn bywolieth telynor.'

' Beth am ganu heblaw'r delyn?'

' Dir, 'rodd y Cwm 'ma yn llawn canu, yn gore a bandie. Côr Cwmtawe a enillodd yn Eisteddfod Genedlaethol Caerfyrddin 1867.'

' Dyna'r flwyddyn y 'nganed i.'

' Ac 'rodd 'ma bobol yn gallu canu'r crwth, y consertina, y cornet ac offerynne erill. Dyma lle odd canu.'

' Beth am y beirdd?'

' Jawcs, 'rodd llawer o feirdd 'ma, ac 'rodd rhai ohonyn nhw yn cwrdd yn y dafarn 'ma. Y Ceiliog Coch odd tafarn y beirdd a'r cantorion. Dyma'r unig dafarn erbyn hyn ag enw Cwmrâg arno. Ma enwe'r lleill i gyd yn Sysneg.'

' Bydde'r enw Sysneg ar hwn yn enw da ed, *The Red Cock.*'

' Beth ôch chi'n weud, Niclas?'

' O, pidwch â hido. Ewch ymlân. Beth am y beirdd?'

' Adeg priodas 'rodd bardd yn pwnco tu fewn i gatre'r ferch, a bardd arall yn pwnco tu fâs, ac 'rôn nhw yn ateb 'i gilydd. 'Rôn nhw yn canu i'r hela, i grefydd, yn llunio marnade ac yn canu i'r bwyd a odd 'ma.'

' Ŷch chi'n cofio peth o'u gwaith nhw?'

' Sefwch bach 'nawr. Ma 'ngho i wedi mynd yn wael iawn. Beth wyt ti'n neud â'r copi 'na?'

' 'Rw i am 'u sgrifennu nhw er mwyn 'u cadw nhw. Fe welwch chi 'y mod i wedi copïo rhai. 'Nawr, beth am benillion a thribanne?'

' Ma hen bennill odd yn câl 'i ganu gita'r delyn yn dod i 'ngho i:

> O dyco'r tŷ a dyco'r sgubor,
> A dyco glwyd yr ardd ar agor,
> A dyco'r golfen fawr yn tyfu,
> O dan 'i bôn 'rwy am fy nghladdu.

Un arall:

> Un, dou, tri pheth sy'n anodd imi,
> Yw rhifo'r sêr pan fo hi'n rhewi,
> A doti'n llaw i dwtsh y lleuad,
> A deall meddwl fy annwl gariad.

Un arall:

> Y deryn du a'i blufyn sidan,
> A'i big aur a'i dafod arian,
> Ei di drosto'i i Gydweli
> I sbio hynt y ferch 'rwy'n garu.'

' Beth am driban, hen fesur Morgannwg?'

' Ma 'ngho i wedi mynd yn wan. Sefwch 'nawr. Dyma un:

> O ! Mrs Lewis hoyw,
> Mae arnaf syched garw:
> Ewch i'r seler ar eich start,
> A llenwch gwart o gwrw.

Dyma un arall yn dod:

> Ow! Wiliam Hopcin sgeler,
> Sy'n fawr ei sgil a'i feder :
> Mae'n lladd cwningen â'i ben-ôl,
> 'Wna hwn ddim ffôl o ffowler.

'Dw i ddim yn cofio'r un pennill arall.'

' Diolch yn fawr iawn, Eos. Cymrwch chi beint arall.'

' Diolch yn fawr, Niclas. Gwaith sych yw trio cofio hen benillion.'

Cyn hir fe aeth yr hen delynor yn dywyll bost, ac fe aeth i gadw gwely. Yng nghornel yr ystafell yr oedd ei delyn, ac ar ben y cwpwrdd yr oedd ei ychydig lyfrau, fel *Ancient Airs of Gwent and Morganwg* gan Maria Jane Williams; *Gems of Welsh Melody* gan Owain Alaw; *Alawon Fy Ngwlad* gan Nicholas Bennett a llyfrau gan eraill. Fe ofynnai i Delynfab ddwyn ei delyn i ymyl y gwely, a chanai geinciau arni, ac yn enwedig ' Dafydd y Garreg Wen ', a dysgai Delynfab sut i ganu penillion gyda hi. Ni adawai Telynfab ef heb roi hanner coron yn ei ddwrn, neu roi baco iddo neu roi potel neu ddwy o gwrw. Fe gyhoeddodd lythyr yn ei ' Golofn Farddol ':

Anwyl Gyd-Gymry,

Y mae yn wybyddus i ddarllenwyr y papur hwn fod Eos y Waun yn gaeth ym mreichieu cystudd, ac nad yw ei amgylchiadau yn ffafriol iawn. Y mae'r Eos wedi gwneyd gwasanaeth mawr i'r gymydogaeth hon; y mae wedi chware ei delyn mewn neithioreu, cyngerddeu a phob math o gyfarfodydd. Am fod ei sefyllfa yn adfydus i'r eithaf y mae dyngarwch yn uchel waeddi arnom i wneyd a allom er dyrchafu ' y tlawd hwn o'r llwch '. I'r diben o'i gynnorthwyo yr wyf yn gofyn am eich ewyllys da a'ch haelioni. Yr ydym wedi amlygu ein cydymdeimlad ag ef laweroedd o weithieu mewn geirieu, ond dyma yn awr gyfle i'w ddangos mewn gweithred a gwirionedd.

Byddwch mor garedig a danfon eich cyfraniad at

Telynfab Niclas,

' Y Golofn Farddol ',

Swyddfa *Llais Rhyddid*.

Fe gafodd lawer o gyfraniadau; ac ar ei deithiau casglu yswiriant fe ofynnodd am gyfraniadau i'r rhai a oedd yn debyg o roi: a rhwng y cwbwl fe gasglwyd ugain punt. Fe aeth â bardd arall gydag ef i ystafell wely'r telynor fel tyst ei fod wedi rhoddi'r arian iddo. Ni wyddent beth a ddywedodd yr hen delynor ar ôl eu cael, ond yr oedd y dagrau ar ei ruddiau llwyd yn ddiolch. Byw gyda'i ferch briod yr oedd yr hen delynor, ond nid oedd ganddi hi na'i gŵr ddiddordeb yn ei bethau ef; ac fe ddwedodd wrth Delynfab, ynghlyw'r bardd, y câi ef ei delyn a'i lyfrau ar ôl iddo farw. Y tro diwethaf yr aeth Telynfab i'w weld yr oedd yn wael iawn. Fe ofynnodd iddo ddwyn y delyn i ymyl ei wely a chododd Telynfab ef ar ei eistedd fel y gallai ei chyrraedd; dechreuodd ganu ' Dafydd y Garreg Wen ', ond ar ganol y gainc fe arhosodd y bysedd; gosododd Telynfab ef i orwedd yn ôl ar y glustog; ac fe fu farw. Ymhen tri mis ar ôl ei angladd fe aeth Telynfab i nôl y delyn a'r llyfrau, a gosododd y delyn yng nghornel y parlwr yn nhŷ ei fam. Dyna pam y cymerodd y ffugenw, Telynfab; ffugenw o barch i'r hen delynor. Ar ôl priodi fe aeth â'r delyn a'r llyfrau gydag ef i'r tŷ newydd, a'u gosod mewn cornel yn yr ystafell ffrynt. Ar ôl cael y plentyn, fe benderfynodd y tad y câi'r mab bychan, Taliesin Niclas, gyfle, ar ôl iddo dyfu, i ddysgu canu'r delyn.

III

Ar y Sul yr oedd yn y pentre ddistawrwydd sanctaidd.
Nid oedd yr enjin yn pwffian, y tryciau yn cloncian yn
erbyn ei gilydd; nid oedd y ffwrneisiau yn agor ac yn
cau eu safnau, ond yr oeddent yn cael eu cadw ar gynn;
ac nid oedd sŵn torri'r barrau yn y Gwaith Alcan. Yn
lle sgrech yr hwter yr oedd sŵn cloch yr Eglwys. Nid
oedd yr un siop ar agor yn y pentre. 'Roedd masnach
a diwydiant yn cadw'r Pedwerydd Gorchymyn.

Cyn dod yn Weinidog yn 1900 i Gapel Seion, Capel
y Methodistiaid Calfinaidd yng Ngwaun-coed, yr oedd
y Parch. Morris Parri wedi bod yn Weinidog yn Sir
Feirionnydd ac yn Sir Aberteifi; ond wrth ddod i Waun-
coed yr oedd wedi dod at bobol wahanol—pobol ddiwyd-
iannol. Wrth ymweled â'i aelodau yr oedd wedi gwrando
ar eu tafodiaith, ac yr oedd hi'n anodd ei deall ar
y cychwyn am eu bod yn siarad yn gyflymach a mwy
bywiog na'r Gogleddwyr. Mewn pentre yn ymyl
Caernarfon y ganed ef. Fe holai hwy hefyd am eu gwaith
canys ni wyddai ddim am Waith Dur ac Alcan, a chan
Domos Hopcin y câi'r wybodaeth fanylaf. 'Roedd hwn
yn ŵr a chanddo farn bwyllog, a diddordeb mewn
diwinyddiaeth; efe oedd yr aelod mwyaf deallus. Fe
dderbyniai'r Gweinidog bob dydd y *Western Mail*; a
darllenai yn fanwl y papur lleol, *Llais Rhyddid*, ac yr
oedd hwn yn ddrych y gallai weled ynddo lun gweith-
gareddau, newyddion a syniadau'r Cwm. Rhyddfrydwr
oedd ef, er nad oedd ganddo fawr o ddiddordeb mewn
gwleidyddiaeth; ac yn Siroedd y Gogledd a Sir Aberteifi
yr oedd Rhyddfrydiaeth yn ddiogel gadarn; ond yng
Nghwm Tawe, yn ôl *Llais Rhyddid*, yr oedd y Sosialwyr
a'r Rhyddfrydwyr radicalaidd yn ymosod yn drwm ar

geyrydd Rhyddfrydiaeth. Ar dir Cristionogol hefyd yr oedd y Sosialwyr yn amddiffyn eu Sosialaeth.

Ar fore Llun fe gysgai'r Gweinidog ychydig yn hwyrach, am ei fod wedi blino ar ôl pregethu y Sul; ac, ar ôl brecwast, oni fyddai rhyw alw, fe âi i'w stydi i feddwl am destun pregeth, i adolygu ei Weinidogaeth ac i fyfyrio ar y syniadau newydd a welai yn *Llais Rhyddid*. Yn eu herthyglau yr oedd y Sosialwyr yn cyfeirio at hanes y Gŵr Goludog a Lasarus, gan ddatgan mai'r cyfalafwyr oedd y Gŵr Goludog, a'r gweithwyr oedd Lasarus; ac yn wahanol i'r hanes yn y Testament Newydd, ni châi Lasarus heddiw hyd yn oed y briwsion oddi ar y bwrdd ac nid oedd cŵn ar gael i lyfu ei gornwydydd. Dameg arall yr oeddent yn sôn amdani oedd dameg y Samaritan trugarog. Y dyn a syrthiodd ymysg y lladron oedd y gweithiwr neu'r werin; y lladron oedd y cyfalafwyr a'r cyfoethogion; fe aeth yr offeiriad a'r Lefiad, sef yr Eglwys heddiw, o'r tu arall heibio i'r werin archolledig. Y Samaritan trugarog oedd y Sosialydd. Pe byddai Iesu yn dod i Sir Forgannwg heddiw, fe fyddai yn porthi'r pum mil fel y gwnaeth yn nyddiau ei gnawd; yr oedd yr Iesu yn gofalu am y corff yn ogystal â'r enaid; ond yr oedd yr Eglwys heddiw yn rhoi'r holl bwyslais ar yr enaid, ac yn anghofio'r corff. Fe ddwedodd un ohonynt mewn erthygl fod yr Iesu wedi gyrru ar gefn asyn o Jerico i Jerwsalem; ond byth er hynny y mae'r asynnod (sef yr offeiriaid a'r gweinidogion) wedi gyrru ar gefn yr Iesu. Yn yr Eglwys Fore, yn ôl Llyfr yr Actau, yr oedd ganddynt bob peth yn gyffredin; hynny yw, yr oedd yr Eglwys Fore yn Eglwys Gomiwnyddol neu Sosialaidd. Un o'r Eseniaid oedd yr Iesu, yn ôl erthygl arall, sef aelod o sect Sosialaidd a wrthwynebai ryfel. Fe ymosodai'r Sosialwyr a'r Rhyddfrydwyr radicalaidd ar ryfel, fel y gwnaethant ar y rhyfel rhwng Prydain a'r Böeriaid, gan ddal fod pob rhyfel yn anghyson â Christionogaeth a chyfeirient yn amal at Leo Tolstoi, yr anarchist o Rwsia, a ddaliai y dylid cymhwyso egwyddorion y Bregeth ar y Mynydd at wleidyddiaeth pob gwlad. Yn ôl hwn, yr oedd yr eglwysi yn Ewrob drwy'r canrifoedd wedi cyfiawnhau pob rhyfel, a'r offeiriaid wedi bendithio byddinoedd a llongau rhyfel. Fe fyddent yn dyfynnu adnodau i ddangos sut yr ymosododd yr Iesu ar gyfoeth, fel ' Ni ellwch wasanaethu Duw a Mamon ' a ' Haws yw i gamel fyned drwy grau'r nodwydd ddur, nag i oludog fyned i mewn i deyrnas Dduw'. ' Y maent yn galw'r Gwaredwr yn Iesu,' meddai'r Gweinidog wrtho ei hun, ' neu y proffwyd o Nasareth neu'r Galilead: nid ydynt yn ei alw yn Iesu Grist neu'r Arglwydd Iesu Grist. Y maent yn ei droi yn Sosialydd, yn rebel, yn ferthyr a fu farw dros ei ddelfrydau ar y Groes.' 'Roeddent hefyd yn ymosod ar Brydain yn ffyrnig fel pe na bai ynddi ddim da. Nid oes neb yn gwadu nad oes ynddi lawer o wendidau a diffygion; ond yr oedd hi yn well na rhai gwledydd ar y Cyfandir. 'Roedd ynddi fwy o ryddid a chyfiawnder nag yn y rhain; ' Cas gŵr na charo'r wlad a'i maco'. Yn Saesneg fe gafwyd erthyglau ar Tom Paine, Ruskin, William Morris, a'r anffyddiwr, Bradlaugh. Ynddynt fe welid chware ar eiriau fel ' *let Us Prey* ' a ' *Prophets, not Profits* ': syniadau fel ' *Churchianity is not Christianity* ' ac ' *Every man is a potential Christ* '. Fe ddarllenodd un erthygl ar ' *Free Love* ', sef dal y dylai mab a merch gyd-fyw heb briodi mewn eglwys nac mewn swyddfa; peth i'r ddau hyn yn unig oedd eu cariad, ac nid oedd eisiau arno sêl yr Eglwys na'r Wladwriaeth. Ni soniwyd yn yr erthygl ddim am blant. Wrth gwrs, yr oedd y Sosialwyr a'r

Radicaliaid yn iawn ar lawer o bethau fel cael pensiwn i'r hen, mwy o iawndal i weithiwr ar ôl colli ei iechyd ac i weddwon ar ôl colli eu gwŷr mewn damweiniau; cyflog deg ac wyth awr y dydd; gwell ffyrdd, gwell tai a mwy ohonynt ac addysg i bob plentyn. 'Roedd llawer o deuluoedd mawr yn Sir Forgannwg yn byw mewn dwy ystafell; ac yr oedd cyfartaledd marwolaethau babanod yn uchel iawn yn y Sir. Ond pethau materol oedd y rhain; pethau cwbwl angenrheidiol, er hynny. 'Roedd y syniadau cyfeiliornus hyn gan y Sosialwyr a'r Radical-iaid—troi Cristionogaeth yn Sosialaeth, credu mai proff-wyd yn unig oedd yr Iesu, gwadu pechod a gwadu'r gwyrthiau, gosod datblygiad dyn yn lle datguddiad Duw a rhoi'r holl bwyslais ar frawdoliaeth—yn dod drwy'r *Llais* i'r Cwm ac i Waun-coed. Pa faint o ddylanwad a gawsant? A oedd rhai o aelodau ei gapel yn credu ynddynt? Ni thybiai fod yr un ohonynt yn eu credu, ond yr oedd yn amau un, sef Gomer Powel. Wrth fyfyrio ar y pethau hyn yn ei stydi fe welodd yn glir beth oedd ei ddyletswydd fel gwas yr Arglwydd. Fe welodd mai'r baich a roddodd Duw ar ei ysgwyddau annheilwng oedd condemnio'r syniadau hyn, a phregethu'r Efengyl uniongred yng Ngwaun-coed ar gychwyn yr ugeinfed ganrif.

Yn 1901 fe ailadeiladwyd Capel Seion oherwydd y dylifiad o bobol a ddaeth i'r pentre yn niwedd y ganrif, ac yr oedd yn gallu dal wyth neu naw cant. Ar lun pedol yr oedd y galeri, neu'r llofft fel y'i gelwid yn y Cwm; ac ar bob ochor ar y llawr yr oedd rhes o seti, a'r seti blaenaf ar y ddwy ochor yn seti croes, seti yn wyn-ebu'r sêt fawr; ac ar ganol y llawr yr oedd dwy res o seti yn sownd i'w gilydd, ac yr oedd y rhain ar y ddwy ochor yn sêt fer a sêt hir bob yn ail. Y tu ôl i ganol y sêt fawr yr oedd yr harmoniwm. Yng nghanol y Capel yr oedd y ddau beth pwysicaf, sef y pulpud, ac oddi tano yn y sêt fawr fwrdd, bwrdd yn debyg i'r bwrdd yn y Swper Olaf yn yr Oruwchystafell. Y tu ôl i'r pulpud yr oedd dau biler yn y wal a lle gwag gwyn rhyngddynt; ac ar dop y pileri yr oedd bwa a chylchoedd ynddo, ac ar ei ganol yr adnod:

ADDOLWCH YR ARGLWYDD MEWN
PRYDFERTHWCH SANCTEIDDRWYDD

Yn ei bregethau fe ymosodai'r Parch. Morris Parri ar y syniadau cyfeiliornus a phregethu'r Efengyl, fel y gwelir wrth y darnau hyn:

Y mae rhai pobol heddiw, fel y gwelwch yn y papurau, a *Llais Rhyddid* yn eu plith, yn credu mai proffwyd yn unig oedd Iesu Grist. Nid ydynt yn sôn am y Crist o gwbwl: dim ond am y proffwyd o Nasareth, y Galilead a Mab y Saer. Y mae credu hyn yn gyfeiliornad dybryd. Yn ôl y Testament Newydd, diwinyddiaeth Calfin ac emynau Pantycelyn y mae Iesu Grist yn Frenin, yn Offeiriad ac yn Broffwyd. Dyma'r gredo Eglwysig. Traean o Grist sydd gan y bobol sy'n pregethu mai proffwyd yn unig ydoedd Ef.

Yr egwyddor fawr sydd yn cael ei phwysleisio heddiw mewn rhai papurau, ac yn enwedig gan y Radicaliaid a'r Sosialwyr, yw Brawdoliaeth Dyn. Y mae hon yn egwyddor Gristionogol, ond y mae'r Testament Newydd hefyd yn datguddio Tadolaeth Duw. Nid yw Brawdoliaeth Dyn yn bosibl ar wahân i Dadolaeth Duw. Fe welir yn y fan hon eto mai hanner gwirionedd sydd ganddynt. Heb Dadolaeth Duw, y mae Brawdoliaeth Dyn yn sicr o ddirywio, a throi yn greulondeb ac yn gasineb.

Fe roir yr holl bwyslais gan ddiwinyddion heddiw ar Gariad Duw. Effaith hyn yw troi'r Cariad yn Gariad meddal. Cariad santaidd yw Cariad Duw: Cariad cyfiawn. Hefyd y mae Cariad yr Arglwydd Iesu Grist ynom yn gariad cyfiawn. Fe ddylem fynnu cael cyfiawnder yn y byd; cyfiawnder mewn cymdeithas; a chyfiawnder yn y byd diwydiannol. Fe ddylid cael cyfiawnder dynol ym mhyllau glo a Gweithfeydd Deheudir Cymru. Ond, ac y mae yn ' ond ' mawr, nid yw hi yn iawn i glymu Cristionogaeth wrth unrhyw blaid wleidyddol na chyfundrefn economaidd. Ni ddylid troi Cristionogaeth yn Sosialaeth. Y mae'r Efengyl yn Efengyl sydd yn y byd hwn, ond y mae hi uwchlaw'r byd hefyd.

Y mae rhai pobol hefyd yn ymosod ar ryfel. Y mae rhyfel-oedd yn anghyfiawn, ond fe all rhyfel fod yn gyfiawn hefyd. Pe byddai gwlad anffyddol, er enghraifft, yn ymosod ar wlad Gristionogol er mwyn dinistrio ei Christionogaeth hi, yna dyletswydd pob Cristion gwerth ei halen fyddai amddiffyn Cristionogaeth a bod yn barod i farw drosti.

Gair mawr ein cyfnod ni yw datblygiad. Am fod Darwin wedi dangos fod yr hil ddynol wedi datblygu o'r epa, y maent yn credu fod ysbryd dyn wedi datblygu, fod Duw wedi dat-blygu yn yr Hen Destament a bod yr Arglwydd Iesu Grist wedi datblygu yn y Testament Newydd. Ond nid yw dyn yn datblygu yn ysbrydol ; yn cynyddu yn foesol. Y mae yn credu y gall dyn yng nghwrs datblygiad gael gwared ar bechod fel y cafodd wared ar ei gynffon : ond fe all dyn â hanner llygad yn ei ben weld fod yr hen bechodau yn aros o hyd—arian-garwch, gormes, casineb, cybydd-dod ac yn y blaen. Pechadur yw dyn o hyd. Gelyniaeth yn erbyn Duw yw pechod. Y mae'r Beibl yn ein dysgu i'r Tad aberthu Ei unig-anedig Fab ar y Groes i'n gwaredu o bechod ; mai trwy Ei farwolaeth y cawn ni haeddiant, a thrwy Ei gariad, Ei drugaredd a'i ras yr adferir dyn eilwaith i gymundeb â Duw.

Yn y Cymundeb a gynhelid yn oedfa'r hwyr y câi'r Bugail y cyfle i ddangos mai'r Groes oedd canolbwynt yr Efengyl. Yn y Gwasanaeth hwn yr oedd y gynulleidfa yn fwy, canys yr oedd rhai pobol fethedig wedi ymdrechu i ddod iddo. Ar ôl canu'r emyn ar ôl y bregeth fe ddôi'r aelodau a eisteddai ar y llofft, pawb ond y plant, i lawr i eistedd yn y seti gwag ac yr oedd y llawr yn llawn. Ar y bwrdd yn y sêt fawr yr oedd lliain gwyn fel pe byddai'r Arglwydd Iesu Grist yn gorwedd yn ei amdo, ac yr oedd yr elfennau oddi tano—y bara briw ar y platiau a'r gwin mewn dau gwpan. Ar ôl gweddïo fe ddarllenai ordinhad cyntaf y Swper, I Cor. XI. 23-34, ' canys myfi a dderbyniais gan yr Arglwydd yr hyn hefyd a draddod-ais i chwi . . .' Yna fe bwysleisiau mai gwasanaeth coffa ydoedd—' Er coffa amdanaf'; mai gwasanaeth diolch ydoedd—' Ac wedi iddo ddiolch'; ac yn drydydd, mai Cymundeb y cyfamod newydd ydoedd—' gan ddywedyd, y Cwpan hwn yw y testament newydd yn fy ngwaed ': Plant y Cyfamod Newydd ydym ni i gyd; Cyfamod a wnaed yn y Cyngor Bore rhwng y Tad a'r Mab, fel y dywedodd Ann Griffiths:

Bydd melys cofio y cyfamod
　　Draw a wnaed gan Dri yn Un ;
Tragwyddol syllu ar y Person
　　A gym'rodd arno natur dyn :
Wrth gyflawni yr amodau,
　　Trist hyd angau'i enaid oedd :
Dyma gân y saith ugeinmil
　　Tu draw i'r llen â llawen floedd.

Fy enaid trist, wrth gofio'r taliad,
　　Yn llamu o lawenydd sydd ;
Gweld y ddeddf yn anrhydeddus,
　　A'r pechadur brwnt yn rhydd ;
Rhoi Awdwr Bywyd i farwolaeth,
　　A chladdu'r Atgyfodiad mawr ;
A dwyn i mewn dragwyddol heddwch
　　Rhwng nef y nef a daear lawr.

Gan gymryd y bara a'i dorri—' nid y bara yw'r pwysicaf, ond y bara briw: Ei gorff wedi ei ddryllio '—efe a'i bwytâi, a rhoi ei ben ar ei law; a myned â'r plât bara at y blaenoriaid. Fe gymerai y cwpan—' nid y gwin sydd bwysicaf, ond y gwin wedi ei dywallt: y Gwaed wedi ei dywallt ar y Pren '—efe a yfai o'r cwpan, a rhoi ei law dan ei ben, a rhoi'r cwpan gwin i'r blaenoriaid. Yna fe âi'r blaenoriaid â'r platiau bara a'r ddau gwpan gwin a'u rhoi i'r gynulleidfa. Fe roddai pob un ei ben i lawr ar ôl bwyta ac yfed. Yna fe ganent ar eu heistedd:

Ai Iesu mawr, Ffrynd dynol-ryw,
Wy'n weled fry â'i gnawd yn friw,
　　A'i waed yn lliwio'r lle ;
Fel gŵr di-bris yn rhwym ar bren,
A'r gwaed yn dorthau ar Ei ben ?
　　Ie, f'enaid, dyma Fe.

67

Ai f'annwyl Briod welaf draw,
A hoelion llymion trwy bob llaw,
   A'u pwyo'n drwm i ᴄre,
A bar o ddur trwy'i dirion draed,
Ac yntau'n marw yn Ei waed ?
   Ïe, f'enaid, dyma Fe.

Ai Ef fu'n maddau idd Ei gas,
A'i waed yn llif o'i glwyfau i mâs,
   Nes agor drws y ne',
Rhoi'i ben tua'r llawr gan boenau llym
Yn wirion deg, heb yngan dim ?
   Ïe, f'enaid, dyma Fe.

Ac yr oeddech yn Ei weled yn blaen yng nghanol y
distawrwydd, distawrwydd y tu mewn i ddistawrwydd;
ac nid oedd neb yn clywed ffrwtian y lampau nwy.
Gweithwyr y Gwaith Dur ac Alcan, a'u gwragedd a'u
meibion a'u merched oedd mwyafrif mawr y gynull-
eidfa; yr oedd yno un neu ddau siopwr; un gaffer ac
ychydig lowyr. Mor wahanol yr edrychai'r gweithwyr
yn eu dillad parch, eu coleri startsh, eu dillad isaf o'r
deunydd gorau, eu hesgidiau parch ac yn eu cyrff glân,
i'r hyn oeddent pan ddoent adre o'r Gwaith. Ni
chredech mai'r un dynion oeddent hwy. Y rhain oedd
gwerin Duw; corff Crist a *koinonia* yr Ysbryd Glân.
Ioan Williams, A.C., oedd y codwr canu, un o ddis-
gyblion Eos Wyn, athro cerdd yn y Cwm yn y ganrif
ddiwethaf. Ar ganol y sêt fawr y tu ôl i'r harmoniwm
y safai ef, ac wrth arwain fe godai ei *Lyfr Tonau* ychydig
bach yn uwch ar *forte*, ychydig bach wedyn ar *fortissimo*:
ei ostwng ychydig bach ar *piano*, ac ychydig bach wedyn
ar *pianissimo*; ei droi i'r chwith ar *crescendo* ac i'r dde ar
diminuendo. Canu cywir a disgybledig oedd y canu am
eu bod wedi ymarfer canu yn yr Ysgol Gân. Fe fyddai'r
canwyr gorau, a'r rhai oedd yn tybio y gallent ganu,
yn canu o'r Llyfr â'r Hen Nodiant ynddo; a'r lleill yn

canu Tonic sol-ffa. Fe fu Hanna Powel yn eu poeni, canys yr oedd ganddi lais cas aflafar ac fe fyddai'n canu'n uchel ac o diwn, a bwrw'r canwyr eraill o diwn, ac fe fyddai'r codwr canu yn gwgu arni. Fe ddwedodd wrthi am ganu yn is, ond nid oedd dim yn tycio. Fe feddyliodd Telynfab am gynllun i'w thewi. Fe aeth i'w thŷ, ac ar ôl sôn am y tywydd, fe ddwedodd wrthi:

' Ma gyta chi lawer o rinwedde, Hanna Powel, ond 'dyw'ch llais chwi ddim yn un ohonyn nhw.'

' Sôn ŷch chi, Telynfab Niclas, am 'y nghanu i yn y Capel. Wel, "Nid erchis Duw i'r frân dewi".'

' Eitha gwir, Hanna Powel; ond ma gwahanieth rhwng brân mewn coedwig a brân mewn capel. Wel, weda i be wna i. Beth am gymryd polisi o dair cinog yr wsnoth ar ych gŵr, ac fe dala i yr hanner, ar yr amod ych bod chi yn canu yn ishel ne ddim yn canu o gwbwl.'

' 'Dyw Gomer ni ddim yn credu mewn insiwrans.'

' 'Dôs dim rhaid i chi weud wrth ych gŵr, ôs e?'

' Olreit 'te. Ond am ganu yn ishel, cofiwch chi.'

Fe ganai Hanna Powel yn isel yn y Capel ar ôl hyn, mor isel fel na ellid ei chlywed, ac ni wyddai Ioan Williams beth oedd y rheswm am y newid ynddi, ond yr oedd yn falch iawn fod pawb yn canu mewn tiwn. Yn *Llyfr hymnau a thonau y Methodistiaid Calfinaidd ynghyd â salm-donau ac anthemau* yr oedd ' Rhaglith ' gan Ieuan Gwyllt a 955 o Emynau; Emynau ar y Drindod; ar ' Mawredd Duw ', ' Duw Mewn Creadigaeth a Rhagluniaeth', 'Duw yn Nhrefn Iachawdwriaeth', ' Arfaeth Duw a'r Cyfamod Gras ' ac yn y blaen: Am Grist— Ei Ymgnawdoliad,—Ei Berson, Ei Swyddau, a'i Deitlau, —Ei Fywyd, Ei Ddioddefiadau a'i Angau—Ei Atgyfodiad

a'i Esgyniad—yn y Nefoedd ac yn Eiriol—Ei Fuddug-
oliaethau a'i Oruchafiaeth—Ei Gariad, Ei Ras, Ei
Hawddgarwch a'i Ogoniant, ac yn y blaen: am yr
Ysbryd Glân: yr Efengyl a'i Hordinhadau: Profiadau a
Rhagorfreintiau Pobl Dduw: Bywyd Crefyddol: Cys-
tuddiau: Angau a Thragwyddoldeb: y Nefoedd ac
Achlysuron Neilltuol. Fe genid yr emynau hyn ar
donau gan gyfansoddwyr Cymreig a Seisnig: ar Alawon
Cymreig ac Alawon ' Henafol ': ar Alawon Almaenaidd,
ar donau o gasgliadau Almaenaidd, ac ar donau gan
Handel, Mendelssohn, Haydn, Beethoven, Mozart,
Schubert, J. C. Bach a chyfansoddwyr eraill: ar ' Alaw
Eidalaidd ', ' Alaw Sbaenaidd ', ' Alaw Rwsiaidd ' ac
ar donau o'r ' Psalmydd Ffrengig ', ' Psalmydd Laus-
anne ' a ' Psalmydd Geneva ': ar ' Alaw Lydewig ' ac
ar ' Alaw Sgotaidd ' ac ar donau ar y dull Gregoraidd.
Fe welir fod dylanwad cerddoriaeth y Cyfandir ar y
casgliad hwn o donau, ac yn enwedig ddylanwad
cerddoriaeth yr Almaen. Nid oedd y gweithwyr yn y
gynulleidfa yn gweled pwrpas i'r Gwaith Dur ac Alcan,
na'r glowyr yn y pyllau glo, ar wahân i ennill bywol-
iaeth, ond yn y Capel fe welent fod y diwydiannau i
gyd tan Ragluniaeth Duw:

> Rhagluniaeth fawr y nef,
>   Mor rhyfedd yw
> Esboniad helaeth hon
>   O arfaeth Duw :
> Mae'n gwylied llwch y llawr
>   Yn trefnu llu y nef,
> Cyflawna'r cwbwl oll
>   O'i gyngor Ef.

Nid yr Eglwys Gymraeg hon yn unig a oedd yn canu
mawl i Dduw, ond holl eglwysi Cymru; holl eglwysi'r
byd; yr Eglwys Anweledig a nefoedd a daear:

Gyda'r dyrfa lân i fyny,
  Gyda'r eglwys frwd i lawr,
Uno wnawn fel hyn i ganu
  Anthem clod ein Harglwydd mawr :
"Llawn yw'r nefoedd o'th ogoniant,
  Llawn yw'r ddaear, dir a môr ;
Rhodder i Ti fythol foliant,
  Sanctaidd, sanctaidd, sanctaidd Iôr !"

'Roedd rhyw gwyno fod crefydd yn dirywio a phobol
yn cilio o'r capeli a'r eglwysi yn y gwynt, ond yr oedd y
dyfodol yn ddiogel yn nwylo Duw:

Daw miloedd ar ddarfod amdanynt
  O hen wlad Asyria cyn hir,
Preswylwyr yr Aifft ac Ethiopia
  At Grist y Gwaredwr yn wir ;
Cyflawnir y proffwydoliaethau,
  Daw'r holl addewidion i ben,
Fe dynnir myrddiynau at Iesu
  Ddyrchafwyd rhwng daear a nen.

Yr holl freniniaethau a dreulir,
  A'r ddelw falurir i lawr ;
Y garreg a leinw'r holl wledydd,
  Ei chynnydd fel mynydd fydd mawr :
Ceir gweled cenhedloedd y ddaear
  Yn dyfod o bedwar cwr byd ;
Ymofyn y ffordd tua Seion
  Y bydd ei drigolion i gyd.

Ar wahân i ganu emynau yr oeddent yn canu Salmau,
canu Gweddi'r Arglwydd a chanu anthemau. Y Sul ar ôl
claddu aelod, fe genid un o'r Anthemau ar ddiwedd *Y
Llyfr Emynau*, fel ' Dyddiau dyn sydd fel glaswelltyn '
neu ' Pwy yw y rhai hyn?' neu ' Y cyfiawn a drig yn y
nef'. Anodd oedd esbonio'r marwolaethau sydyn mewn
damweiniau yn y Gweithiau, ac yr oedd gwragedd
gweddwon a phlant amddifaid dau aelod a laddwyd yn
y gynulleidfa, ond

Pwy yw y rhai hyn sydd wedi eu gwisgo mewn gynau gwynion?
Ac o ba le y daethant ?

71

Y rhai hyn yw y rhai a ddaethant o'r cystudd mawr,
Ac a olchasant eu gynau, ac a'u canasant yng ngwaed yr Oen.
Oherwydd hynny y maent gerbron gorseddfainc Duw,
Ac yn Ei wasanaethu Ef ddydd a nos yn Ei deml :
A'r Hwn sydd yn eistedd ar yr orseddfainc a drig yn eu plith
   hwynt.
Ni fydd arnynt newyn mwyach: ni fydd arnynt syched mwyach;
Ac ni ddisgyn arnynt na'r haul na dim gwres.
Oblegid yr Oen, yr Hwn sydd yng nghanol yr orseddfainc
A'u bugeilia hwynt, ac a'u harwain at ffynhonnau bywiol o
   ddyfroedd :
Duw a sych ymaith bob deigryn oddi wrth eu llygaid hwynt.

Wrth ganu'r anthem hon fe fyddai rhai canwyr yn
gweled y meirwon yn esgyn o ganol mwg a llwydni
Gwaun-coed ac yn myned trwy'r cymylau i'r nef, ac yn
cael gynau gwynion yno yn lle eu dillad gwaith, a
gynau wedi eu golchi yng ngwaed yr Oen: ac mor braf
i ffwrneisiwr fydd cael gwlad heb ynddi ddim gwres, ac
ynddi ffynhonnau bywiol o ddyfroedd y gall yfed
ohonynt yn dragwyddol.

Ar nos Sul yn unig y byddai Telynfab Niclas yn dod
i'r Capel, ac fe fyddai'n eistedd ymhlith y ' gwrandawyr '
yn ' sêt y bad ', sef sêt ar lun cwch. Nid oedd y beirdd
yn aelodau yn y capeli am eu bod yn yfed cwrw, er na
ddywedodd neb wrthynt am beidio â dod i'r holl
wasanaethau. Dod i ganu a wnâi Telynfab Niclas, a
dod i oedfa'r hwyr am y gallai fynd i'r Ysgol Gân ar
ôl yr oedfa: nid oedd yn hoffi mynd i'r Ysgol Gân heb
fyned i'r oedfa. Ni fyddai yn ymddiddori yng nghyn-
nwys y pregethau, ond hoffai wrando ar Gymraeg y
pregethwyr, sylwi ar y cymariaethau yn eu pregethau
ac ar eu dull o bregethu. Pan fyddai pregethwr yn
dwyn geiriau Saesneg i'r bregeth er mwyn dangos ei
ddysg fe fyddai Telynfab Niclas yn gwgu ac yn codi'r
cudyn gwallt oddi ar ei lygad. Fe wenai wrth wrando
ar y pregethwr hwnnw na fedrai swnio'r ' r '; ' Duw,

caliad yw,' meddai'r pregethwr hwnnw, ac wrth wrando ar y pregethwr ag atal dweud arno. Wrth ddarllen y bennod ar y dechrau yr oedd yr atal dweud yn ddrwg; wrth weddïo nid oedd atal o gwbwl: wrth ddechrau pregethu yr oedd yr atal dweud yn ddrwg iawn; wrth godi hwyl yr oedd yr atal yn lleihau, a phan gyrhaeddodd uchafbwynt ei bregeth nid oedd dim atal dweud arno. Y pregethwr o'r De a roddai ' h ' o flaen llafariaid. Fe ddarllenodd hanes y Mab Afradlon ar gychwyn y gwasanaeth, ac fe ddarllenodd yr adnod gyntaf fel hyn: ' Ac yr oedd gan ryw hŵr ddau fab '. Fe fyddai yn hoffi gwrando ar John Davies, hen flaenor a eisteddai mewn cadair, o dan y pulpud, yn porthi. Pan oedd y Parch. Philip Jones yn pregethu yno ar y testun, ' Nid felly y bydd yr annuwiolion', fe ddywedodd ei destun fwy nag unwaith, 'Nid felly', 'felly,' meddai John Davies; ' Nid felly,' meddai'r pregethwr, 'felly,' meddai'r blaenor; a dyma'r Parch. Philip Jones yn plygu dros ganllaw'r pulpud ac yn edrych i fyw llygad yr hen ŵr, a rhoi'r holl bwyslais ar y gair cyntaf, ' Nid felly, ffrind '. Pan soniodd rhyw bregethwr arall yn ei bregeth am ddyn a fu farw yn sydyn, dyn y gallech roi les ar ei fywyd, fe ddwedodd yr hen flaenor, ' Strôc, sbo '. Y melysaf o'r holl bregethwyr oedd y Parch. William Jones, Treforris. 'Roedd ei bregethau fel potiau mêl. Y pregethwr gorau, yn ôl ei farn ef, oedd Y Parch. W. E. Prydderch, Abertawe, am fod yn ei bregethau fwy o gymariaethau. Ei bregeth orau oedd ' Hau a Medi ' ac yr oedd yn cofio'r pennau ynddi. Am yr hau fe ddywedodd: (1) *Taflu oddi wrthym*, (2) *Taflu oddi wrthym i gadw*, (3) *Taflu oddi wrthym i luosogi*, ac am y medi: (1) *Casglu i'r fynwes*, (2) *Casglu i'r fynwes yr holl a oedd yn yr had a heuwyd*, (3) *Casglu i'r fynwes y cwbl oedd yn yr had a heuwyd ac ôl*

73

llaw Duw arno. Yn ei bregeth ar ' Iau Duw ' fe ddis-grifiodd Ddafydd Morris ac Edward Matthews:

Garw na baem yn rhai bach i gyd fel Dafydd Morris pe gwneid ni yn foddion i achub dynion. Ni welodd Cyfarfod Misol sir Gaerfyrddin a Chymanfa y Deheudir yn werth ordeinio Dafydd Morris. Penderfynodd y Gymanfa wneud hynny yn Awst y flwyddyn olaf y bu ef byw ; ond fe deimlodd y Nefoedd ei *dignity* ac fe alwodd Dafydd Morris gartref ym Mehefin cyn i'r ddaear ei ordeinio. Os na welai dynion yn werth rhoddi y goron ar ei ben, fe welodd y Nefoedd yn werth gwneud hynny. O, iê, un rhyfedd oedd Dafydd Morris. Fe'i cofiaf ef byth yn pregethu pan oeddwn yn ddyn ieuanc. Â'i lais crynedig trwy fy esgyrn yn awr fel taranau Duw. Chwi glywsoch oll am yr anfarwol Edward Matthews. Do ; pwy yng Nghymru na chlywodd amdano ef. Un o'r dynion mwyaf a gododd y genedl erioed oedd ef. Ond a wyddech chwi mai y *tug-boat* bach—Dafydd Morris yr Hendre—a gafodd y fraint o dynnu y *Lusitania* fawr—Edward Matthews—i dir y bywyd ? Dyn bach oedd Dafydd Morris.

Mewn pregeth arall fe soniodd am y storm yn torri ac yn rhwygo coed derw yn y goedwig, ond ar lan y môr yr oedd y coed a'r llwyni yn crymu dan y storm. Dynion balch y byd a oedd yn cael eu torri a'u rhwygo gan stormydd, ond yr oedd y Cristionogion yn plygu odanynt, ac yn codi eu pennau wedyn.

Yn y capeli yn y Cwm yr oedd dau fath o godwyr canu: y naill yn dal mai'r gerddoriaeth oedd bwysicaf, ac nid y geiriau; a'r llall mai'r geiriau oedd bwysicaf. Cadw cydbwysedd rhwng y ddau a wnâi Ioan Williams yn yr Ysgol Gân. Fe bwysleisiai o hyd hefyd nad pwrpas canu cynulleidfaol oedd dangos gan bwy yr oedd y lleisiau gorau, a dyna oedd tuedd Telynfab Niclas, ond moli Duw yn gywir ac yn ostyngedig. Cyn canu emyn neu salm neu anthem fe drawai'r bitsfforch wrth y sêt, ac ar ôl gorffen canu darn fe'i trawai hi'r eilwaith i weld a oeddent yn canu mewn tiwn. Pan oeddent yn canu fe roddai ei law ar ei glust. Ar ôl canu gyda'r piano fe wnâi iddynt ganu yn ddigyfeiliant. Pan nad oedd y sopranos yn canu yn iawn, fe gaent ganu ar eu pennau eu hunain, a'r un fath am yr altos, y tenoriaid a'r baswyr. Pan oedd dau neu dri ymhlith y tenoriaid a'r baswyr, neu ddwy neu dair ymhlith y sopranos a'r altos, yn canu yn anghywir fe wnâi iddynt ganu ar eu pennau eu hunain, ac weithiau un ar ei ben ei hun. Un o'r sopranos gorau oedd Mari Hopcin. Ni ddôi Tomos Hopcin na Gomer Powel ar gyfyl yr Ysgol Gân am nad oedd ganddynt ddawn canu; ac, wrth gwrs, ni ddôi Hanna Powel yno. Ni chenid yr un emyn na'r un salm yng ngwasanaethau'r Capel, na hyd yn oed Weddi'r Arglwydd, heb ymarfer eu canu yn yr Ysgol Gân, a hefyd anthemau fel 'Teyrnasoedd y Ddaear', 'Dyddiau Dyn sydd fel Glaswelltyn', 'Fe Ddrylliwyd y Delyn', 'Pwy yw y Rhai Hyn?' a'r lleill. Dyna pam yr oedd y canu yn y Capel mor gywir a disgybledig. Yn ôl barn y Bugail, fe ganai'r Deheuwyr yn fwy bywiog a chyflym na'r Gogleddwyr. Yn yr holl gapeli y bu ef ynddynt ni chlywodd gystal canu ag yn ei gapel ef ei hun. Bob blwyddyn fe ganent oratorio: '*The Messiah*', '*The Creation*', a '*Judas Maccabaeus*' gan Handel; '*Elijah*' gan Mendelssohn a '*Requiem*' gan Brahms, ond oratorios Handel a genid amlaf. Nid yn yr Ysgol Gân ar nos Sul yn unig y dysgent ganu'r oratorio, ond mewn practis ar noson waith, ac ychydig cyn y cyngerdd ar ddwy noson waith, a hyd yn oed ar fore Sul cyn yr oedfa hanner awr wedi deg. Am nad oedd neuadd gyhoeddus yn y pentre, fe gynhelid y cyngerdd yn y Capel. Fe lusgid y piano o'r festri i'r Capel a'i osod yn yr ale yn ymyl y sêt fawr, a chenid y piano a'r harmoniwm. Ar y bwrdd yn y sêt fawr yr oedd blodau ac ar ochr grisiau'r pulpud. Ar y llofft yr oedd y côr, tua dau gant a hanner ohonynt; y dynion yn eu dillad du, coler wen a thei ddu; a'r menywod yn eu sgertiau du a'u blowsis gwyn. O'r Hen Nodiant y canai'r canwyr gorau, a'r lleill o'r sol-ffa; ac yr oedd cornel top pob dalen yn y copi wedi ei phlygu fel y gallent droi'r dalennau yn rhwydd.   Yn sêt flaen y tenoriaid yr oedd Telynfab Niclas, ac yn sêt flaen y sopranos yr oedd Mari Hopcin, ac am eu bod yn medru canu heb y copi fe allent hoelio eu llygaid ar yr arweinydd. Yn y ddwy sêt flaen ar y llofft yr oedd y canwyr gorau, ond am nad oedd sicrwydd bob pryd pwy oedd y gorau fe fyddai ymgiprys amdanynt. Ar y llawr eisteddai'r gwrandawyr, ac am fod yn rhaid codi pen i weled y côr ar y llofft fe gâi ambell un gric yn ei war: yn y sêt fawr yr oedd gweinidogion y cylch; ac yn y pulpud yr arweinydd, a'r alto a'r soprano ar y naill ochor iddo, ac ar y llall y tenor a'r baswr. Cant-orion o'r pentre ac o'r Cwm oedd y rhain. Mor ddistaw leddf oedd solo'r Alto o'r Meseia:

He was des-pi-sed and re-ject-ed of men, a man of sor-rows, and acquainted with grief,

ac wedyn fe fyddai'r ' *Hallelujah Chorus* ' yn rhwygo'r Capel.

Hal-le-lu-jah, for the God Om-ni-potent reigneth and He shall reign for ev-er.

Mor ddwfwn dywyll oedd y Capel pan ganai'r baswr, ' *For Behold Darkness Shall Cover the Earth* ': mor uchel ffyddiog oedd solo'r soprano, ' *I Know that My Redeemer Liveth* ': mor uchel drist solo'r tenor, ' *Their Rebuke hath Broken his Heart* ': ac ar y diwedd y taranau o fawl, ' *Worthy is the Lamb that was Slain* '. Fe roddai Ioan Williams arwydd â'i fatwn i'r côr eistedd a chodi; eisteddai ef yn ei gadair pan ganai'r cantorion; a phan oedd y Côr a'r cantorion yn canu gyda'i gilydd fe fyddai'r pump ar eu traed yn y pulpud. Nid oedd curo dwylo na neb yn rhoi blodau i'r canwyr, ac fe âi pawb allan gan adael y Capel yn llawn tristwch a dioddefaint y Gwaredwr, ac yn orlawn o fawl a gogoniant Iddo am farw drosom ac am eiriol ar ein rhan yn y nef. Ar ôl y cyngerdd fe ganai Telynfab Niclas y solos tenor ar ei ffordd i gasglu yswiriant: canai aelodau'r côr o flaen y ffwrneisiau yn y Gwaith Dur a rhwng y melinau yn y Gwaith Alcan ddarnau o'r ' Hallelujah ' a ' Worthy is the Lamb ': fe chwibanai bechgyn ddarnau o'r miwsig ar yr heolydd, a'r merched yn eu mwmian: a chanai Mari Hopcin uwchben y clwtyn llawr, y clwtyn lluwch, y clwtyn llestri a'r lliain sychu, uwchben y badell olchi ac wrth grasu, ' I Know that My Redeemer Liveth '.

Bob nos Fawrth yr oedd y Cwrdd Gweddi, a galwai'r Bugail ar dri ohonynt i gymryd rhan, neu ddau pan oedd efe yn gweddïo. Yn ei weddi sôn am y pellter rhwng Duw a dyn a wnâi Tomos Hopcin; am y pellter rhwng y Duw anfeidrol a'r meidrolyn, rhwng y Duw santaidd a phechadur,

Y pellter oedd rhyngddynt oedd fawr,
Fe'i llanwodd â'i haeddiant Ei Hun :

gofyn i Dduw am faddeuant a thrugaredd; Ei foli Ef am Ei gariad. Fe soniai fwy na chynt am y rhai ar wely cystudd a'r rhai wedi eu caethiwo i'w corneli, a gofynnai i Dduw roi iddynt Ei gysur a'i gymorth. Yn ei weddi gofynnai Gomer Powel i Dduw ddwyn cyfiawnder i'r byd: am wasgaru'r rhai sydd yn dda ganddynt ryfel; gofyn iddo am gofio'r tlodion a'r gwragedd gweddwon a'r amddifaid: gofyn am gadw gweithwyr rhag damweiniau; cofio am y rhai a oedd yn gweithio o flaen y ffwrneisiau ac yn y melinau ac yn y pyllau glo, ac ' am y ponis a oedd yn llusgo'r ddram yn y twllwch ar waelod y pwll'. Bob nos Iau yr oedd y Seiet, a galwai'r Bugail ar dri i adrodd eu profiad neu ar ddau pan oedd ef yn dweud gair. Wrth adrodd ei brofiad fe fyddai Tomos Hopcin yn sôn am ryw adnod neu bwnc neu am rywbeth a'i trawodd ym mhregethau'r Bugail, a byddai yn tynnu ei gymariaethau o'i fywyd fel gweithiwr:

Hen bethau anodd ac unig yw profedigaethau, ac yn enwedig pan fyddwch yn eu canol. Beth yw gwerth a phwrpas afiechyd, cystudd, a gofidiau ? Oni fyddai'n braf cael iechyd a llawenydd ar hyd ein hoes ? Na, 'fedrwn ni ddim gweld gwerth iechyd ar wahân i afiechyd, fel y gwelais i yn f'afiechyd y llynedd ; na gweld gwerth llawenydd ar wahân i dristwch. Ond 'rŷn ni eisiau bod yn aur heb gael ein profi yn y ffwrnais, eisiau gorchfygu heb ymladd a derbyn y wobr heb ddal pwys a gwres y dydd. Ein profi ni a wna profedigaethau. Fel y dwedodd yr adnod—' y tân a brawf waith pawb, pa fath ydyw '. Fe fyddwn ni yn rhoi'r sgrap brwnt a'r *pig* yn y ffwrnais, ond y mae'r tân yn eu troi yn fetel pur, ac fe fydd yr amhuredd yn mynd allan drwy'r staciau. Crist yw'r ' purwr a'r glanhawr arian '. 'Roedd ein Gwaredwr yn gwybod beth oedd profedigaethau, gofidiau a phoenau. Fel y canwyd y noson o'r blaen yn y cyngerdd gan yr alto : ' Gŵr gofidus, a chynefin â dolur '. Oherwydd hyn y mae Iesu Grist yn gallu dod i mewn i'n profedigaethau, ein cystuddiau a'n gofidiau ; yn gallu dod i mewn aton ni yn y ffwrnais. Fe fynegodd Ann Griffiths hyn yn llawer gwell na dyn cyffredin fel fi :

> Mae bod yn fyw yn fawr ryfeddod
> Mewn ffwrneisiau sydd mor boeth,
> Ond mwy rhyfeddod wedi 'mhrofi
> Y dof o'r cystudd fel aur coeth :
> Amser cannu, diwrnod nithio,
> Eto'n dawel heb ddim braw ;
> Y Gŵr sydd imi yn ymguddfa
> Sydd â'r wyntyll yn Ei law.

Ni fyddai Gomer Powel, wrth adrodd ei brofiad, fyth yn sôn am bregethau'r Bugail, ond sôn y byddai am gyfiawnder cymdeithasol:

Ma'r Eglws heddi ar y groesffordd. 'Dyw hi ddim yn ddigon *progressive*. Ma'n rhaid iddi fynd gyda'r oes, yn lle byw yn y gorffennol gyda hen syniade a hen athrawiaethe. Fe fyddwn ni yn canu yn yr emyne lawer iawn am y Nefoedd y tu áraw, ond ma'n rhaid inni hefyd gâl nefoedd ar y ddaear hon. Ma'r pregethwyr 'ma yn sôn am ryw egwyddorion, ond 'dŷn nhw ddim yn sôn am *environment*. Ma amgylchiade yn bwysig. Amgylchiade sy'n gneud dyn, medde rhai pobol. Pe bydde Iesu Grist yn dod i Waun-côd bore 'fory fe fydde yn porthi'r tlodion yma, fel y gwnath pan odd E ar y ddaear ; 'rodd E yn cofio am gyrff dynon, ac nid fel ma'r Eglws heddi yn rhoi'r pwyslais i gyd ar yr ened. 'Rodd E yn rhoi llyged i'r rhai tywyll, yn rhoi trâd i'r cloffion ac yn cofio am y tlawd a'r anghenus. 'Rodd E yn ymosod ar gyfoethogion. ' Ni ellwch chwi wasnaethu Duw a Mamon ' a ' Haws yw i gamel fyned drwy grau'r nodwydd ddur nag i oludog fyned i mewn i deyrnas Dduw '. Yr hyn sy eisie arnon ni yw crefydd rownd, a 'chewch chi ddim crefydd rownd heb fod ochor foesol iddi. Ma'n rhaid i ni fel Cristionogion ddileu tlodi ac anghyfiawnder ; ma'n rhaid i ni gondemnio elw, cyfoeth a rhyfel. Y bobol sy'n bwysig. Fe weles gyfieithiad Cymraeg o gân Sysneg, ac y ma hon yn dangos yr hyn sy gen i i'r dim :

> Pa bryd y cedwi'r bobol ?
>   Drugarog Dduw, pa bryd ?
> Y bobol, Dduw, y bobol,
>   Nid beilchion, ond y byd.
> Blodau Dy galon yw'r rhai hyn,
> A gânt hwy ddiflannu megis chwyn
> Heb weled gwawr o obaith gwyn ?
>   Duw gadwo'r bobol.

Fe aeth Evan Roberts y Diwygiwr yn niwedd 1904 ac yn 1905 trwy rannau o Gymru; a threfnwyd cyfarfodydd iddo yn y Cwm, ar 13 Ionor 1905 gyfarfod iddo yn Seion, Gwaun-coed. Awr cyn cychwyn y cyfarfod yr oedd y Capel dan ei sang; pob sêt yn llawn; y ffwrymau ar hyd yr alïau yn llawn; pobol yn eistedd ar risiau'r pulpud, ar y grisiau rhwng y seti ar y llofft ac ar silffoedd y ffenestri; ar y grisiau i'r llofft, yn y cyntedd a thu allan i'r Capel yr oedd tyrfa ar yr heol yn canu ' *Throw out the life line* '. 'Roedd y festri y tu ôl i'r Capel yn llawn, a phobol yn sefyll rhwng y ddwy res o seti, ac yr oedd cyntedd y festri yn orlawn. Yn y Capel yr oedd hi yn boeth fel ffwrnais, mor boeth fel yr oedd rhai bron â llewygu gan y gwres, ond ni fedrent fyned allan; ac fe dorrwyd gwydr dwy ffenestr a'u gosod wrth y tyllau i gael awyr. Fe ganwyd emynau'r Diwygiad fel ' Dyma gariad fel y moroedd', ' Mi glywa'th dyner lais', 'Diolch i Ti, yr Hollalluog Dduw', ' Mae'th eisiau Di, bob awr', ' Ni fuasai gennyf obaith', ' Y Gŵr wrth ffynnon Jacob', ' Yr oedd cant namyn un', ' Hen Rebel fel fi ' ac eraill, ond nid oedd cymaint hwyl ar eu canu ag mewn cyfarfodydd eraill, am fod aelodau'r Capel, yn ôl eu harfer, yn canu mor gywir a disgybledig; ac ni allai'r dieithriaid, a rhai ohonynt eisoes tan ddylanwad y Diwygiad, gael cymaint o fynd ar y canu oherwydd hyn. Ar ganol y canu daeth Evan Roberts i mewn, a Miss Annie Davies ar ei ôl. Fe allech glywed pin yn cwympo pan esgynnodd y Diwygiwr i'r pulpud, eistedd yn y gadair a phlygu gan roi ei ben ar ei ddwylo fel dyn mewn arteithiau. Bu am amser yn ei gwrcwd; ac fe aeth Miss Annie Davies i fyny i'r pulpud, cydio yn y Beibl, ei roi yn ei chôl, a chanu:

> Dyma Feibl annwyl Iesu,
>   Dyma rodd deheulaw Duw ;
> Dengys hwn y ffordd i farw,
>   Dengys hwn y ffordd i fyw :
> Dengys hwn y golled erchyll
>   Gafwyd draw yn Eden drist ;
> Dengys hwn y ffordd i'r bywyd,
>   Trwy adnabod Iesu Grist.

Y dyrfa gyda hi yn ailganu'r pedair llinell olaf, ac yn canu emynau eraill, ond pan oeddent yn canu

> Gad im deimlo
> Awel o Galfaria fryn

dyma Evan Roberts ar ei draed ac yn atal y canu:

'Rŷch chi'n canu fel pe byddech chi yn canu am wobor mewn
Eisteddfod. A ŷch chi yn gwybod am beth yr ŷch chi yn canu?
I bwy yr ŷch chi yn canu? ('I Dduw' oedd ateb un o'r gynull-
eidfa.) Pan fyddwch chi yn canu i Dduw, mae'n rhaid i chi
ganu a gweddïo yr un pryd. Canwch yn weddïgar. Plyg ni,
O Arglwydd. Plyg ni. Plyg yr Eglwys, O Dad. Ar yr enaid
y mae Duw yn edrych, ac nid ar yr amgylchiadau. Y mae
bedd i'r corff; y mae tragwyddoldeb i'r enaid, ond er hynny
y mae dynion yn esgeuluso'r enaid yn fwy na'r corff. Tarawodd
Duw Ei Fab, gyfeillion, ond gwae y neb arall a'i tarawa.
Ewch gyda'r Iesu i'r Oruwchystafell, ond gwyliwch rhag i
chwi gael yr un dynged â'r bradwr. Ewch i'r llys a chymerwch
y fflangell o law y milwyr, a tharewch y Gwaredwr. 'Fedrwch
chwi? 'Fedrwch chwi wrthod helpu cario'r groes heno?
Ewch i ben y bryn eich hun; anfonwch y milwyr oddi yno;
cymerwch y morthwyl eich hun, a gyrrwch yr hoelion trwy
Ei ddwylo a'i draed,—os medrwch. Gofynnwch, 'Iesu o
Nasareth, paham yr wyt yn hongian ar y Groes? Gwrandewch
ar yr ateb yn diferu mewn ing, 'Drosot ti'. Gyfeillion, nid
yw yr Ysbryd yn ymryson yn dragywydd. Hwyrach y bydd
yn gorffen heno gyda rhai.

Yna fe eisteddodd i lawr, ac fe geisiwyd canu'r
emynau yn weddigar, ond ni allwyd, er hynny, godi
cymaint hwyl ag y mynnai rhai tan ddylanwad y
Diwygiad. Yna cododd Evan Roberts eilwaith, ac fe
ddwedodd fod ar rai eisiau eu rhoi eu hunain i Iesu
Grist; ac eisteddodd eto gan roi ei ben ar ei ddwylo,
a gweddïo ar i'r Arglwydd achub y pechaduriaid. Yna
cododd merch ar ffrynt y llofft, Miss Elsie Davies,
soprano wedi ennill llawer o wobrau yn yr Eisteddfodau,
Llinos y Graig wrth ei ffugenw; ac fe ddwedodd: ' 'Dw
i ddim yn gallu siarad na gweddïo, ond 'rwy'n gallu
canu. 'Rwy'n caru Iesu Grist â'm holl galon.' Yna
canodd:

Golchwyd Magdalen yn ddisglair
  A Manase'n hyfryd wyn,
Yn y dŵr a'r gwaed a lifodd
  O ystlys Iesu ar y bryn :

Pwy a ŵyr na olchir finnau ?
Pwy a ŵyr na byddaf byw ?
Mae rhyw drysor anchwiliadwy
O ras yng nghadw gyda'm Duw.

Ar ôl iddi orffen cododd eraill ar eu traed ar y llofft ac ar y llawr a'u rhoi eu hunain i Iesu Grist; gweddïai eraill ar draws ei gilydd, a chanai'r gynulleidfa emynau, gan ddyblu a threblu'r cytganau, ac yn enwedig y ddwy gytgan:

Fi, Fi,
I gofio amdanaf fi ;
O ryw anfeidrol gariad,
I gofio amdanaf fi,

ac

O ! yr Oen, yr addfwyn Oen,
Yr Oen ar Galfari,
Yr Oen fu farw sydd eto'n fyw,
Yn eiriol trosom ni.

Fe stopiodd y canu pan gododd Evan Roberts ar ei draed, â gwên nefolaidd ar ei wyneb, ac ni welwyd wyneb a allai newid mor sydyn o wae i wên, o anobaith i lawenydd; ac fe aeth allan a Miss Annie Davies ar ei ôl. Fe arhosodd y gynulleidfa yn y Capel i ganu a gweddïo, ac fe fu rhai ohonynt yno tan oriau bach y bore. Cyn mynd allan fe aeth Mr. Henry Harper i'r sêt fawr a rhoi i'r Bugail bapur punt i dalu am atgyweirio'r ffenestri a dorrwyd.

Yn ôl ei arfer, fe aeth y Gweinidog y nos Fercher ar ôl y cyfarfod, i weld Tomos a Mari Hopcin, er mwyn cael gwybod beth oedd hanes cyfarfod y Diwygiad yn y Gwaith. Ar ôl iddo eistedd yn y gadair freichiau, fe roes Mari Hopcin y lliain gorau ar y bwrdd, y cyllyll a'r ffyrc a'r llwyau gorau, y llestri a'r platiau gorau; ond ni chafodd lawer o gyfle i ddweud ' Bytwch 'nawr. Bytwch fel 'sech chi gatre,' am fod y ddau yn sgwrsio â'i gilydd mor ddyfal.

'Beth sy y tu ôl i'r Diwygiad 'ma, Mr. Parri?' gofyn-nodd Tomos Hopcin.

'Wel, pobol yn gweld eu pechoda, ac yn eu gweld yn betha dychrynllyd, ac maen nhw eisio cael gwared-igath; ac yn eu gweddïo a'u canu y maen nhw yn gofyn am faddeuant a thrugaredd Duw.'

'Ŷch chi yn credu fod gormod o deimlad yn y cyfarfodydd?'

'Mae goleuni'r athrawiaetha yn oleuni oer; goleuni'r deall yw; ond y mae'n rhaid eu trwytho hefyd yng ngwres y galon. Hwyrach fod gormod o wres yn awr.'

'Peth anodd yw cadw cydbwysedd rhwng goleuni a gwres. A pheth . . .'

'Maddeuwch imi am dorri ar eich traws. Ond beth yw effaith y Diwygiad yn y Gwaith, Tomos Hopcin?'

'Pan fydd y drws yn y ffwrnes yn codi fe fydd rhai ohonon ni yn gweld y Tri Llanc a Dull y Pedwerydd yng nghanol y tân brwd, ac y ma'r diafol yno hefyd. Fe fydd yn cwato tu ôl i'r trycs ac yn 'i gladdu 'i hun yn y domen sgrap. Ma rhai ohonon ni yn cynnal cwrdd gweddi cyn dechre'r gwaith yn y bore, ac fe fyddwn yn gweddïo ar ôl cwpla. Ma rhai o emyne'r Diwygiad yn câl 'u canu yn y pwll ac o flân y ffwrneisie a rhwng meline'r Gwaith Tun. Ma llai o yfed cwrw a llai o regi ed. Ma'r gaffer 'na, Mr. Harper, yn fwy caredig.'

'A yw Mr. Harper yn ddyn cas?'

'Wel, ma fe mewn sefyllfa anodd; ma fe yn sefyll rhwng y meistir a'r gwithwrs, ac ma'n rhaid iddo ofalu am feddianne 'i feistir. Ond fe alle Mr. Harper fod yn fwy teg â'r dynon. Ma rhyw gasineb yndo ef.'

'Fe roddodd bapur punt imi dalu am atgyweirio'r ffenestri. A oes rhyw wrthwynebiad i'r Diwygiad, Tomos Hopcin?'

' Wrth gwrs, ma 'na lot o withwrs nad yw'r Diwygiad
wedi cyffwrdd dim â nhw. Un o'r rhai sy'n ymosod ar
y Diwygiad yw Gomer Powel. Fe ddwedodd Evan
Roberts yn y cyfarfod mai'r ened odd yn bwysig, ac nid
yr amgylchiade. Beth pe bydde Evan Roberts, medde
fe, yn gorffod gwitho ar waelod pwll glo ne o flân y
ffwrnes fe wele wedyn fod yr *envi* . . . ne rwbeth yn cyfri.'

' *Environment*, Tomos Hopcin. Amgylchiade neu am-
gylchedd.'

' Ac ma Gwinidog yr Annibynwyr ed yn condemnio'r
Diwygiad, 'glywes i. 'Rw i yn credu mai rhw hanner
anffyddwyr yw'r Annibynwyr 'ma. 'Dŷn nhw ddim yn
debyg i ni, y Methodistied Calfinedd.'

' Na, Tomos Hopcin, ni fyddwn yn mynd mor bell â
hynny. Wrth gwrs, nid oes ganddynt na chredo na
chyffes ac nid ŷnt yn rhoi'r un pwyslais â ni ar foddion
gras. A oeddech chi yn adnabod y ferch, Llinos y Graig,
a gafodd ei hachub?'

' Na, 'down i ddim yn 'i hadnabod; ond fe glywes 'i bod
hi yn gymeriad brith iawn. Ma llawer o'r beirdd a'r
cantorion 'ma yn byw bywyd anfoesol iawn. 'Rŷch
chi yn darllen y *Western Mail* ac fe glywes yn y Gwaith
fod llawer o hanes y Diwygiad yndo fe. Beth yw'r
hanes, Mr. Parri?'

' 'Dw i ddim yn cofio'r holl hanas, ond 'rwy'n cofio
darllen fod barnwyr ar y meinciau yn cael menig
gwynion. Ustusiaid heb yr un troseddwr o'u blaen.
Plismyn heb waith i'w wneud. Tafarnau yn wag.
Darllawdai yn methu gwerthu diodydd. Glowyr yn
cynnal cyfarfodydd gweddi ar waelod y pwll glo, ac yn
dod i gyfarfodydd y Diwygiad yn eu dillad gwaith, am
nad oedd ganddynt amser i newid eu dillad. Dynion
mud yn clebran. Gwŷr cryf a garw yn wylo fel plant.

84

Gwragedd a merched yn methu llefaru. Y Diwygiad yn gollwng toreth o Gymraeg cudd, a Saeson a sipsiwn yn deall Cymraeg: merched yn mynd i dafarnau i achub potwyr. Anffyddwyr yn llosgi eu llyfrau anffyddol. Haliers yn rhegi llai ac yn trin eu ceffylau yn well, a'r glowyr yn ymddiheuro am roi glo brwnt yn y ddram. Pobol yn gwerthu cŵn rasis ac yn gadael herwhela. Cwerylon yn cael eu setlo cyn mynd at y cyfreithwyr. Hen elynion yn ysgwyd llaw. Teuluoedd heb siarad â'i gilydd am flynyddoedd yn ymddiddan. Pobol yn mynd i gyfarfodydd y Diwygiad trwy stormydd, cenllysg ac eira, a phobol yn colli'r trên olaf adre; chwaraewyr Rygbi yn methu chware am fod rhai ohonynt wedi cael eu hachub. Cŵn yn cyfarth ar y buarth wrth glywed gweision a morynion yn gweddïo yn y sgubor. Gweddïau chwarelwyr y Gogledd yn siglo'r Wyddfa. Llawer yn clywed sŵn canu yn yr awyr. Gwŷr ifainc yn gweled enwau eu hardaloedd ar y Groes. Enwadaeth wedi diffodd yn nhân y Diwygiad. Gwyddelod, Albanwyr a gwŷr o'r Cyfandir yn dyfod i Gymru i weled y Diwygiad: a . . .'

Ond fe welodd y Bugail fod Tomos Hopcin yn pendwmpian, ac fe ddwedodd:

'Wel, Tomos Hopcin, y mae'n rhaid i fi fynd. Fe ddeuthum â chyfrol gyntaf *Cysondeb y Ffydd* gan y Dr. Cynddylan Jones i chwi i'w ddarllen. Gobeithiaf y cewch hwyl arni. Diolch yn fawr i chwi, Mari Hopcin, am eich croeso a'ch caredigrwydd. Fe fyddwch chi yn deud wrtha i—"Bytwch, Mr. Parri. Bytwch fel 'sech chi gartre." Y mae'r tŷ hwn yn ail gartre i mi. Nos dawch.'

Ymosod ar y Diwygiad a wnâi'r Parch. Llechryd Morgan, Gweinidog Bethel, Capel yr Annibynwyr, fel y gwelir wrth y darnau hyn o'i bregethau:

'Nawr mae cyfarfodydd y Diwygiad 'ma yn debyg i ddawnsiau a defodau llwythau anwar Affrica ac Asia a Negros America. Mae'r Diwygwyr yn deffro'r hyn sydd yn gyntefig ynon ni, y Cymry. Maent yn corddi'r nwydau a'r teimladau. 'Rŷn ni, yr Annibynwyr, wedi rhoi pwyslais ar hyd y canrifoedd ar reswm. Bod rhesymol a moesol yw dyn. Fel y dwedodd Ioan : ' Ynddo ef yr oedd bywyd ; a'r bywyd oedd oleuni dynion.' Y mae'r goleuni ym mhob dyn, drwg a da. Camgymeriad yw credu ei fod yn gwbwl lygredig ; ac ar hyn y mae hen gredoau fel Penarglwyddiaeth Duw, Etholedigaeth a'r Iawn wedi eu seilio. Nid yw'r rhain o unrhyw werth heddiw. Fel y dwedodd Ioan am yr Ysbryd : ' Ond pan ddêl efe, sef Ysbryd y gwirionedd, efe a'ch tywys chwi i bob gwirionedd . . .' Ac y mae'r Ysbryd yn ein tywys ni i'r gwirionedd heddiw. Mae'r capeli a'r eglwysi yn cadwyno Croes Crist wrth allor a chymun ; ond y mae'r Groes ym mhob man, hyd yn oed ar ben tip. Maent yn clymu adenydd y glomen, yr Ysbryd Glân, fel na all hi fynd allan i'r byd. Ond y mae'r Ysbryd ym mhob man ac ym mhob dyn. Yr Ysbryd sydd yn tywys dynion at y gwirionedd : efe sydd y tu ôl i gyfiawnder cymdeithasol a'r cariad at y tlodion yn y Sosialwyr ; y tu ôl i bob meddwl da, pob caredigrwydd a chymwynas ac yn arwain y gydwybod. Mae'r Ysbryd o flaen y ffwrneisiau yn y Gwaith Dur a rhwng y melinau yn y Gwaith Alcan.

Y bobol y bydda i yn hoffi yw'r cyfrinwyr a'r Crynwyr. 'Rwy'n cytuno â'r Crynwyr yn eu gwrthwynebiad i ryfel ac yn hoffi'r distawrwydd yn eu cyfarfodydd. Mor wych yw'r distawrwydd hwn o'i gymharu â sŵn a mwstwr cyfarfodydd y Diwygiad. Ni fyddant yn siarad ond pan fydd yr Ysbryd Glân yn eu harwain. Fel y dwedodd Paul : ' A'r un ffunud y mae yr Ysbryd hefyd yn cynorthwyo ein gwendid ni. Canys ni wyddom ni beth a weddïom : eithr y mae yr Ysbryd ei hun yn erfyn trosom ni ag ocheneidiau anhraethadwy.' Ocheneidiau'r Ysbryd ; distawrwydd dyn ; fel yna y mae gweddïo. Mae geiriau yn rhy fregus ac iaith yn rhy frau.

Mae'r bobol 'ma sy'n cael eu hachub yn credu mai nhw yw'r unig Gristionogion. Peth rhyfedd na fydden nhw yn gofyn i Iesu Grist ei hun a gafodd ef ei achub. Maen nhw'n sôn fyth a hefyd am eu tröedigaeth fel dyn sy yn dathlu ei ben-blwydd o hyd. Troi yn unig a wnaethant, ond ar ôl troi y mae'n rhaid cerdded ; cerdded ar lwybr y gwirionedd a gweithredoedd ;

cerdded tan arweiniad y Duw sydd ynom, y Crist yn y galon a'r Ysbryd yn y rheswm a'r deall. Y cerdded yw'r praw. 'Rwy'n cofio 'nhad yn sôn wrtho i am feddwyn a achubwyd yn Niwygiad '59, ac yr oedd ei deulu yn diodde, ond ar ôl ei achub fe droes yn gybydd, ac yr oedd ei deulu yn diodde yn waeth nag o'r blaen. Y gweithredoedd ar ôl troi sydd yn dangos a yw'r dröedigaeth yn iawn.

Er iddo gondemnio'r Diwygiad fe achubwyd rhai aelodau o'i Gapel ef, ac yr oedd eraill yn fwy ffyddlon yn y gwasanaethau.

IV

Hen dafarn wedi ei adnewyddu ar ddechrau'r ganrif oedd Y Ceiliog Coch. Yn ymyl y bont y safai, a phan oedd llif yn yr afon fe glywid sŵn y dŵr yng nghanol yr yfed a'r ymddiddan. Ystafell hirgul oedd y bar: y cownter bron ar hyd un ochor iddi, a thu ôl iddo ar y llawr yr oedd casgenni cwrw, a thap pren ar waelod pob casgen: a thu ôl i'r cownter ar y wal yr oedd silffoedd ac arnynt boteli gwirodydd, ac ar y silff uchaf yr oedd tair casgen lester gwyn: ar yr un ar y chwith mewn llythrennau breision yr oedd RUM; ar yr un ganol WHISKY, ac ar yr un ar y dde RUM. Dwy geiniog oedd pris pob *tot* o'r rhain. Ar yr ochor arall i'r ystafell ar ei hyd yr oedd ffwrwm, a bord a chadeiriau wrthi yn un pen ac yn y pen arall; a bord a chadeiriau wrthi yn y canol. Ar y llawr yr oedd blawd llif, a rhwng y bordydd yr oedd llestri poeri. Ar y gwelydd yr oedd tystysgrif William Mainwaring, y tafarnwr; llun tîm Rygbi Gwaun-coed; lluniau paffwyr, ceffylau rasis a milgwn. Yr ochor arall i'r penllawr yr oedd dwy ystafell breifet; Saeson a'u gwragedd yn unig a yfai wirodydd yn y rhain. Wrth y ford ar y chwith yn y bar fe eisteddai ar nos Sadwrn ac ar rai nosweithiau eraill hefyd dri aelod o'r Blaid Lafur Annibynnol, sef Twm Llewelyn a'i ddau bartner. Fe brynai Twm Llewelyn *The Freethinker* bob wythnos; y naill bartner *The Clarion* gan Robert Blatchford, a'r llall *Labour Leader;* ac fe fyddent yn cyfnewid y rhain â'i gilydd ac yn trin eu cynnwys yn y dafarn. Hanner dwsin o aelodau oedd yn y Blaid hon; a'r tri hyn a drefnai gyfarfodydd a chynnal dawnsiau i gael arian, a'r rhain oedd y dawnsiau cyntaf yng Ngwaun-coed. Ar y dawnsiau hyn, ac ar anffyddiaeth y Sosialwyr, ac ar eu cred mewn *Free Love*, yr ymosodai'r capeli. Wrth y ford ar y dde ac ar y ffwrwm fe eisteddai ar nos Sadwrn tua hanner dwsin neu wyth, a deg weithiau, ac yn y gadair freichiau fe eisteddai Telynfab fel brenin yn eu plith. Ar wahân i Delynfab, rhyw dri ohonynt a oedd yn feirdd, ac ymddiddori mewn barddoniaeth a gwrando ar ffraethineb Telynfab a wnâi'r lleill, rhai fel Dai Cardi a Wil Northyn. Llysenw Eseia Manwel yn y Gwaith Dur oedd Dai Bach Mawr, am ei fod yn fychan o gorff ac yn meddwl y byd ohono'i hun, a'i ffugenw fel bardd oedd ' Hebog y Graig'. Llysenw John Gibbs yn y Gwaith Alcan oedd ' Sioni Mochyn', am nad oedd yn greadur glân iawn; ond ei ffugenw fel bardd oedd 'Dryw'r Coed'. Gŵr tal, main oedd y Dryw, a diniwed. Er bod y Dryw yn ei ystyried ei hun yn fardd ni allai osod dwy linell ynghyd, a'r gred oedd mai rhywun arall a oedd yn llunio cerddi iddo. Pan alwai cyfaill i'w weled, ni fyddai fyth yn agor y drws er ei fod yn y tŷ, a phan ofynnai'r cyfaill hwnnw iddo wedyn pam nad agorodd y drws, ei ateb oedd: ' Bachan diawl, 'rodd pryddest gyta fi ar waith.' Beirdd yn cadw dulliau'r hen feirdd gwlad a beirdd y *penny readings* oedd y beirdd hyn, a'r rhai nad aent yn agos i dafarn. Pan oeddent yn adnabod rhywun a gafodd fabi fe lunient gân i'w wahodd i'r byd; yr un gân oedd i bob babi ar wahân i'r enw. Pan oedd rhywrai yn priodi fe lunient briodasgerdd; yr un briodasgerdd ar wahân i'r enwau. Pan oedd rhywun yn marw, llunio marwnad; yr un farwnad ar wahân i'r enwau a'r amgylchiadau. Fe gâi rhai eu talu am eu cerddi, arian cwrw; a byddai priodas yn talu yn llawer gwell na genedigaeth a marwolaeth. Fe ganent hefyd ar ddigwyddiadau fel coroni brenin, etholiad seneddol a damweiniau yn y Gweithiau. Fe gyhoeddai Telynfab y rhain yn 'Y Golofn Farddol' yn *Llais Rhyddid*. Fe gystadleuai rhai o'r beirdd hyn yn erbyn ei gilydd yn y *penny readings* yn y pentre a'r cylch, a'u huchelgais oedd ennill cadair mewn Eisteddfod leol, ond nid oedd yr un wedi llwyddo. 'Roedd Telynfab bron â bwrw ei fogel am Gadair.

Rhwng y Sosialwyr a'r beirdd yr oedd yfwyr yn eistedd yng nghanol y bar, a rhai yn sefyll ar eu traed wrth y cownter, ac un yn pwyso arno, dyn a chanddo goes bren, coes a gollodd yn y Gwaith Alcan, ac fe roddai ei ffon fagl ar y llawr. Telynfab oedd y cyntaf bob tro i godi'r ffon fagl iddo cyn mynd o'r dafarn. Diddordeb mewn Rygbi oedd diddordeb y tafarnwr, William Mainwaring neu William Mandri, ond nid oedd y beirdd na'r Sosialwyr yn ymddiddori yn y gêm; dim ond dau neu dri ar ganol y bar. Arwyr y tafarnwyr oedd Dici Owen, W. J. Bancroft, y *full-back* gorau yn y byd, W. J. Trew, Percy Bush a'r ddau James o Abertawe. Fe welodd Gymru yn curo'r *All Blacks* ar Barc yr Arfau yng Nghaerdydd yn 1905, ac nid oedd diwedd ar ei glod i'r Cymry. Ef oedd prif gefnogwr tîm Rygbi Gwaun-coed, ac ar ddiwedd y tymor fe roddai ginio iddynt bob blwyddyn. Fe fyddai yn eu canmol i'r cymylau pan oeddent yn ennill, a phan oeddent yn colli yn chwilio am esgusodion. ' Twm Daniel yw'r *full-back* gore yng Ngorllewin Cymru. Dewch i weld e yn whare, bois.

> *Come to the match, one and all,*
> *To see Twm Daniel drop a goal.'*

Fe ddôi newyddion y dydd i far Y Ceiliog Coch. Pan oedd y newyddion yn drist, yr oedd llai o sglein ar y poteli gwirodydd a'r casgenni llestr, ac ni fyddai'r casgenni yn rhoi eu cwrw mor rhwydd. Pan oedd newyddion llawen, yr oedd y poteli a'r casgenni llestr yn wincio, a'r casgenni yn rhoi eu cwrw yn rhwyddach. Pan godwyd gwarchae Mafeking a Ladysmith yn 1900 yr oedd gorfoledd mawr yn y bar, ac yr oedd ewyn y cwrw yn rhedeg tros ymyl y gwydrau a'r tancerdi i'r ford ac o'r ford i'r blawd llif ar y llawr. Fe gododd pawb ar eu traed fwy nag unwaith a chanu ' God Save the Queen ' a ' Rule Britannia '. Am y rhai a oedd o blaid y Böeriaid fe ddwedodd Telynfab:

' Ma ishe sbaddu'r Lloyd George 'na, a rhai fel Gomer Powel a Gwinidog yr Annibynwyr 'na, Llechryd Morgan. Meddyliwch am y diawled yn ymosod ar 'u gwlad ac yn canmol y gelynion. 'Dyw'r rhain ddim yn gwpod beth yw gwladgarwch. "Cas gŵr na charo'r wlad a'i maco." '

' Ond ma'n rhaid i ti gyfadde, Telynfab,' ebe'r Hebog, alias Dai Bach Mawr, ' fod dyrned o ffermwyr wedi maeddu byddin yr Ymerodraeth Brydeinig. Ma gwledydd y byd yn gneud sbort ar 'i phen hi. 'Dôs gyta hi yr un gyfeilles. Ma'r Boers 'ma yn gallu saethu yn strait.'

' Saethu yn strait, wir,' atebodd Telynfab, gan edrych yn ddig arno. ' Ma gormod o gachu yn dy din di i saethu brân.'

Pan fu farw'r Frenhines Victoria ar 22 Ionor, 1902, VICTORIA WEDI MYNED FFORDD YR HOLL DDAEAR oedd teitl yr erthygl ar y ddalen flaen yn *Llais Rhyddid*, ac yr oedd llinellau du arni, ac yr oedd galar a thristwch dros y wlad a hefyd ym mar Y Ceiliog Coch.

'Yr hen fam annwl; yr hen Gymrâs,' ebe Telynfab cyn yfed dracht o gwrw.

'Cymrâs,' atebodd yr Hebog, ' 'dodd dim dafan o wâd Cymreig yn 'i gwthienne. 'Rôn nhw yn llawn o wâd yr Almaen.'

'Gad dy gleper wast,' atebodd Telynfab; 'ma gwâd yr hen Duduried yn 'i gwthienne hi; gwâd y bren-hinodd gore sy wedi bod ar Orsedd Pryden.'

'Welest ti yn y *Llais*,' ebe'r Dryw, ' fod Keir Hardie wedi ymosod yn y Senedd ar wario'r holl arian ar 'i hangladd hi? 'Rodd Keir Hardie yn dal y dyle'r arian gâl 'i gwario ar y tlodion.'

'Ma'r Keir Hardie 'na,' atebodd Telynfab, ' fel Jiwdas yn sôn o hyd am y tlodion. Be sy yn erbyn claddu'r hen Frenhines mewn rhwysg ac anrhydedd? 'Rŷn ni'r beirdd yn hoffi seremoni, defod a lliw a llun. Beth fydde'r Eisteddfod Genedlaethol heb Orsedd Beirdd Ynys Pryden? Ma'n traddodiade ni ym Morgan-nwg yn mynd yn ôl at y Derwyddon. Traddodiade Tir Iarll yw yn traddodiade ni. Iolo a Myfyr Morganwg yw sylfaenwyr yn Cerdd Dafod ni. A rhyw Sgotyn fel Keir Hardie yn sefyll dros Ferthyr Tudfil? Pam na fysen nhw yn cál Cymro fel Henry Richard? Cered y diawl yn ôl iddi wlad 'i hun.'

Wrth siarad fe sylwodd Telynfab rhwng y bobol a oedd yn sefyll yn y canol fod y Sosialwyr yn y pen arall yn gwgu arno.

Ar ôl claddu'r Hen Fam fanylgaeth, a'i chyfnod crefyddol fusnesgar, a'r Ymerodraeth Brydeinig yn sail ei wareiddiad, fe welwyd yng nghoroniad Edward VII ar 9 Awst 1902 y gwrthryfel yn ei erbyn, y gollyngdod a'r rhialtwch. Pan goronwyd ef, fe gafodd plant yr ysgol ddiwrnod o ŵyl, a the yn yr ysgolion, a chafodd pob plentyn fẁg a llun y brenin arno. Ar y bryniau a'r mynyddoedd fe gyneuwyd coelcerthi. Cyfnod adloniant oedd y cyfnod Edwardaidd; cyfnod gorymdeithiau, arddangosfeydd a chyfoeth mawr ar y naill law, a thlodi dygn ar y llaw arall. Ar ôl i farwolaeth Victoria bylu'r llestri a'r poteli ym mar Y Ceiliog Coch, yr oeddent yn wincio i gyd ar goroniad Edward; y cwrw yn llifo'n rhwyddach a'r ewyn ar y bordydd yn diferu i'r blawd llif ar y llawr.

'Yfwch, bois, yfwch,' meddai Telynfab, ' yfwch iechyd da i'r Brenin newydd. 'Deryn yw hwn. Ma fe yn gwpot beth yw menyw. Un ohonon ni, myn yffarn i. 'Rôn i'n clywed 'i fod wedi bod yn aros yng Nghraig-y-nos fwy nag unweth gyta Madam Patti, a bod y ddou yn canu gyta'i gilydd, "*Home Sweet Home*".'

Araf oedd sgwrs y beirdd yn y bar ar ôl cychwyn yfed tua saith neu hanner awr wedi saith ar nos Sadwrn, ond wrth yfed fe fyddai'r hwyl yn codi; a thua naw yr oedd y sgwrs yn llifo yn rhwydd; a rhwng hanner awr wedi naw a deg fe âi'r sgwrs yn un ymson gan Delynfab, a Hebog y Graig oedd yr unig un a feiddiai dorri ar ei draws. Fe fyddai'r testun yn codi o rywbeth a ddywedwyd yn y sgwrs. Un noson fe soniwyd am englynion, a dywedodd Telynfab:

' 'Sen ni yn llunio englyn ar y cyd, bois, englyn o enwe merched. Fe ddechreua i:

Alis, Marged a Neli.'

' Da iawn,' meddai'r Dryw, ' dyna gychwyn gogoneddus. Beth am y cyrch:

—ac Elinor
A Lilian a Nansi.'

93

' 'Dôs dim cynghanedd yn y cyrch yn yr ail linell, y mwlsyn dwl,' atebodd Telynfab.

> ' Alis, Marged a Neli—Elinor
> A Luned a Nansi,'

ebe'r Hebog.
' Da iawn,' ebe Telynfab, ' ma hi'n dod ymlân.

> Gwen ac Olwen a Lili.'

Fe yfwyd peint neu ddau cyn cael y llinell olaf am ei bod yn anodd cael enw merch i odli yn y llinell olaf, a'r llinell yn gorffen â sillaf acennog. Yn y diwedd fe gofiodd yr Hebog fod Gomer Powel yn galw ei wraig yn ' Hanna ni '. Meddai:

> ' Enid, Nel a Hanna ni.'

' Y dyn boldyn bach,' ebe Telynfab, ' 'dôs dim cynghanedd yn y llinell 'na. Beth am hon, bois?

> Rhiannon, Non, Hanna ni.

Shwt ma'r englyn yn mynd 'nawr?

> Alis, Marged a Neli—Elinor
> A Luned a Nansi ;
> Gwen ac Olwen a Lili,
> Rhiannon, Non, Hanna ni.

'Dw i ddim yn licio'r "Hanna ni" 'na. Ma'r "ni" i miwn er mwyn odl. Beth bynnag, fe gyhoedda'r englyn yn ' Y Golofn Farddol' yr wsnoth nesa.'

Noson arall fe roes Telynfab her.
' Ma gyta fi letys yn yr ardd yn y gaea.'

' Paid â siarad drwy dy het, y cnoc,' atebodd yr Hebog.

' Mi ddala i ddou beint â ti, Hebog,' ebe Telynfab.

' Reit 'te, mi ddo i i weld dy ardd di ddydd Mercher nesa.'

Brynhawn dydd Mercher fe aeth Hebog y Graig i weld gardd Telynfab, ac wrth fyned heibio talcen y tŷ, fe welodd nad oedd yr un letysen yn yr ardd. 'Roedd yn falch ei fod wedi ennill y bet. Daeth Telynfab i'r drws a gofynnodd yr Hebog am gael gweld y letys.

' Letys,' meddai Telynfab wrth ei wraig, ' dere 'ma a saf yn yr ardd.'

Fe ddaeth y wraig a sefyll yn yr ardd, er ei bod yn anfodlon iawn am na wyddai beth oedd amcan ei gŵr.

' 'Nawr 'te'r Hebog, fe weli fod gyta fi Letys yn yr ardd yn y gaea, fel y dwedes i.'

' Ond 'dyw'r letys ddim yn tyfu,' atebodd yr Hebog.

' Ddwedes i ddim fod y letys yn tyfu yn yr ardd yn y gaea, ond fod gyta fi letys yn yr ardd yn y gaea. Dyna fe 'te, dyma hi.'

Fe aeth yr Hebog oddi yno gan regi a melltithio am ei fod wedi cael ei dwyllo. Y nos Sadwrn ar ôl hyn fe fu'n rhaid iddo dalu am ddau beint i Delynfab er ei fod yn anfodlon iawn, ond yr oedd y cwmni o'r farn fod Telynfab wedi ennill y bet yn ddigon gonest.

Ambell nos Sadwrn fe ddôi Telynfab â'i gopi ganddo, sef ei gasgliad o gerddi beirdd Gwaun-coed a'r cylch, ac fe fyddai yn eu hadrodd.

' Beth ŷch chi'n feddwl am y pennill hwn?

> Un, dou, tri pheth sy'n anodd imi
> Yw rhifo'r sêr pan fo hi'n rhewi,
> A doti'n llaw i dwtsh y lleuad,
> A deall meddwl fy annwl gariad.

A'r tribanne hyn?

> Tri pheth sy'n whith ei wala,
> Gweld march heb ddim pedola,
> Hwyad wyllt yn cripad craig,
> A merch neu wraig yn ffowla.

> Tra paro mêl mewn asgwrn
> A charreg las mewn pigwrn,
> A'r ceiliog coch yn canu draw,
> Yn sytyn daw dydd Satwrn.

Dyma bennill yn ateb yr Undodied. 'Rodd yr Undodied ar ben Gellionnen, a beirdd yr enwade erill yn ymosod arnyn nhw:

> Achubwyd Lot, er meddwi, mae heddyw yn y nef,
> Ni chlywir neb yn dannod ei fedd'dod iddo ef ;
> 'Achubwyd ddim o Judas, mae'r Beibl gen i yn dyst,
> 'Achubir neb o'r rheini sy'n gwadu Duwdod Crist.'

' 'Rw i yn cofio 'nhad yn adrodd hen bennill,' ebe un o'r cwmni, brodor o'r lle.

' Adrodd e yn ara 'nawr i fi gâl 'i gopïo fe,' gofynnodd Telynfab.

> ' Tri ysbryd i'w ryfeddu
> Yw ysbryd cath yn carthu ;
> Ysbryd whilber wrth naill go's
> A dwy frân nos yn chwyrnu.'

' Ôs gan rywun arall driban?' gofynnodd Telynfab.

' Ôs,' atebodd un arall, ' pennill 'rodd 'mam yn 'i adrodd.

> Fe bryna i ffedog gynfas,
> A morthwyl mawr a phicas ;
> ' Da i ddim i weithio gwaith mewn niwl,
> Fe bryna i riwl a chwmpas.'

' Ôs rhywun arall â phennill? . . . Dyma rai penillion o'r llyfr eto:

> O Watkin Morgan wirion,
> Os cefaist beth colledion ;
> Cei arian cryno am y crwyn,
> Am hynny cwyd dy galon.

Ow ! Wiliam Hopcin sgeler,
Sy'n fawr ei sgil a'i feder :
Mae'n lladd cwningen â'i ben-ôl,
'Wna hwn ddim ffôl o ffowler.

Saer ydwyf o'r dechreuad
Yn dilyn wrth 'y ngalwad
'Rwy'n meddwl gwn i beth sydd ffit
Yn well na ffrit o ffeirad.

O ! Mrs. Lewis hoyw,
Mae arnaf syched garw :
Ewch i'r seler ar eich start,
A llenwch gwart o gwrw.'

' Ma gyta fi yn y copi 'ma ddwy gân hir; un yw "Cân
i'r Cwrcath" a'r llall "Cân Tafarn Y Rhos". 'Dôs
gyta fi ddim amser i ddarllen y ddwy am y bydd yn
stop-tap cyn dibennu. Dyma "Gân Tafarn Y Rhos".

Pan oeddwn yn dyfod o dafarn y Rhos,
Wedi cwmneia hyd lawer o'r nos,
Gan fyned tuag adre gogyfer â'm gwraig,
Atebai fi'n fuan mewn geiriau Cymraeg :

"Codwch, Gwen, codwch ; agorwch y ddôr,
Mae yna'n gryn gynnes ; mae yma'n gryn ôr ;
Mae'r to yn diferu dip dip ar fy mhen,
Mi wn na ddymunech ddim drwg i mi, Gwen."

"Na chodaf, na chodaf, O ! coelia di 'ngair ;
Mae llety o'r gore'n y daflod a'r gwair ;
A phob meddwyn arall sy'n debyg i ti
Yn gwario pob ceiniog heb ' gownt ' yn y tŷ."

"Codwch, Gwen, codwch ; agorwch i mi,
Neu gen i mae gwialffon neu ddwy'n y tŷ ;
Os na chaf y rheiny, caf bolyn cae'r ardd,
Mi pletha yn ddeuplyg oddeutu dy war."

"Mi goda', 'ngŵr annwyl, mi goda' ar ffrwst ;
Breuddwydio own gynne, neu ddwedyd trwy 'nghwsg ;
A thaflu croes-chwedlau nas gwyddwn i b'le :
Mae'r tegell yn berwi ; yn wir chwi gewch de." '

' Amser cau, bois. Yfwch lan mewn wincad llygad
llygoden. Dere 'nawr, Telynfab, 'rwyt ti bob amser
ar ôl.'

Un noson ar sgwrs fe fuont yn esbonio enwau lleoedd.

' Beth yw ystyr Ystalyfera,' gofynnodd y Dryw.

' O,' atebodd Telynfab, ' 'rodd dyn a chi gyta fe o'r enw Fera. Pan own nhw mâs un diwrnod yn hela, dyma'r dyn yn gweld sgyfarnog, a medde: "Hys, dal hi, Fera". Ac fel yna y cafodd y lle 'i enw.'

' Ma lot o enwe yn y cylch 'ma ag ynys ynddyn nhw, fel Ynystawe, Ynysmeudwy, Ynysgynon ac yn y blân. Beth yw'r esboniad, Telynfab?' gofynnodd yr Hebog.

' Yn yr hen amser, ti'n gweld, 'rodd y môr dros y Cwm i gyd, ac 'rodd y llefydd hyn fel ynysodd yn y môr.'

' Ond 'dodd y llefydd hyn ddim yn uwch na'r llefydd erill. Ma'n anodd iawn gen i dderbyn yr esboniad 'na.'

' Wel, os wyt ti'n gwpod yn well, popeth yn iawn. Ond 'rw i yn awdurdod ar enwe llefydd, cofia . . . 'Rodd enwe pert yn y cylch 'ma slawer dydd. Dyna i ti ' Bogelegel '. Dyna i ti enw pert. Pwy bynnag odd yr Egel hwn, ma 'i fogel yn anfarwol. Dyma i ti enwe erill—Ynys y Gelynen Fawr, Pen Tarren Llwyn y Byrfa, Ton y Dafate, Gwaun y Farteg Fechan, Tir Tarenni Gleision, Gelli Dywyll a Cilfach Forfudd. 'Wn i ddim pwy odd y Forfudd hon, ond ma'n rhaid 'i bod yn dipyn o haden.'

' Beth yw ystyr Cwm-rhyd-y-ceirw? Dyna i chi enw pert,' gofynnodd y Dryw.

' 'Wyddost ti beth odd yr hen enw?'

' Na wn i.'

' Cwm-rhyd-y-cwrw. Dyna i ti enw yn codi syched ar ddyn. A meddwl am y diawled yn newid yr enw. 'Dôs dim ceirw yn acos at y lle. Celwdd o enw lle.'

' Pwy newidiodd e?'

' O! y mudiad dirwest 'ma. Undeb Dirwestol Merched y De. Merched y te, myn yffarn i.'

Yn ystod sgwrs fe ddwedodd un o'r cwmni ei fod wedi dechrau gweithio yn y Gwaith Dur pan oedd yn wyth oed.

' Fe ddechreuis i pan ôn i yn saith,' meddai'r ail.

' Fe ddechreuis i pan ôn i yn chwech,' meddai'r trydydd.

' Fe ddechreuis i yn bump ôd,' meddai'r pedwerydd.

' Fe ddechreuis i yn bedair oed,' meddai'r pumed.

' Fe ddechreuis i yn dair oed,' meddai'r chweched. ' Pryd y dechreuest ti, Telynfab?'

' 'Rwy'n cofio'r dwrnod cynta fel ddô,' atebodd Telynfab. ' 'Rodd y Gwaith mor dwym fel yr oedd yn rhaid i fi fynd allan i sugno bronne 'mam.'

Adrodd storïau y byddent bryd arall; un stori goch ar ôl y llall. 'Roedd y storïau hyn yn cerdded o dafarn i dafarn trwy'r wlad, am a wyddys, ac yn dod o Loeger gyda'r trafaelwyr. Hoff oeddent hefyd o adrodd storïau am bregethwyr.

' Ŷch chi'n cofio am yr hen bregethwr hwnnw yn pregethu am y Wraig o Samaria a Iesu Grist wrth Ffynnon Jacob. Dyma oedd 'i dri phen:

    1.   Ei ddŵr Ef.
    2.   Ei dŵr hi.
    3.   Rhagoriaeth Ei ddŵr Ef ar ei dŵr hi.

A'r hen bregethwr yn pregethu ar Solomon a Brenhines Sheba: dyma odd 'i dri phen:

    1.   Solomon fel dyn.
    2.   Brenhines Sheba fel menyw.
    3.   Solomon fel dyn a Brenhines Sheba fel menyw.

Ac fe ychwanegodd ar ôl y rhain: "Ac os bydd amser yn caniatáu fe rown ni smacen fach ar ei thin hi." Oni fydde "Twll tin" 'nawr yn destun da i englyn. 'Rw i yn siŵr y galle Elfed ganu englyn da ar y testun. A beth am "Tŷ Bach" fel testun awdl, ond fe fydde'n rhaid i'r Tŷ Bach fod yn yr orgraff newydd. Pam ddiawl ma'n nhw yn dwblu "n" ac "r" a dim yn dwblu "m" a "p" a'r lleill. Mympwy nôth. Beth am "Bronnau" fel testun pryddest? Wrth gwrs, ma 'na fwy nag un ystyr i'r testun, ond canu i fronne menyw y byddwn i, a 'rwy'n siŵr y byddwn yn ennill y gater ed. Pwy siawns sy gyta ni i ennill cater ar destune fel "Ac yr oedd hi yn nos", "A chaewyd y drws", "Mair a ddewisodd y rhan dda" a "Gethsemane"? Ma'n rhaid stydio Geiriadur Charles cyn dechre ar yr un ohonyn nhw. A beth ma bardd yn well o ailadrodd yr hyn sy'n y Beibil? Ma'r canu Beiblaidd 'ma yn ganu peiriannol; yn ganu pell oddi wrth yn bywyd ni heddi. Pam ddiawl na fydden nhw yn rhoi testune tidi? Fe fydd barddonieth Gymrâg yn siŵr o ddarganfod y cnawd rywbryd; ac fe fydd yr awen yn gweld fod gan ddyn goc.'

Nid sôn am farddoniaeth yn unig y byddai Telynfab Niclas, ond fe fyddai hefyd yn canu, ac yn enwedig ar ôl yfed rhai peintiau. Fe ganai ganeuon fel ' Dafydd y Garreg Wen ', ' Elen Fwyn ', ' Wyt ti'n cofio'r lloer yn codi', 'Deio Bach', 'Ble'r aeth yr Amen?' 'Ble y byddwn mewn can mlynedd?' ' Bwthyn bach melyn fy nhad ', ' Mentra Gwen ', ' I Blas Gogerddan ', ' Y Deryn Pur ' a chaneuon eraill. Fe ganai ' Dafydd y Garreg Wen ' gydag eneiniad am ei fod wrth ganu yn cofio marwolaeth hen Eos y Waun. Ar nos Sadwrn fe gâi'r tafarnwr ferch i'w helpu y tu ôl i'r cownter, ac fe âi hefyd o amgylch y byrddau i gasglu'r glasis a'r tancerdi gwag; ac wrth ddod yn agos at Delynfab fe roddai ei fraich am ei chanol, a chanu:

Y 'deryn pur â'r aden las,
  Bydd imi'n was dibrydar ;
O ! brysur brysia at y ferch
  Lle rhois fy serch yn gynnar.
Dos di ati, dywed wrthi
'Mod i'n wylo'r dŵr yn heli,
'Mod i'n irad am 'i gwelad,
Ac o'i chariad yn ffaelu â cherddad ;
O ! Dduw faddeuo'r hardd ei llun
Am boeni dyn mor galad.

Yna fe geisiai gael cusan ganddi, ond troi ei hwyneb
i ffwrdd a wnâi hi.

Un nos Sadwrn cyn *stop-tap* fe aeth Telynfab allan
i'r lle dynion i ollwng deigryn, ac am fod ei bledren yn
llawn yr oedd wedi amser cau pan ddaeth yn ôl i'r bar,
a'i beint heb ei yfed. Dyna'r drws yn agor yn sydyn a
phlisman yn dod i mewn; ond mewn chwincad llygad llo
fe roes Telynfab ei het ar ben y tancard, a dechrau
gweddïo:

'Diolch i ti, Arglwydd mawr, am dy holl fendithion.
Bob bore y deuant o'r newydd. 'Rwyt ti'n gwpod mai'r
tri pheth yr wy i yn 'u mwynhau ar y ddaear yw menyw,
cwrw a phwding reis, a . . .'

Ac fe glywodd y drws yn cau, ac allan yr aeth y
plisman gan gredu fod yno Gwrdd Gweddi.

' 'Rw i wedi dweud wrthot ti lawer gwaith o'r blân,
Telynfab. Fe fydda i yn siŵr o gâl mynd o flân 'y ngwell
os dali di ymlân fel hyn. Ma'n rhaid i ti gwpla yfed
dy gwrw mewn pryd.'

'Arnoch chi ma'r bai, William Mandri. Pam 'rŷch
chi yn rhoi'r cloc 'na bum munud yn ffast. 'Rw i ac
erill yn cretu fod y cloc yn iawn.'

Fe âi tri aelod y Blaid Lafur Annibynnol allan i'r
nos, ar ôl cau, a chaent weledigaeth o'r byd newydd

Sosialaidd; ac yr oedd y byd hwnnw yn dyfod yn nes atynt ac yn ymddangos yn fwy real tan effaith y cwrw.

Byd heb dlodi. 'Rodd pobun yn rhoi yn ôl ei allu ac yn derbyn yn ôl ei angen. Tai i bawb, a thŷ cysurus i'r isaf ei gyflog. Y slymiau wedi diflannu. Ysbytai i bawb, a'r isaf ei gyflog yn cael triniaeth gan y meddygon gorau. Pensiwn i bawb yn ei henaint. Yr heolydd a'r holl drafnidiaeth wedi eu gwladoli. Addysg i bawb ; cyfle i'r isaf ei gyflog fyned i'r Colegau. Y wladwriaeth yn berchen ar yr holl ddiwydiannau. ' *The common ownership of the means of production, distribution and exchange* ' wedi dod yn ffaith. Siopau cydweithredol oedd yr holl siopau. Nid oedd llysoedd barn na phlismyn yn yr un wlad am nad oedd troseddwyr, ac nid oedd troseddwyr am nad oedd tlodi. Y tir wedi ei wladoli, a'r ffermydd yn ffermydd cydweithredol. Cristionogaeth a'i hofergoelion wedi cilio am fod y bobol wedi cael addysg : yr eglwysi a'r capeli wedi eu troi yn amgueddfeydd i ddangos datblygiad dyn o'r cyfnod cyntefig hyd yn awr. Ffiniau'r cenhedloedd wedi eu dileu, ac un llywodraeth tros y byd i gyd.

The Parliament of Man,
The Federation of the World.

Iaith y llywodraeth honno ac iaith pobloedd y byd oedd Esperanto. Codwch, weithwyr! Dihuna, werin! ' *Workers of the World, unite ; you have nothing to lose but your chains and a world to win!*' Deffrowch. Y mae hi yn ddydd!

Arise, ye pris'ners of starvation,
  Arise, ye wretched on the earth,
For Justice thunders condemnation,
  A better world's in birth.
No more tradition's chains shall bind us,
  Arise, ye slaves ! No more in thrall !
The earth shall rise on new foundations,
  We have been nought, we shall be all.
    'Tis the final conflict,
      Let each stand in his place,
    The International Party
      Shall be the human race.

Cofiwch, weithwyr, am arweinwyr y gwrthryfeloedd a laddwyd gan y gormeswyr ym mhob gwlad. Cofiwch am y cannoedd a saethwyd yn Rwsia gan y Tsar a'i lywodraeth, a'r rhai a garcharwyd yn Siberia ac a fu farw yno. Cofia'r merthyron, broletariad, a fu farw drosot. Cofia Ddic Penderyn yng Nghymru a'r merthyron ym mhob gwlad drwy'r oesoedd.

'Roedd y pentre tywyll o'u blaen, Gwaun-coed, wedi ei oleuo gan y wawr Sosialaidd, ac yr oedd y Faner Goch yn chwifio drosto yn yr awyr berffaith.

Adeg y Diwygiad fe ddôi dau neu dri yfwr i'r Ceiliog Coch, ordro peint, talu amdano a cherdded allan heb ei yfed. Yn un pen i'r bar yr oedd tri aelod y Blaid Lafur Annibynnol; ac yn y pen arall gwmni Telynfab, ond yr oedd dau wedi cilio tan effaith y Diwygiad. Yn y canol rhyngddynt nid oedd ond dau neu dri yn yfed, ac yr oedd y dyn â'r naill goes yn un ohonynt.

' Fe allwn i gau'r siop,' meddai'r tafarnwr, ' oni bai am y bobol yr ochor draw ' (gan gyfeirio at y Saeson yn yr ystafell breifet). ' Ma'r Diwygiad 'ma yn sychu'r dafarn; a pheth arall ed, 'dyw'r tîm Rygbi ddim yn gallu whare. Ma Twm Daniel wedi 'i achub. Wyddoch chi beth ddwedodd e ddô wrtho i: "'Rw i wedi whare am flynydde yn tîm y diafol; 'rw i yn mynd i whare 'nawr fel *scrum-half* yn tîm Iesu Grist." Glywsoch chi shwd beth? Colli'r ffwl bac gore yng Ngorllewin Cymru! Ma wharaewyr yn rhai o'r tîms erill ed wedi 'u hachub. 'Rôn ni fod i whare Resolfen ddydd Sadwrn nesa, ond 'fydd dim matsh. Ma'r *fixtures* yn drâd moch. 'Weles i ddim y fath amser yn 'y mywyd.'

' Dyna beth od ed,' meddai'r Hebog, ' 'dyw Evan Roberts ddim yn pregethu dirwest nac yn ymosod ar Rygbi.'

103

' Peth od ed,' ebe'r Dryw, ' nac ôs dim streic wedi bod yn ystod y Diwygiad.'

Ar ôl yfed peintiau fe ddechreuodd Telynfab ganu rhai o emynau'r Diwygiad. Fe ganodd ' Dyma Geidwad i'r colledig ', ' O! na bawn yn fwy tebyg ', ' Pechadur wyf, O Arglwydd ', ' Hen Rebel fel fi ' ac ' Iesu o Nasareth sy'n mynd heibio ':

Pa dorf, mewn blys a phryder mawr,
Yw hon sy'n myned heibio'n awr ?
Torfeydd sy'n dod o ddydd i ddydd ;
Pa sŵn dieithrol yma sydd ?
Y dyrfa'n ddistaw ddwedant wrtho :
"Iesu o Nasareth sy'n mynd heibio."

Pob rhai trwmlwythog ato dewch ;
Gorffwysfa, hedd a chartref gewch ;
Chwi grwydraid pell o dŷ eich Tad,
Dychwelwch ; cewch faddeuant rhad ;
O golledigion, deuwch ato :
"Iesu o Nasareth sy'n mynd heibio."

Ond os gwrthodwch chwi yn awr
Ei ryfedd gariad dwyfol fawr,
Yn fuan try ; ni eilw mwy ;
Eich chwerw lef ni wrendy'n hwy.
"Rhy hwyr ! Rhy hwyr !" fydd yn atseinio,
"Mae Iesu o Nasareth *wedi mynd heibio*."

Pan oedd yn mynd i ganu ' Yr oedd cant namyn un ' dyma Dwm Llewelyn yn torri ar ei draws:

' 'Rŷn ni'n câl digon o'r Diwygiad tu fâs. Sdim ishe dod â fe i miwn i'r bar 'ma. A blydi nonsens yw'r canu a'r gweddïo a'r pregethu 'ma.'

' Blydi nonsens, i fe? Ma gwell siort na thi yn canu ac yn gweddïo.'

' Bachan pert ŷch chi, Telynfab. Dim ond nos Sul ŷch chi yn mynd i'r Capel. Ac 'rŷch chi yn mynd ar nos Sul i gâl mynd i'r Ysgol Gân.'

' Wel 'rw i yn arfer y ddawn sy gyta fi i addoli Duw.
'Dwyt ti yn gneud dim ond codi dy drwyn ar y Capel.'
' Beth dda yw Capel? 'Dôs gan y Capel ddim i
ddweud wrth withwyr, wrth y werin. Cyfiawnder cym-
deithasol sy ishe arnon ni. Keir Hardie yw yn har-
weinydd ni. 'Dyw Evan Roberts yn sôn dim ond am
ened. A 'dôs dim ened gyta dyn.'
' O nac ôs e! Ma pawb yn gwpod ma creaduried
di-ened wyt ti a'th siort. 'Dŷch chi yn sôn am ddim ond
cyfloge, pensiwn, orie gwaith, a phethe o'r fath. Duw
a'n helpo os cawn ni wehilion cymdeithas fel y chi i
reoli'r wlad 'ma.'
' Beth yw gwehilion?'
' Dysga dipyn o Gymrâg. 'Rŷch chi yma bob nos yn
siarad Sysneg, fel na bydde'r Gymrâg yn ddigon da i
chi.'
' Allwch chi ddim siarad Cymrâg wrth drafod
industry, Socialism, capitalism a phethe *progressive.* Iaith
hen-ffasiwn yw hi . . . A pheth arall, y ma'r Gymrâg yn
marw yn y De.'
' Marw yn wir,' ebe Telynfab, ' fe fydd y Gymrâg yn
cachu ar dy fedd di.'
' Gad lonydd iddyn nhw,' ebe'r Dryw, ' 'dyw hi ddim
yn werth i foddran â nhw.'
Fe aeth Telynfab yn ôl at ei beint, ac ni ddwedodd
ddim am dipyn am fod ei natur wedi codi, a daliai i
godi'r cudyn gwallt oddi ar ei lygad.
' Ôt ti'n nabod y ferch 'na, Llinos, a gas 'i hachub yn
y cyfarfod?' gofynnodd y Dryw.
' 'I napod hi,' atebodd Telynfab, ' 'Rw i wedi 'i
phrofi hi fwy nag unweth.'
' Yr hen hwren,' meddai'r Hebog.
' 'Nawr, yr Hebog, ma'n rhaid i ni arfer geirie yn

105

gywir. Hwren yw merch sy'n cymryd tâl am 'i chorff.
'Chymrodd *Llinos* yr un ddime. 'Rodd 'i chalon hi yn
llawn o gariad. Fe ddwedodd wrtho i un tro fod dyn
o'r pentre 'ma—dyn parchus iawn—wedi bod gyta hi,
a chyn mynd i'r gwely fe benliniodd wrth yr erchwyn
a gweddïo.'

' Beth odd e yn gweddïo?' gofynnodd y Dryw.

' Gweddïo am nerth yr Ysbryd Glân, sbo,' atebodd
Telynfab.

' Iesu gwyn, 'rŷch chi yn cablu, Telynfab,' ebe'r
Dryw.

' Ma'r merched crefyddol 'ma bob amser yn gnawdol,
a'r merched cnawdol bob pryd yn grefyddol. Os gweli
di ferch sy'n etrych yn dipyn o haden, 'chei di ddim y
gore ar honno. Ond dyna fe. Ma Llinos wedi mynd at
Iesu Grist. Gobitho y caiff E gystal hwyl â ni . . . Wyt
ti'n cofio'r stori honno am un o gyfarfodydd Evan
Roberts. 'Rodd merch yn gorfoleddu ar ffrynt y galeri
ac yn nido; ac fe syrthiws dros y canllaw i lawr, ond
dalwd 'i dillad hi gan y lamp: a dyna lle'r odd hi yn
hongian a'i dillad i'r lan. Fe welws Evan Roberts y
peth, a dyma fe yn dweud wrth y gynulleidfa: "Os
bydd un ohonoch chi yn agor ei lygaid fe fydd yn mynd
ar ei ben i uffern." Ond dyma un colier o Waun-côd
yn dweud wrth ei bartner ar y llawr: "Diawl, fe fentra
i un llygad, ta beth." Ŷch chi'n gweld, bois, ma cnawd
a chrefydd bob pryd yn mynd gyta'i gilydd. Dyna
Evan Roberts a'r merched 'na. A'r hen Howel Harris
wetyn. Ac ma atar pert yn yr Hen Destament. Noah
yn dangos ei bishyn. 'Rodd y diawl yn feddw dwll.
Dyna Abraham yn câl plentyn o Agar. Dafydd yn câl
plentyn o Bathseba ar ôl lladd 'i gŵr hi. A'r hen Solomon
wetyn gyta'i wragedd a'i ordderch-wragedd. Hwn oedd

arch-hwrgi'r greadiceth. Jôc odd gosod *Caniadau Solomon* yn y Beibil; y jôc fwya yn hanes llenyddieth. Ma Solomon yn sôn am y Sulamees: dweud fod 'i llygid hi fel llygid clomennod; 'i bronne hi fel brynie; 'i bwtwm bola hi fel blwch; ac yn sôn am y pant lle'r odd ffynnon y dyfrodd bywiol; ac yn disgrifio 'i choese hi fel colofne. Ma ymadroddion da iawn yn y Llyfyr ed. "Y gŵr a biso wrth bared"; "didennau ei bronnau" a'r "cadach misglwyf". Dyna i chi ymadrodd pert. Fe glywes am flaenor yn dechre Seiet, a 'dodd e ddim wedi chwilio am bennod i'w darllen; ac fe ddarllenws y bennod gynta a welws ac fe ddâth at y geirie "y gŵr a biso wrth bared"; ac fe ddarllenws "y gŵr" ac fe welws beth odd yn dod, ac fe ddwedws "Y mowredd annwyl"; ac fe âth ymlân at yr atnod nesa.'

' Ond y ma'r Testament Newydd yn lân,' ebe'r Dryw.

' Ydi, am wn i. Ond fe alli di ddarllen rhwng y llinelle. Dyna Iesu Grist yn mynd i Fethania at Mair a Martha; 'rodd yn cysgu gyta'r ddwy bob yn ail.'

' Esgyrn Dafydd, 'rŷch chi'n cablu,' ebe'r Dryw.

' Ydi. Ma'r Beibil yn dweud—"wedi ei demtio ym mhob peth yr un ffunud â ninnau, eto heb bechod." Dyna i ti atnod ar y pwnc,' ebe'r Hebog.

' Pwy bechod yw cysgu gyta menyw, w? 'Dyw dyn ddim yn ddyn llawn os nac yw e yn gwpod beth yw menyw.'

' Alli di ddim dweud dim byd am yr Apostol Paul, 'ta beth,' ebe'r Dryw.

' Na, anodd yw dweud dim. Ymosod ar fenŵod a wnâth hwn. Ond dyna fe. Pwy fenyw smart a fydde yn etrych ar y diawl bach hyll . . . Ma'r greadiceth 'ma yn odidog. Ma bywyd, bois, yn bert. Pe byswn i yn lle Duw, 'fyswn i ddim weti creu hanner cystel byd.

Campwaith Duw oedd creu dyn a menyw. Dyna'r hen Adda; y dyn cynta yn y byd i bisho; 'rodd yn siŵr o weld y peth yn od. Yr hen Efa wetyn; y wraig gynta i gwtsio ym môn clawdd. Beth yw bywyd ond yr organau, a . . .'

'Amser cau, bois,' meddai'r tafarnwr. 'Dere di, Telynfab, â'r tancard i miwn yn glou, ne fe fyddwn yn siŵr o gâl mynd o flân yn gwell.'

'Ar fencos i bois, ma amser yn mynd yn gyflym. Ma fe yn mynd fel breuddwyd,' meddai Telynfab.

'Roedd Telynfab Niclas yn gallu dal ei ddiod, ac fe gerddai adre yn union ac yn ddistaw, ond y noson hon fe siaradodd ag ef ei hun, a chanu, am fod dylanwad y Diwygiad ar y cwrw y tu mewn iddo. Ac nid oedd canu emynau ar yr heol yn anghyffredin yn y cyfnod hwn.

Tipyn o dderyn wy i. Ydw, myn brain i. 'Rwy'n dweud pethe coch yn y dafarn 'na. 'Ddylwn i ddim 'u dweud nhw. Ond dyna fe. Fel hyn yn gwnawd i. Y Gwinitog yn galw gyta fi y noson o'r blân, ac yn gofyn i fi ddod yn ddirwestwr a dod i'r Capel yn gyson. 'Mr. Parri bach,' meddwn i wrtho, 'Duw sy weti rhoi haul a glaw a gwlith i'r winwydden ac i'r hops. Beth ŷn nhw dda ond 'u hyfed.' Troi yn ddirwestwr yn wir. 'Dôs dim gobeth caneri gyta fe. Ond ma'r Diwygiad 'ma yn effeithio ar ddyn ed.

Myfi'r pechadur penna',
Fel yr wyf,
Fel yr wyf,
Wynebaf i Galfaria
Fel yr wyf ;
Nid oes o fewn i'r hollfyd
Ond Hwn i gadw bywyd ;
Yng nghanol môr o adfyd,
Fel yr wyf,
Fel yr wyf,
Mi ganaf gân f'Anwylyd,
Fel yr wyf.

Ie, fi yw'r pechatur penna. Ma Tomos Hopcin 'na yn dweud mai fe yw'r pechatur mwya. Dim o'r fath beth. 'Dyw e ddim yn yfed peint o gwrw na chysgu gyta'r un fenyw ond 'i wraig. Pechatur mwya, yn wir. Wel, Telynfab, beth am roddi dy hunan i Iesu Grist? Na, Arglwydd, dim 'nawr. 'Dw i ddim ishe byw yn lân ac yn foesol am rai blynydde. Chydig flynydde cyn 'y nghladdu, popeth yn iawn. 'Rw i ishe mwynhau'r greadiceth 'ma a nofio i miwn i ganol bywyd. Ond, cofia di, 'rwyt ti'n mynd ar dy ben i uffern. Ei di byth i'r nefodd.

Dechrau canu, dechrau canmol,
  Ym mhen mil o filoedd maith,
Iesu, bydd y pererinion
  Hyfryd draw ar ben eu taith :
    Ni cheir diwedd
    Ni cheir diwedd
Byth ar sŵn y delyn aur.
Byth ar sŵn y delyn aur.

Shwd beth yw telyn aur ? Ma hi'n siŵr 'i bod yn anodd 'i handlo. Na, ma'n well 'ta fi hen delyn Eos y Waun. A 'rw i yn gobitho y bydd y boi bach yn dysgu 'i chanu.'

Pan ddaeth ar bwys ei gartre, ni chanodd na siarad rhag dihuno'r mab. Fe agorodd y glwyd yn ddistaw; agor y drws; cerdded ar flaenau ei draed i fyny i'r grisiau, a mynd i ystafell wely ei fab bach. Yno yr oedd yn cysgu yn sownd, a'i ben cyrliog ar y glustog. Fe demtiwyd y tad i roi cusan iddo, ond yr oedd arno ofn ei ddihuno. Fe aeth allan i'w ystafell wely ei hun, ac yr oedd yn crio fel babi.

' Ti-hy-hy-hy-'mhlentyn bach yw'r -hy-hy-unig gwmni -hy-hy-sy gyta fi yn y byd. Fe -hy-hy-fyddwn i yn unig iawn hebddot ti.'

Fe gafodd ei demtio, ar ôl tynnu amdano, i benlinio wrth yr erchwyn a gweddïo, ond i'r gwely y neidiodd; ac ar ôl rhoi ei ben ar y gobennydd fe gysgodd yn ei ddiod fel craig.

V

Am fod tri blaenor wedi marw, fe awd ati yng Nghapel
Seion ym mis Mai 1909 i ddewis blaenoriaid newydd;
ac yn ôl dull y Methodistiaid Calfinaidd, fe ddaeth dau
flaenor o gapel arall yno ar nos Sul, pan oedd y Gwein-
idog yn pregethu oddi cartref, i roi papurau pleidleisio
i'r gynulleidfa cyn y bregeth a'u casglu; eu cyfri yn
ystod y bregeth, a rhoi gwybod ar ôl canu'r emyn pwy
oedd y blaenoriaid newydd. Y ddau a gafodd ddwy ran
o dair o'r pleidleisiau oedd Mr. Thomas Hopcin a Mr.
Henry Harper. Pan glywodd Gomer Powel hyn fe
gafodd sioc a siom. Fe aeth adre ar ei union ar ôl y
gwasanaeth; eistedd yn y gadair freichiau yn y gegin
ffrynt a siarad ag ef ei hun.

Meddwl am y diawl 'na yn câl 'i ddewis yn flaenor. Y blydi
Henry Harper. 'Dyw'r cythrel fyth yn mynd i'r Cwrdd Gweddi
na'r Seiet, a 'dyw e ddim yn mynd i bob odfa ar y Sul. Wrth
gwrs, ma fe yn cyfrannu fwy na neb, ond ma'r diawl yn gallu
neud am 'i fod e yn câl llawer mwy o gyflog na ni. 'Dôs gan
neb gynnig iddo yn y Gwaith am 'i fod e yn trin gwithwrs fel
baw, ac ma'r cythrel yn rhegi ed. Dyna i chi spesimen o
flaenor, myn hyfryd i. Diawl â *chain* aur ar 'i frest. 'Dodd
neb yn synnu fod Tomos Hopcin yn câl 'i ddewis yn flaenor;
ma fe yn fachan tidi ac yn byw yn lled agos at 'i le; ond 'i fod
e mor hen-ffasiwn â *fossil*. Ma'n nhw yn fy erbyn i am 'y mod
i yn *progressive*. 'Rw i wedi sgrifennu a phregethu y dyle'r
Eglws fynd gyda'r ôs. A dyma fi yn câl 'y moicotio. Ma'r
Gwinidog 'na wedi pregethu yn y pwlpud yn erbyn *Socialism*,
yn gweud nac e'r un peth yw *Socialism* â Christnogeth. Beth
ddiawl yw Cristnogeth ond *Socialism*? Beth yw'r Eglws ond
un o brops *capitalism*? Dyna'r Evan Roberts 'na yn rhoi'r
pwyslais i gyd ar yr ened, ac yn gweud nad yw *environment* yn
cyfri dim. Be 'se'r diawl yn gorffod gwitho ar waelod pwll
glo, ne o flân y ffwrnes ne fel fi yn y *pit* ne o flân y meline yn y
Gwaith Tun. Ma'r Gwinidog 'na a Tomos Hopcin ed yn
glynu wrth yr hen athrawiaethe *superstitious*—yr Enedigeth
Wyrthiol, Penarglwyddieth Duw, Etholedigeth, yr Iawn a'r
lleill. Shwd y galle Mair fod yn forwyn ar ôl Geni Iesu Grist?

Blydi nonsens. A sôn am yr Iawn. Pan ôn i yn cymryd y bara
a'r gwin yn y Cymundeb, 'rôn i'n cofio am ryw erthygl a
ddarllenes i yn gweud fod rhyw lwythe *uncivilised* yn byta
cnawd ac yn yfed gwâd 'u duwie. Na, wir ma'r Eglws a'r
Liberals yn blydi *hopeless*. A 'dôs gyda fi ddim cyment o ffydd
yn Lloyd George a Mabon. Y *Socialists* sy'n iawn. Cyn diwedd
yr wsnoth fe joina i yr I.L.P.

Pan alwodd ei wraig ef i swper, fe lyncodd ei fwyd am
ei fod yn siarad yn ddi-stop, ac yr oedd hithau yn ddigon
call i beidio â thorri ar ei draws wrth weled ei natur yn
berwi; ond ar ôl iddi oeri ychydig, fe fentrodd ddweud:
' 'Rw i wedi gweud wrthot ti lawer gwaith, Gomer,
am bido poeni dy ben â'r hen bolitics 'na. 'Rwyt ti'n
gweld yn blaen yn awr 'u bod nhw yn dial arnat ti.'
Yn raddol y ciliodd Gomer Powel o'r Capel. Fe aeth
rai troeon i'r Cwrdd Gweddi, a gwrthod gweddïo:
myned rai troeon wedyn i'r Seiet, a gwrthod dweud
profiad: myned i'r gwasanaethau ar y Sul, a chilio o'r
Ysgol Sul; cilio ar ôl hyn o oedfa'r bore; a chilio yn y
diwedd o oedfa'r hwyr. Ym mhen blwyddyn yr oedd
wedi cilio yn llwyr o'r Capel.
Fe welai'r Gweinidog ef yn cilio o'r Capel, ac wedi
iddo gadw draw yn gyfan gwbwl fe aeth i'w weled ef
yn ei dŷ i'w berswadio i ddod yn ôl i'r Capel, ac fe
wyddai fod ganddo dasg anodd am ei fod yn gwybod
fod Gomer Powel yn ŵr a thymer ganddo; ei fod wedi
llyncu'r syniadau newydd a'i fod wedi pwdu am na
chafodd ei wneud yn flaenor. Fe arferai Hanna Powel
roi te iddo yn ei ffordd anniben, ond y noson honno ni
chafodd de o gwbwl nac eistedd yn y gadair freichiau
wrth y tân. Gomer Powel a eisteddodd ynddi, ac yr
oedd ei lygaid yn llym a'r wyneb hebogaidd yn dangos
fod ei dymer ar ferwi y tu mewn iddo; a chyferbyn ag

III

ef yr eisteddodd y Gweinidog mewn hen gadair wellt sigledig. Fe aeth y Gweinidog ati heb bilo wyau.

'Fe wyddoch, Mr. Powel, pam yr ydw i wedi galw i'ch gweld heno. 'Rydym wedi eich colli yn y Capel, ac wedi gweld eich eisiau ar y Sul, yn y Cwrdd Gweddi ac yn y Seiat. Fe fuoch yn ffyddlon iawn ar hyd y blynyddoedd, ac yr ydym yn gwerthfawrogi eich cyfraniad. Pam yr ydych wedi gadel y Capel?'

'Wel, ma 'na fwy nag un rheswm. Un ohonyn nhw yw ych bod chi yn ych pwlpud wedi pregethu yn erbyn *Socialism*. Fe ddwetsoch nad yr un peth yw *Socialism* â Christnogeth. 'Rw i yn credu ma'r un un ŷn nhw. *Socialist* odd Mab y Sâr; 'rodd e yn rebel yn erbyn y gymdeithas ac yn erbyn crefydd; a buodd farw fel merthyr dros 'i egwyddorion.'

'A ydych chi yn Sosialydd?' 'Roeddwn yn meddwl mai Rhyddfrydwr oeddach, ond Rhyddfrydwr radicalaidd iawn fel Mr. Lloyd George a Mabon.'

' 'Rw i wedi colli ffydd yn y *Liberals* ac yn Lloyd George a Mabon ed. Ma'n nhw i gyd yn *hopeless*. 'Dŷn nhw ddim yn ddigon *progressive*. Fe weles i ma'r *Socialists* odd yn iawn, a dyna pam 'rw i wedi joino'r I.L.P. . . .'

' O, felly. Hyd y gwn i, Mr. Powel, mae dau fath o Sosialwyr: rhai ohonynt yn Gristionogion, ac eraill yn anffyddwyr. Y mae Mr. Keir Hardie, er enghraifft, yn Gristion; ac y mae Mr. Twm Llewelyn yn anffyddiwr. Pa fath o Sosialydd ydych chi?'

' Ma'n wir fod Keir Hardie yn Gristion, ond 'dyw e ddim yn Gristion fel chi. Ac ma'r anffyddwyr yn caru'r tlodion ac yn ceisio dwyn *social justice*. A pheth arall . . .'

' Maddeuwch imi am dorri ar eich traws. Y mae cariad at y tlodion yn rhinwedd Cristionogol, ac fe ddwedais

112

yn fy mhregeth y dylai cariad y Crist ynom droi yn gyfiawnder, yn gyfiawnder gwleidyddol, cymdeithasol ac economaidd. 'Rwy'n credu y dylai'r gweithwyr gael chwara teg.'

' Ie, olreit. Ond 'dyw'r Cristionogion sy'n *Socialists* ddim yn credu fel chi mewn hen athrawiaethe fel yr Iawn, Penarglwyddieth Duw, Etholedigeth a Genedigeth yr Iesu. Meddyliwch am gredu fod Mair yn forwn ar ôl geni 'i mab. 'Dyw'r peth ond blydi nonsens.'

' Oes raid i chwi regi, Mr. Powel ?'

' Ma perffeth hawl gyda fi i regi yn yn nhŷ yn hunan. Os nag ŷch chi yn lico rhegi, fe allwch fynd mâs drw'r drws 'na.'

' Ond â dweud y gwir, Mr. Powel, 'rŷch chi yn ŵr a gafodd siom am na ddewiswyd chwi yn flaenor.'

' Do, fe ges i siom. A meddyliwch am neud y diawl 'na, Henry Harper, yn flaenor. Ŷch chi yn 'y meio i am regi, ond ma'r gaffer 'na yn rhegi fel tincer yn y Gwaith, ac ma e yn trin y gwithwrs fel baw. Shwd y gallwch chi amddiffyn hyn, Mr. Parri ?'

' Nid myfi a ddewisodd Mr. Harper fel blaenor, ond yr Eglwys. Ac fe wyddoch, Mr. Powel, gystal â mi mai gweithwyr yw mwyafrif aeloda'r Capel.'

' Itha gwir. Ma'r werin yn dwp. Ond fe ddaw hi yn well ar ôl câl tipyn o addysg. Yn hamcan ni fel *Socialists* yw 'i golïo hi a'i harwen hi. Ond ŷch chi'n gwbod gystel â fi nac odd y gaffer ddim yn dod i'r Cwrdd Gweddi nac i'r Seiet nac yn dod deirgwaith y Sul ed. Wrth gwrs, odd e yn cyfrannu mwy na neb, ond 'dôs dim diolch iddo am 'i fod e yn ennill llawer iawn mwy na ni. Ac ma fe yn ishte yn y Sêt Fawr 'na fel sant, a'r tshain aur ar draws 'i frest e. Dyna i chi beth yw Eglws Gristionogol ?'

' Y mae'r Eglwys, Mr. Powel, yn gorff Crist, ac yn gymdeithas o bechaduriaid. 'Dyw hi ddim yn Eglwys anffaeledig. Y mae'r Apostol Paul yn ei Epistolau yn sôn am wendidau a phechodau'r Eglwys, fel yr Eglwys yng Nghorinth. Ond am ein bod ni yn bechaduriaid yr ydym yn gofyn i Dduw am Ei faddeuant a'i drugaredd. Dyna'r gwahaniath rhyngom a phechaduriaid y byd. Ond er ei holl ddiffygion, Eglwys Crist yw hi; Eglwys sydd yn bedyddio'r plant, yn pregethu'r Efengyl, yn priodi aelodau, yn gweinyddu swper yr Arglwydd ac yn claddu ei phlant. Y mae Duw yn bresennol ynddi; yr Arglwydd Iesu Grist a'r Ysbryd Glân. Eglwys y Drindod yw hi.'

' Ie, pregethu'r hen athrawiaethe *superstitious*. Beth yw'r Cymundeb ond hen ddefod baganedd. 'Dŷn ni ddim am gynnal Gwinidog fel chi i bregethu hen gredöe; credöe sy'n mynd yn ôl at Adda. Ac ŷch chi yn câl amser da, ed. Gwitho un dwrnod yr wsnoth. Ac yn ych pwlpud 'dôs dim danjer i'r talcen gwmpo ar ych pen chi, na dŵr i'ch boddi na thân i'ch llosgi. 'Dôs gyda fi gynnig i chi, y blydi Northyn. Ma'n gas gyda fi ych gweld chi. W i yn gwitho yn y Gwaith 'na gyda phob math o bobol, ond ma'n well 'ta fi witho gyda *Chinaman* na gyta'r Northyn y diawl.'

Fe welodd y Gweinidog nad oedd hi'n werth siarad rhagor ag ef wrth weled ei wyneb yn berwi a thân yn tasgu o'i lygaid, ac wrth fynd allan fe ddwedodd wrtho:

' Fe fydd yr Eglwys yn dal i weddïo ar i Dduw eich adfer iddi, ac yn gofyn am Ei fendithion arnoch ac ar eich teulu.'

' Hwpwch ych blydi gweddïe i lan i'ch tin.'

Wrth gau'r drws gyda chlep fe ddwedodd Gomer Powel:

' Iechyd da ar ôl y diawl.'

'Roedd y Gweinidog yn disgwyl y math o sgwrs a gafodd â Gomer Powel, ond nid oedd wedi disgwyl y rhegfeydd, ond y peth a'i synnodd fwyaf oedd y rhagfarn yn erbyn y Gogleddwr. A oes rhagfarn yn erbyn y Gogleddwr yn y De? Os oes, beth yw'r rheswm? Ni chlywodd ef o'r blaen am y rhagfarn hon. ' Bydd yn rhaid imi fynd i holi Tomos Hopcin.'

Pan aeth i weled Tomos Hopcin fe dannodd Mari Hopcin y lliain gorau ar y bwrdd; dod â'r llestri, y platiau a'r cyllyll a ffyrc gorau a'r basn growns te; ar ôl gorffen bwyd, fe gafodd eistedd yn y gadair freichiau wrth y tân. Pan edrychodd Tomos a Mari arno gyntaf, yr oedd y ddau o'r farn fod rhywbeth ar ei feddwl.

' Sut y mae'r byd yn eich trin, Mari Hopcin?' gofynnodd y Bugail.

' O, ma'n byd ni wedi gwella lot.'

' Sut?'

' Ma Tomos ni yn talu o'i bai at insiwrans Lloyd George, ac ma'n nhw yn rhoi stamps ar 'i garden e. Fe gewn ni goron yr wsnoth o bensiwn ar ôl cyrredd trigen a deg. A . . .'

' Faint ohonon ni a wêl drigen a deg, ni'r gwithwyr?' meddai Tomos.

' Ac ma Tomos hefyd,' ychwanegodd Mari Hopcin, ' yn talu yn y Gwaith at y doctor. 'Fydd dim ishe i ni boeni am dalu doctor mwy. A hefyd fe fyddwn i yn câl swm o arian pe bydde Tomos yn câl 'i ladd; a phe bydde fe mâs o waith, fe fydde yn câl 'i dalu. O, Mr. Parri, ma hi yn llawer gwell byd ar withwr.'

' Ond 'rwt ti yn anghofio un peth, Mari. Wrth dalu'r holl arian 'ma ma'r gyflog yn llai. Rhyw dalu at y dyfodol ŷch chi. Os na byddwch chi yn dost na mâs o waith nac yn câl ych lladd, fe fyddwch yn talu'r arian yn ofer. Ond pe bydde un o'r rhain yn digwydd i chi, fe fydd yn gefen; ac yn gefen i Mari pe bydde rhwbeth yn digwydd i fi.'

'Ma 'na newid ar yn byd ni hefyd,' meddai Mari Hopcin.

'Pa newid, Mari Hopcin?' gofynnodd y Bugail.

'Gwed ti, Tomos.'

'Wsnoth yn ôl fe geson yr wyth awr. Ma'r gwithwyr wedi gofyn am wyth awr ers blynydde fel y gwelwch chi yn yr hen bennill:

> Wyth awr o gysgu
> Ac wyth awr yn rhydd,
> Wyth awr i weithio,
> Ac wyth swllt y dydd.

Ma'r coliers wedi câl wyth awr ers dwy flynedd, ond pythewnos yn ôl y dechreuis ar yr wyth awr. Yr wsnoth cyn y diwetha ôn i yn gwitho o ddeg yn y nos hyd whech yn y bore; yr wsnoth hon w i yn gwitho o whech yn y bore tan ddou yn y prynhawn; a'r wsnoth nesa o ddou yn y prynhawn i ddeg y nos. Gyda llaw, 'alla i ddim dod i'r Cwrdd Gweddi a'r Seiet yr wsnoth nesa.'

'Piti, onid e?' ebe'r Bugail.

'Fe fydda i yn colli'r Cwrdd Gweddi a'r Seiet un wsnoth o bob tair . . . Ac ma'r drefen newydd 'ma yn od iawn.'

'Sut?' gofynnodd y Bugail.

'Yr wsnoth hon,' meddai Mari Hopcin, 'odd Tomos ni yn dod o'r Gwaith am whech y bore, ac yn gorffod cysgu yn y dydd. Odd e'n methu'n lân â chysgu. Odd y plant yn codi yn y bore i fynd i'r ysgol ac ôn nhw yn 'i ddihuno fe. Wedyn pan ôn i yn gneud gwaith tŷ, odd

yn rhaid i fi bido cadw sŵn, ne fe fydde Tomos yn
dihuno. Yn amal iawn ôn i yn gadel y gwaith heb 'i
neud nes bydde Tomos yn codi ar ôl cino. 'Rodd y
ceir hefyd ar yr hewl yn 'i ddistyrbo fe . . . 'Rw i yn
byw fel gwraig fonheddig, Mr. Parri.'

' Sut hynny?' gofynnodd y Bugail.

' Pan fydd Tomos ni yn gwitho o ddeg tan whech ac
o ddou tan ddeg 'sdim ishe i ni godi yn fore fel yr ôn ni.
A phan fydd e yn mynd i'r Gwaith erbyn whech, ma
fe yn gneud 'i frecwast 'i hun. 'Dw i ddim yn codi'r un
bore cyn saith. Ac ôn i'n arfer codi bob bore am bump.'

' A ydych chi yn hoffi'r drefn newydd hon?' gofynnodd
y Bugail.

' Wel, Mr. Parri, ma i bob peth yn y byd hwn 'i
fanteision a'i anfanteision. Y fantes fawr yw yn bod ni
yn cal gweld gole dydd ar hyd y flwyddyn. O'r blân
'dôn ni ddim yn gweld gole dydd yn y gaea. Yr anfantes
yw bod y gyflog yn llai. Ma hi yn llai fel y dwedes i
wrth dalu arian insiwrans a'r pensiwn, ond ma hi yn llai
hefyd am yn bod ni yn gwitho wyth awr. A 'chewn ni
ddim gwitho dros ben. Ac ma 'na sôn yn y Gwaith am
gâl streic.'

' A ydych chi yn gweithio yn galetach am eich bod
yn gweithio wyth awr?'

' Ydi, ma'n bywyd ni yn galetach. Ma mashîns
newydd wedi dod i'r Gwaith. Un ohonyn nhw yw'r
gantri. Y gantri sy'n rhoi'r *pig* yn y ffwrnes 'nawr, ac
nid y ni â'n rhofie hir. Ac ma'n rhaid i chi dendio
peiriant o hyd. Ma'r Gwaith yn mynd yn fwy peiriannol
o hyd, a chyn hir 'fyddwn ni ddim ond gweision yn
tendio mashîns . . . A odd rhwbeth ar ych meddwl chi,
pan ddethoch chi yma heno, Mr. Parri?'

' Fe wyddoch, y mae'n debyg, Tomos Hopcin, fod

Mr. Gomer Powel wedi gadel y Capel. Y noson o'r blaen fe euthum i'w weld, a cheisio ei berswadio i ddod yn ôl aton ni. 'Wyddwn i ddim ei fod wedi troi yn Sosialydd. A gallwn feddwl ei fod yn Sosialydd anffyddol hefyd. Beth bynnag, fe ymosododd ar y credoau y mae'r Eglwys wedi eu dal ar hyd y canrifoedd. Nid yw yn credu yn y Fam-Forwyn, na Phenarglwyddiath Duw nac yn yr Iawn. Mae ef yn credu mai Sosialydd oedd yr Arglwydd Iesu Grist; rebel yn erbyn y gymdeithas ac yn erbyn crefydd y cyfnod, ac mai fel merthyr y bu farw ar y Groes. 'Rwy'n ofni, Tomos Hopcin, fod y syniada hyn yn dod i'r Cwm drwy'r papur lleol, *Llais Rhyddid*, a thrwy lyfrau hefyd. Un o'r llyfra hyn yw *The New Theology* gan R. J. Campbell. Y mae hwn yn ceisio cysoni Sosialath â Christionogath. Ond naw wfft i'w Gristionogath.'

' Ie, fe glywes i Gomer Powel a'r Sosialwyr yn sôn am y llyfyr hwn ac yn 'i ganmol i'r cymyle.'

' Peth arall, y mae Mr. Gomer Powel wedi sorri, neu, fel y dwedwch chi, wedi pwdu am na chafodd ei wneud yn flaenor. Beth yw eich barn chi, Tomos Hopcin?'

' Wel, ma'n rhaid i fi weud yn blaen fod gyda fi gydymdeimlad â Gomer Powel. Camgymeriad mawr odd dewis Henry Harper yn flaenor. Fel ŷch chi'n gwbod, 'dodd e ddim yn dod i'r Cwrdd Gweddi na'r Seiet nac yn dod deirgwaith ar y Sul. Ma lle i ofni 'i fod e wedi câl 'i ddewish am 'i fod e yn cyfrannu fwy na neb. Ma hyn yn ddrwg mawr i'r Capel ac i Gristionogeth yn y Gwaith ac yn yr ardal. Pan fydd yr Eglws yn rhoi'r lle blaena i wŷr cyfoethog annheilwng, ma hi yn dod dan farn Duw.'

' Ond y peth a'm synnodd fwya yn y sgwrs ag ef oedd y rhagfarn yn erbyn y Gogleddwr, neu'r Northyn fel y galwodd ef ni. A oes rhagfarn yn ein herbyn ymhlith y gweithwyr?'

' Ôs, ma gyda rhai gwithwyr ragfarn yn ych erbyn, ond nid y gwithwyr i gyd.'

' Beth yw'r rheswm am y rhagfarn, Tomos Hopcin?'

' Wrth gwrs, ma'ch iaith chi yn ddierth i ni fel y ma iaith y Sowth yn y North. Ma'r Northyn gyda ni yn cål y gair 'i fod e yn Siôn-lygad-y-ginog. Un tyn am 'i arian yw e. 'Dw i ddim yn gwbod a yw e yn wâth na ni yn y peth hwn. Peth arall, ma ynddo fe duedd i fod yn *blackleg* yn ystod streic. 'Dw i ddim yn gwbod a yw hyn yn wir ai pido, ac a ôs cysylltiad rhwng y ddou beth.'

' Y mae'r rhagfarn hon yn fy mhoeni i, Tomos Hopcin.'

' Dir caton pawb, pidwch â gadel i'r rhagfarn ych poeni. Pidwch â becso. Wedi'r cwbwl, 'dôs dim rhagfarn yn ych erbyn fel Northyn yn yr Eglws. Ma'r Northyn yn diall pregethwr o'r Sowth yn y North; a'r Sowthyn yn diall pregethwr o'r North yn y Sowth. Ŷn ni yn ych diall chi, ac ma gyda ni feddwl y byd ohonoch chi.'

' Nid rhegi Mr. Gomer Powel na'i bwdu yw'r petha gwaetha, ond y syniada cyfeiliornus. Y mae'n gwadu'r Efengyl.'

' Ŷch chi'n gweld, Mr. Parri, ma'r pwdu a'r syniade cyfeiliornus yn mynd gyda'i gilydd.'

' Diolch yn fawr i chi, Tomos Hopcin, am eich cysur, ac i chi, Mari Hopcin, am eich croeso a'ch caredigrwydd.'

' Cofiwch 'nawr,' meddai Hopcin, ' pidwch â gofidio. Fe ddaw pethe yn iawn eto. Ac fe fyddwn ninne hefyd wedi cyfarwyddo â'r ffordd newydd o witho. Ac ma hi yn llawer gwell arnon ni yn awr nag yr odd hi.'

Yn isel ei ysbryd yr aeth y Bugail yno, ond yr oedd y ddau wedi codi ei galon.

Fe ddaeth y Bugail a Henry Harper yn gyfeillion; yn ormod o gyfeillion, meddai rhai, ac yn enwedig y Sosialwyr. Un tro fe ofynnodd y Bugail iddo a allai weled y Gwaith; ac, ar ôl caniatâd Mr. Parsons, fe gwrddodd y ddau â'i gilydd am un-ar-ddeg fore Llun yn ymyl swyddfa'r Gwaith. Gogyfer â'r Swyddfa yr oedd y pwysty, ac eglurodd y gaffer iddo mai yno y pwysid y glo a'r pethau eraill yn y tryciau. Wrth fyned dros y rhwydwaith rheiliau yn ymyl y Gwaith yr oedd ar y Bugail ofn am y gwelai enjin a thryciau yn dod i'w cyfeiriad ac ni allai ef ganfod ar ba reiliau y rhedent, ond cydiodd y gaffer yn ei fraich a'i dywys i'r ochor arall. 'Roedd pwffian yr enjin a chloncian y byfferi yn erbyn ei gilydd yn byddaru ei glustiau. Pan aeth i mewn i'r Gwaith Dur fe drawai'r gwres ef yn sydyn ar ei wyneb, a chydiodd y sychder poeth yn ei lwnc a'i yrru i beswch. Fe aeth heibio i'r ffwrneisiau, ac o flaen un ohonynt yr oedd Tomos Hopcin yn gweithio, a chafodd fenthyg ei sbectol las. Fe godwyd drws y ffwrnais iddo, a thrwy'r sbectol fe welodd y metel yn berwi fel niwl gwyn. Ar ôl tynnu'r sbectol i ffwrdd ni allai weld dim am dipyn. ' Ffyrm o Lanelli,' meddai'r gaffer wrtho, ' sy'n gneud y glasis arbennig hyn.' Erbyn hyn yr oedd ei goler gron yn wlyb potsh gan chwys. Y tu ôl i'r ffwrnais fe welodd y crân yn codi'r *ingots* o'r moldiau, ac yr oedd arno ofn i rywbeth syrthio oddi uchod ar ei ben am fod y gantri yn rhedeg ar hyd y girder a chadwyn y crân yn ysgwyd yn ôl a blaen yn yr awyr. Cyn gadael y pwll, fe welodd Gomer Powel a gwelodd Gomer Powel yntau, ond ni wnaeth y Sosialydd unrhyw sylw ohono. Oddi yno fe aeth y gaffer ag ef i'r Gwaith Tun, gan esbonio beth a wnâi'r gwahanol weithwyr yno. Y gwaith mwyaf peryglus, ym marn y Bugail, oedd gwaith y picler; rhoddai hwn y blaten mewn cerwyn o asid, ac yr oedd yr asid yn tasgu. Fe welodd ddillad un picler yn dyllau gan asid, ac ni welodd y tu ôl i bicler arall am fod tin ei drowsus wedi llosgi. Yr hyn a'i synnodd fwyaf oedd gweled merched yn agor y platiau; yn llaw pob un yr oedd darn o blwm a byddent yn taro top y blaten â hwn ac yn ei hagor fel dyn yn agor dalennau llyfr. Onid oedd gwaith fel hwn yn rhy drwm a pheryglus i ferched llednais? Da oedd ganddo fyned allan o'r Gwaith am na thynnodd anadl tra fu ef yno, ac fe dynnodd yr awyr iach i'w ysgyfaint ac fe ddaeth awel i oeri ei dalcen. Yna fe ofynnodd i'r gaffer:

'A oes Gogleddwyr yn gweithio yma?'

'Ôs, ychydig,' oedd ateb y gaffer.

'A oes unrhyw wahaniath rhwng Gogleddwr a Deheuwr yn y Gwaith?'

'Ôs, ma un gwahanieth. Ar ôl i'r Northyn gâl 'i bai ar nos Wener 'dyw e byth yn gweud wrth Northyn arall faint o arian a gas e. Ond ma dynon y De yn gweud wrth 'i gilydd ar unweth, ac os bydd un ohonyn nhw wedi câl llai o bai nag a ddyle fe, fe fydd yn mynd at y Clarc i ofyn am esboniad. Ma gwahanieth rhwng y Cymry a'r Saeson ed. Ma gyda ni gwmni o Saeson yn gwitho 'ma 'nawr, ond ar nos Wener un ohonyn nhw sy'n mynd i nôl 'u pai nhw i gyd, ac fe fydd hwn yn rhoi 'i gyflog i bob un. 'Fydde'r Cymry ddim yn breudd-wydio gneud fel hyn.'

'A welwch chi ddylanwad y Capel ar y Gwaith, Mr. Harper?'

'Gwelwch. Fe ro i un enghraifft i chi. Chydig yn

ôl fe gas y *behinder*, aelod o'n Capel ni, anap, ac fe fuws i ffwrdd am fish. Ond fe gymerws 'i ddou bartner, aelode o'r Capel, 'i le fe, a **gwitho** dwy shifft y dydd bob yn ail: gwitho am un awr ar bymtheg. Ac fe gas y *behinder* 'i bai yn llawn am y mish, ac odd e'n dlawd ed.'

' Da iawn, Mr. Harper. Y Cymun yn troi yn weithredoedd hyd yn oed yn y lle diwydiannol hwn. Diolch yn fawr i chi am gael gweld y Gwaith ac am y wybodath a gefais gennych.'

' Pob peth yn iawn, Mr. Parri. Odd yn sicir o fod yn brofiad od i chi.'

Ar ôl dychwelyd i'r Tŷ Capel y peth cyntaf a wnaeth y Bugail oedd tynnu'r goler gron; gorwedd wedyn ar y cowtsh am ei fod wedi blino; ac ymhen sbel ymolch drosto am fod ei gorff, ei wyneb, ei lygaid, ei wallt a'i glustiau yn llawn mwrllwch a chwys.

Sais, Tori ac Isel-Eglwyswr oedd Mr. William Parsons. Fe welodd yn un o'r papurau busnes fod gwaelod Gorllewin a De-Orllewin Cymru yn rhanbarth a manteision ganddo i godi Gweithiau Dur a Gweithiau Alcan, sef digon o lo yn y pyllau; dŵr yn yr afonydd; cerrig calch a cherrig cyffredin yn y chwareli; porthladd cyfleus yn Abertawe a rheilffyrdd yn ei glymu â'r pentrefi; ac yr oedd y dreth ar bob tunnell o ddur yn isel. Tua diwedd y ganrif ddiwethaf y trodd ef y Gwaith Haearn yn Waith Dur ac Alcan yng Ngwaun-coed, a'i helaethu yn 1892. Yn 1891 fe gododd McKinley ddiffyndoll ar blatiau tun Cymru yn America, a chyn hydref 1892 yr oedd deng mil o weithwyr yn segur a'r diwydiant mewn argyfwng. Y tu ôl i'r doll fe gododd America ddiwydiant tun llwyddiannus ei hun, a mynd ati i gipio marchnadoedd. Er colli marchnad America fe ddaeth ffyniant eilwaith i'r diwydiant dur ac alcan ym Mhrydain am fod galw am ddur yn y diwydiant moduron, y diwydiannau cartref, toi, gwneud awyrlongau a'r diwydiant ' canio ' a oedd yn tyfu'n gyflym drwy'r byd. Parhaodd y ffyniant hwn tan gychwyn y Rhyfel Byd Cyntaf yn 1914.

Yn ymyl ei blasty, Glanrhyd, fe gododd Mr. William Parsons eglwys, Eglwys y Drindod, ac efe a dalai gyflog y Ficer, Y Parch. Josiah Griffiths, a chyflog y Ciwrat, y Parch. Aubrey Harris. Eglwys Isel oedd hi, Eglwys Brotestannaidd, canys i Mr. Parsons yr oedd Uchel-Eglwysyddiaeth yn gyfystyr â Phabyddiaeth. Yn ei farn ef y Saeson oedd cenedl arbennig Duw, a dyna pam y rhoddodd yr Arglwydd i Loeger ei hymerodraeth a'i chenhadaeth i ledaenu Cristionogaeth a masnach a busnes dros y byd. Duw hefyd yn Ei Ragluniaeth ddoeth a drefnodd gyfundrefn wleidyddol ac economaidd Prydain: Efe a drefnodd fod tlodion a chyfoethogion, meistri a gweithwyr, ond yr oedd gan y cyfoethogion a'r cyfalafwyr eu cyfrifoldeb. Gŵr darbodus oedd y Piwritan Eglwysig hwn; nid oedd yn yfed diodydd meddwol nac yn smocio; ac nid oedd ganddo ddiddordeb mewn dim ond yn yr Eglwys a'r Gwaith. Fe edrychai ar ei weithwyr fel plant, a disgwyliai iddynt fod yn blant da. Cyn rhoi gwaith i neb fe ofynnai iddo a oedd yn ddirwestwr ac yn wrth-smociwr; ac fe ddwedai pob un ohonynt ei fod, ond nid oedd pawb yn dweud y gwir. Fe waharddodd i'w weithwyr smocio ac yfed yn y Gwaith, ac yr oedd y gaffer, Henry Harper, yn eu gwylio. Os delid hwy unwaith fe gaent rybudd, a'r eilwaith fe gaent sac. Er hyn yr oedd rhai yn yfed ac yn smocio yn y Gwaith, ac yn enwedig yn sychder yr haf, a rhag cael eu dal fe osodent wyliwr i wylio'r gaffer.

'Roedd gan Mr. Parsons ffordd gyfrwys i gosbi'r plant drwg, sef arweinwyr yr Undeb, y Rhyddfrydwyr radicalaidd a'r Sosialwyr. Cynnig dyrchafiad iddynt a wnâi ef, ac yr oeddent yn ei dderbyn ar wahân i ychydig fel Twm Llewelyn. Enghraifft o hyn oedd Henry Harper.

Pan oedd Henry Harper yn weithiwr ifanc yn niwedd y ganrif ddiwethaf yr oedd yn arweinydd yr Undeb yn y Gwaith, gan bregethu wrth y gweithwyr am eu hawliau a'u hannog i ymladd drostynt. Pan ostyngwyd cyflog y gweithwyr fe alwyd cyfarfod o'r Undeb, *British Steel Smelters, Mill, Iron and Tinplate Workers*, ac yn hwn fe ddadleuodd Henry Harper yn huawdl iawn dros fynd ar streic; ac ar ôl i eraill siarad o blaid ac yn erbyn, fe bleidleisiwyd, ac yr oedd y mwyafrif yn erbyn streic. Fe gafodd Henry Harper sioc a siom. Fe ddigiodd ac fe bwdodd. Fe ddwedai na wnâi fyth mwy godi ei fys bach dros y gweithwyr. Ymhen dwy neu dair blynedd ar ôl hyn fe ymddeolodd y gaffer am ei fod yn hen; ac fe ddanfonodd Mr. William Parsons lythyr at Henry Harper yn gofyn iddo ddod i'w weld yn ei ystafell yn y Swyddfa. Fe gafodd Henry Harper fraw, gan dybio ei fod wedi gwneud rhyw drosedd ac y câi ei gosbi a hwyrach gael y sac. Fe aeth yn grynedig i'r ystafell breifet, a bu bron â chael llewyg pan gynigiodd Mr. Parsons iddo swydd gaffer. Fe ofynnodd yn floesg a gâi ef ddau ddiwrnod i ystyried y mater, ac yr oedd am ei drafod gyda'r wraig. Y duedd gyntaf oedd gwrthod y cynnig am y byddai ei gydweithwyr yn ei ystyried yn fradwr wrth dderbyn y fath swydd gan gyfalafwr. Pan ofynnodd farn ei wraig, yr oedd hi yn bendant a didroi'n-ôl y dylai dderbyn y swydd, oherwydd fe gâi ef fwy o gyflog; wedyn fe allent brynu tŷ yn *High Street*; fe fyddai hi yn gallu prynu gwell dillad; fe allent dynnu

124

eu mab, Stanley Albert, o'r ysgol a'i roi mewn ysgol breifet. Ar ôl tafodi a ffraeo, a dadlau, ac yr oedd ei wraig yn gallu dadlau fel teigres, fe ildiodd Henry Harper, a derbyn y swydd. Pan glywodd y gweithwyr hyn fe aethant yn fud yn wyneb y fath frad. Am Mr. William Parsons ni chafodd erioed well gaffer; lleidr oedd y dyn gorau i ddal lladron: arweinydd eithafol wedi ei siomi oedd y gaffer gorau i ddal gweithwyr yn segura, yn yfed ac yn smocio. Fe gariai bob clec i'w feistr. Fe driniai ei gydweithwyr yn ddidrugaredd. 'Roedd yn casáu Gomer Powel am iddo droi yn Sosial-ydd a gadael y Capel, ac fe ofalodd na châi unrhyw ddyrchafiad o'r pwll i'r ffwrnais. Ymhen tipyn fe ddaeth tŷ yn *High Street* yn wag, a phrynodd Mr. & Mrs. Harper ef. Er mai Cymraes uniaith oedd Elisabeth Harper, fe welodd nad peth neis oedd siarad Cymraeg ar ôl mynd i fyw i stryd barchus fel *High Street,* ac fe ddechreuodd barablu Saesneg, er bod rhai gwragedd yn y stryd honno yn gwneud sbort ar ei llediaith. Fe ddechreuodd siarad Saesneg ar ei haelwyd hefyd; ac am fod Ysgol y Babanod yng Ngwaun-coed mor Gym-raeg fe dynnodd ei phlentyn oddi yno a'i anfon i ysgol feithrin Saesneg mewn tref gyfagos. 'Roedd ei fam yn sbwylio Stanley Albert, neu Bertie, ac oherwydd hyn fe âi ei dad i'r eithaf arall a'i geryddu yn rhy lym. Ar ôl ei anfon i'r ysgol breifet fe fynnai ddod adre ar ganol yr ysgol a chael cusanau gan ei fam. Eto, er y Seisnig-rwydd i gyd, fe barhâi'r teulu i fyned i'r Capel Cymraeg am fod Mr. Henry Harper yn flaenor yno.

Gŵr dipyn yn wahanol i'w dad oedd Mr. Gilbert Parsons. Fe gafodd ei addysg yn un o ysgolion bonedd Lloeger, ac aeth ar ôl hyn i un o Golegau Rhydychen i astudio hanes ac economeg. Nid oedd yn ddirwestwr; yr oedd yn smocio sigaréts; ac yr oedd ynddo duedd, tan ddylanwad Rhydychen, at Uchel-Eglwysyddiaeth. Fe ddarllenai lenyddiaeth Saesneg, a'i hoff awduron oedd Newman a Tennyson. Ni wyddai fod gan Gymru ddiwylliant a llenyddiaeth. Fe wyddai fod llawer iawn o'r gweithwyr yn siarad Cymraeg; yr oedd wedi clywed am yr Eisteddfod; a gwyddai fod capeli Cymraeg yn y pentre; ond rhyw bobol iselradd ac Anghydffurfiol oedd y Cymry yn ei farn ef. Ar ôl dod adre i gydweithio â'i dad yn Swyddfa'r Gwaith fe ddechreuodd ymddiddori mewn llywodraeth leol, ac yn Etholiad y Cyngor Sir yng Ngwaun-coed efe oedd yr unig ymgeisydd am na fyddai neb yn breuddwydio ei wrthwynebu. Da oedd ganddo adael ei ystafell fwll a swnllyd yn Swyddfa'r Gwaith a myned i Gaerdydd i adnabod pobol a thrin materion Cyngor Sir Morgannwg. Am fod y gweithwyr wedi codi Undebau i warchod eu buddiannau ac i ymladd eu brwydrau, fe benderfynodd ef y dylai diwydianwyr dur y De gael Undeb, ac yr oedd yn un o'r rhai a gododd yn 1906 y *South Wales Siemens Steel Association*, Undeb a gynhaliai ei gyfarfodydd yn Abertawe. 'Roedd ei dad yn mynd ar ei oed ac yn dechrau colli gafael ar bethau. Diwydiannwr hen-ffasiwn ydoedd; yn glynu at hen ddulliau o weithio; yn rhy feddal wrth drin y gweithwyr; ac ni wyddai ddim am y dulliau a'r prosesau modern. Er bod mwy o weithwyr yn gweithio yn y diwydiannau dur ac alcan yn Lloeger a Chymru yn y ganrif hon, eto, yr oedd eu cynnyrch ar gyfartaledd yn llai. Aros yn eu hunfan yr oedd y diwydiannau hyn am fod y peiriannau a'r dulliau o weithio yn hen. 'Roedd America a'r Almaen wedi cynyddu eu cynnyrch yn y diwydiannau hyn am eu bod wedi moderneiddio. Os

126

oedd Prydain am ffynnu yr oedd yn rhaid peirianoli'r diwydiant dur ac alcan; *mechanisation* oedd ei air ef. Yn 1908 fe gafodd y mab yr awenau yn ei ddwylo gan ei dad; a'r peth cyntaf a wnaeth oedd codi yn 1909 Waith Alcan newydd, gan gynyddu rhif y melinau o dair melin fechan i ugain melin fawr, ac yn 1910 y dechreuwyd gweithio ynddo, ac yr oedd tua dwy fil o weithwyr yn gweithio. Yn 1911 fe gododd ddwy ffwrnais newydd, ac yn 1912 ddwy arall; ac yr oeddent yn naw ffwrnais i gyd. Fe gynyddodd poblogaeth y pentre; yn 1911 yr oedd y rhif yn 6,131.

Cyn codi'r Gweithiau Dur a'r Gweithiau Alcan yr oedd y Gweithiau Haearn wedi eu cau am fod prosesau newydd wedi eu darganfod, fel proses Bessemer a ddarganfuwyd yn 1856, a'r proses a ddarganfu William Siemans ar ôl arbrofion yng Nglandŵr. Method Siemens-Martin oedd method y Gwaith Dur yng Ngwaun-coed ac yn y Gweithiau Dur yng Ngorllewin a De-orllewin Cymru yn gyffredinol, sef y method o aildoddi *pig-iron* yn y ffwrnais ' aelwyd-agored ', a'i droi yn fath o ddur y gellid ei dunio yn y Gwaith Alcan. Yn y ffwrnais fe doddid y *pig*, y sgrap a'r gwastraffion o'r Gwaith Tun fel y sherings; deugain y cant o'r *pig* a thrigain o sgrap oedd ym mhob tapad. Fe brynid y sgrap o wahanol wledydd ac ym Mhrydain gan fasnachwyr, a'r rhain a'i gwerthai i'r Gweithiau Dur, sgrap fel hen longau wedi eu torri, hen foduron, fframiau gwely, fframiau beisiclau a threisiclau a phethau o'r fath; a safent yn domen rydlyd y tu allan i'r Gwaith. Pan oedd y sgrap yn ddarn mawr fe'i torrid gan y *skull-breaker* y tu allan i'r Gwaith ar ymyl y tip—sef pelen fawr haearn a dolen ar ei phen, ac wrth y ddolen y gosodid bachyn ar waelod rhaff ddur a dynnai'r belen i fyny wrth ei weindio am dröell; yna troid y bachyn a syrthiai'r belen ar ddarn sgrap a'i chwalu. Fe godid y *pig* ar dryciau a'u gyrru ar reiliau i ymyl y ffwrnais, a magned a'i codai o'r tryc a'i roi yn y ffwrnais. Ar y ffwrneisiau yr oedd llythrennau—A,B,C,D,E,F,H,K ac M. Yn yr hen ffwrneisiau fel A a B yr oedd *hand-charging*, sef y ffwrneisiwr a roddai'r sgrap yn y ffwrnais â rhaw a choes hir iddi. Fe weithid y ffwrneisiau newydd â pheiriannau. Y gantri, y peiriant newydd, a redai ar hyd *girder* yn y to, a roddai'r sgrap a'r *pig* yn y ffwrnais: peiriant â rhoden fechan y tu mewn i'r *lander* a fyddai'n troi'r bwced ar ei ben wedi iddo fyned i mewn i'r ffwrnais. Fe wneid gwaliau'r ffwrnais-doddi o frics, tywod a slagen; a'r llawr o frics, magnesia a dolomeit, ac yr oedd yn disgleirio fel fflinten. Peth peryglus mewn ffwrnais oedd gwlybaniaeth am y gallai chwythu'r to i ffwrdd. O'r glo fe dynnid nwy yn y *gas producers* mawr, a redai ar hyd cylferti i'r 'jinis', sef enw'r gweithwyr ar y *generators*; y rhain o dan y ffwrnais a oedd yn cadw gwres y nwy; a gwaith peryglus oedd gweithio arnynt am fod y nwy yn mynd i'r ysgyfaint, ac ni fyddai'r gweithwyr ar y rhain yn byw yn hen. Pan ddeuai'r nwy i gyffyrddiad â'r awyr yng ngwaelod y ffwrnais fe fyddai'n ffrwydro; a'r fflam a'r gwres yn y ffwrnais a fyddai'n toddi'r sgrap a'r *pig*; a byddai'r falfau yn oeri ac yn twymo'r brics, ac yn gollwng y nwy a'r awyr i'r ffwrnais i hylosgi. Fe fyddai shampler yn profi'r metel i weld a oedd y ffwrnais yn barod i'w thapo. Fe gymerai ffwrnais tua deuddeg awr i ferwi cyn ei thapo. Pan oedd y metel yn aeddfed i'w dapo fe dynnid y clai o dwll ym mhen-ôl y ffwrnais, a llifai'r metel tawdd ar hyd cafn i'r ladl, a'r slagen ar y top. Y tu ôl i'r ffwrnais yr oedd y pwll, sef twll hirfain yn y ddaear, a phob ochor iddo yr oedd rheilen; ac ar hyd y rheiliau hyn y rhedai'r ladl, gan aros uwch y moldiau, ac yr oedd tair molden gyda'i gilydd; ac fe ollyngid y metel o'r ladl i'r moldiau â handlen a droid gan y *timer*. Ar ben y metel yn y mold fe roddid capan a dolen arno; ac ar ôl i'r metel oeri ac ymsoledu fe ollyngid rhaff y crân a bachyn ar ei phen; rhoi'r bachyn am y ddolen a chodid yr *ingots* a'u rhoi yr ochor arall i'r rheilffordd y rhedai'r crân arni yn bentyrrau glaswyn. Ar ôl i'r gantri ddod, hwnnw a godai'r *ingots* a'r crân a dynnai'r ladl ar hyd y rheiliau. Tua deg ar hugain o dunelli oedd maint *charge* yr hen ffwrnais; a thua deg a thrigain oedd maint y ffwrnais newydd. Ar ôl *charges* fe fyddai'r masiyniaid yn ailfricio'r ffwrneisiau-toddi, ac yn ailfricio'r ladl, ac os byddai unrhyw wlybaniaeth ynddi, fe fyddai'r metel tawdd yn tasgu ar hyd y lle.

Yna fe osodid y llafnau glaswyn o ddur, yr *ingots*, mewn ffwrnais i'w hailboethi, ac yna eu rholio yn y *Barmill* gan y *bar-cutter* neu'r ' dyn torri harn ' nes eu bod tua 15 i 20 troedfedd o hyd, 10 modfedd o led a ¾ modfedd o drwch. Ar ôl hyn yr oeddent yn barod i'w cludo i'r Gwaith Tun. Fe gludid y barrau ar wagenni ar y rheilffyrdd. Dadlwythid y barrau gerllaw'r *bar-cutter* lle y torrid hwy yn ddarnau tua 24″ neu 20″ o hyd, fel y byddai'r galw amdanynt. Wedi eu torri fe fyddai'r *bar-cutter* yn eu cario ar drol fechan i mewn i'r felin, ac yn eu dadlwytho gerllaw'r ffwrnais. Gwaith y dwpler oedd eu gosod yn y ffwrnais. Fe osodai tua 30 ar y tro. Ar ôl iddynt dwymo digon agorid y ffwrnais a byddai'r dwpler yn eu tynnu allan— dau ar y tro â'r *tongs* hir, ac yn eu gosod gerllaw'r *rolls* yn hwylus i'r *roller-man*. Yna byddai'r *roller-man* yn eu gosod drwy'r rholiau dair neu bedair gwaith, a'r *be-*

hinder yn eu codi yn ôl iddo dros ben y rholiau nes y byddai tua dwy droedfedd o hyd, ac yna caent eu gosod yn ôl drachefn yn y ffwrnais. Fe elwid y rhan yma o'r gwaith 'Y Tew'. Wedi iddynt aildwymo digon fe fyddai'r *furnace-man* yn eu tynnu allan un ar y tro a'r *roller-man* ac yntau yn eu rholio ddwy neu dair gwaith, ac yna yn taflu'r blaten ar draws y felin i'r dwpler. Fe gydiai yntau yn y blaten â'r *tongs* a'i dyblu wrth wasgu gyda'i glocsen gymaint ag y gallai arni; yna byddai yn ei chodi i'r Wasg i'w gwasgu yn fflat, ac yn ei thaflu yn ôl i'r ffwrneisiwr i'w thwymo drachefn. *Singles* oedd yr enw arnynt yn awr. Mynd drwy'r un proses eto— aildwymo a rholio a'i dyblu'r eilwaith. ' Dwple ' yw'r enw yn awr. Yr un cam eto—ond ' pedware ' fyddai'r enw y tro hwn. Yn olaf, eu tynnu eto o'r ffwrnais— ' wythe ' oedd yr enw bellach. Ac yna i orffen y gwaith arnynt yn y felin, eu haildwymo a'u rholio unwaith eto nes y byddent o hyd arbennig, a'u gosod yn bentwr gerllaw'r shêr yn barod i'r sherer eu torri i'r mesurau cywir. Erbyn hyn yr oedd y platiau yn barod i'r merched ' agor plâts ', a gwahanai'r rhain wyth haen pob platen. Fe allai hwn fod yn waith digon anodd, yn arbennig cyn cael y gantri i godi'r platiau. Byddai'r merched yn cwyno'n fawr ar ambell *roller-man* os byddai'r platiau yn anodd i'w hagor. Wedi gwneud hyn, y cam nesaf oedd mynd â'r *sheets* i'r *Pickling Station* ac aent drwy'r proses a elwid *Black Pickling*. Merched a fyddai yn gwneud y gwaith hwn eto, a gwisgent hen sachau o'u blaen, clocsiau am eu traed a menig am eu dwylo. Wedi eu piclo aent i'r nelws. Gwaith y nelwr oedd eu gosod mewn potiau haearn a'u rhoi yn y ffwrnais. Wedi bod yno, dros nos, fel rheol, dygid hwynt allan, ac ar ôl oeri, eu dwyn i'r cerols (*cold rolls*) i gael eu rholio drachefn. Gwneid y gwaith hwn gan fechgyn a merched a oedd yn dechrau gweithio yn y Gwaith Tun. Gwisgent ddarnau o ledr wedi eu tynnu o hen esgidiau am eu dwylo rhag iddynt gael eu torri gan y *sheets* miniog. Wedi eu rholio yno aed â hwynt yn ôl eilwaith i gael yr hyn a elwid yn *White Pickling*. Erbyn hyn yr oeddent yn barod i'r *Tin House*. Gwaith y tunman oedd gosod y *sheets* mewn potiau o alcan berwedig, ac wedi mynd drwy'r rholiau a oedd y tu mewn iddynt fe ddeuent allan wedi eu gorffen. Y ddau gam olaf oedd ' sorto'r ' platiau a'u bocso. 'Roedd swydd y *sorter* yn un ddigon cyfrifol am fod enw da'r Gwaith yn y fasnach yn dibynnu peth ar ei ddethol ef. Ei waith oedd archwilio pob platen i wneud yn siŵr nad oedd unrhyw nam na gwendid ynddi. Y ' bocswr ' oedd yn gyfrifol am y pacio. Blychau pren a arferid ar y cychwyn, ond trowyd at ddefnyddio *card-board*, ac nid oedd angen bocsis wedyn. Fe ddanfonid y platiau tun i leoedd ym Mhrydain; ac allforio eraill i Tseina, Japan, Canada, De America, Affrica a'r Almaen.

Uned fechan yng nghyfundrefn diwydiant dur ac alcan Prydain oedd y Gwaith Dur ac Alcan yng Ngwaun-coed: a chogen ym mheirianwaith diwydiant dur ac alcan y byd.

Am i'w dad fod mor llac ac esgeulus, yr oedd Mr. Gilbert Parsons o'r farn ei bod yn hen bryd gosod y gweithwyr yn eu lle, ac amddiffyn y gyfundrefn econ-omaidd yn erbyn syniadau gwyllt y Sosialwyr fel Twm Llewelyn. Fe ddanfonodd lythyr at John Hodge, A.S., ysgrifennydd yr Undeb, *British Steel Smelters, Mill, Iron and Tinplate Workers' Association*, yn achwyn fod y rholwyr yn ei Waith Alcan ef yn torri'r rholiau, a bod hyn yn lleihau'r cynnyrch: bod rhai gweithwyr ar y shifft nos yn gadael y Gwaith am 9.15 yn lle deg er mwyn yfed yn y tafarnau cyn iddynt gau: eu bod yn gadael y rholiau i oeri rhwng dwy shifft, a phethau eraill. Ei gŵyn oedd fod cynnyrch ei Waith yn llai na chynnyrch y Gweithiau Dur a'r Gweithiau Alcan eraill; ac oni fyddai pethau yn gwella fe fyddai'n rhaid iddo feddwl am ddulliau annymunol i gynyddu'r cynnyrch. Fe ofynnodd Mr. John Hodge i'r ysgrifennydd lleol a oedd sail i'r cwynion hyn, ac fe ddanfonwyd ateb i lythyr Mr. Gilbert Parsons. Yn yr ateb fe ddywedwyd fod tad Mr. Gilbert Parsons, sef Mr. William Parsons, wedi eu canmol fel gweithwyr ar hyd y blynyddoedd; nad oedd unrhyw newid yn eu hagwedd nac yn eu gwaith ar ôl i'r mab ddod yn berchennog y Gwaith; ac yr oedd ganddynt hefyd gŵynion yn ei erbyn yntau. Un gŵyn oedd fod y gaffer, Mr. Henry Harper, yn sbio arnynt ac yn trin rhai gweithwyr yn annheg a chŵyn arall oedd nad oedd yn y Gwaith yr un gwyntyll i awyru'r lle fel mewn Gweithiau eraill. Fe gyfaddefent fod llawer o roliau yn torri, ond y rheswm oedd fod yr haearn ynddynt yn wael a bod Mr. Parsons yn gwerthu ei haearn gorau i ddiwydianwyr eraill. Am y diogi y soniodd amdano, y rheswm am hyn oedd fod y gweith- wyr yn gorflino ar ôl y gwaith caled. Y mae'n wir fod cynnyrch y Gwaith yn llai, a'r rheswm am hyn oedd eu bod yn gweithio wyth awr, llai o oriau na chynt; ond yr oedd eu cyflog yn llai hefyd, ac yn enwedig ar ôl tynnu tâl insiwrans a thâl y doctor ohoni. Fel cadeirydd Undeb y diwydianwyr, *South Wales Siemens Steel Associ- ation*, fe gododd Mr. Gilbert Parsons y cwynion hyn yn ei gyfarfodydd yn Abertawe; a dal, yn ôl adroddiadau o'i areithiau yn *Llais Rhyddid*, mai'r Sosialwyr a oedd yn gwneud y gweithwyr yn anfodlon ar eu byd. Polisi economaidd y Blaid Lafur oedd gwladoli'r diwydiannau mawrion, gan gynnwys y diwydiant dur a'r diwydiant alcan. A allai'r Wladwriaeth reoli a rhedeg y diwydiannau hyn? B'le y gallent gael yr arian? Nid oedd ond un ffynhonnell, sef codi'r trethi. Pwy oedd yn mynd i'w rheoli a'u rhedeg? Dynion na wyddent ddim am fasnach a busnes? Gwŷr busnes yn unig a allai berchnogi a rheoli'r diwydiannau mawrion, a gwneud elw. Pe byddent yn cael eu rhoi dan y Wladwriaeth neu ryw fyrddau diwydiannol fe fyddent yn sicr o fynd i golled, a cholled fawr; a byddai'n rhaid i'r trethdalwyr dalu am y golled o'u pocedi. Ffwlbri noeth yw polisi economaidd y Sosialwyr.

Fe anfonodd y gweithwyr ddirprwyaeth at Mr. Gilbert Parsons i ofyn am godiad cyflog, ac atebodd yntau na allai'r gyflog godi heb i'r gweithwyr godi'r cynnyrch. Fe alwyd cyfarfod y gangen leol o'r Undeb, ac ar ôl gwrando ar adroddiad y dirprwywyr fe gynigiodd Twm Llewelyn eu bod yn mynd ar streic ac eiliwyd ef gan Gomer Powel. Fe siaradodd dau neu dri yn erbyn y streic; ac ar ôl pleidleisio drwy godi llaw o blaid ac yn erbyn, yr oedd y mwyafrif o blaid, er mai ychydig aelodau oedd yno, ac yr oedd llawer o weithwyr heb fod yn aelodau o'r Undeb o gwbwl. Fe gaewyd y Gwaith. Pan glywodd y gaffer, Henry Harper, fod y gweithwyr wedi mynd ar streic fe ofynnodd i'r rhai yr oedd ganddo ymddiried ynddynt weithio yn ystod y streic, ac un o'r rhain oedd Tomos Hopcin; ac yr oedd yn siŵr y byddai ei gydflaenor a'r gweithiwr gonest y cyntaf i gytuno, ond gofyn amser i ystyried y mater a wnaeth ef. Fe aeth Tomos Hopcin, yn ôl ei arfer, i ben y Graig i fyfyrio ar y broblem, ac wrth fyfyrio, troi pen ei fwstàsh lawer gwaith:

Y mae'r Apostol Paul yn ein gorchymyn i ufuddhau i'r awdurdodau goruchel. ' Ymddarostynged pob enaid i'r awdurdodau goruchel : canys nid oes awdurdod ond oddi wrth Dduw ; a'r awdurdodau y sydd, gan Dduw y maent wedi eu hordeinio.' Ai oddi wrth Dduw y mae awdurdod Mr. Gilbert Parsons ? Os felly, fe ddylen ni ufuddhau iddo. Ai gwrthryfel yn erbyn awdurdod Duw yw streic ? Brenhinoedd a llywodraethau oedd gan yr Apostol Paul mewn golwg, ond a oes gwahaniaeth rhwng brenhinoedd a meistri glo, a rhwng Cesar a Mr. Gilbert Parsons ? Beth bynnag, 'does dim sôn am bwll glo yn y Beibl, na Gwaith Tun, na Gwaith Stîl, ar wahân i ffwrn dân y Tri Llanc. 'Does dim sôn yn y Beibil am grân na gantri na *behinder* na *roller-man*. Mae'r Beibil mor bell oddi wrthon ni yn y pethau hyn. A all e fod yn rheol fuchedd i ni mewn pentre diwydiannol ac yn y Gwaith Stîl ? Ond mae'r Beibil yn sôn am gyfiawnder, ' cyfiawnder helaethach na chyfiawnder y Phariseaid ': ac fe ddwedodd y Gweinidog y dylai cariad Crist ynom droi yn gyfiawnder. Na, y mae'r gyflog yn fach, rhwng tair a phedair punt yr wythnos cyn tynnu arian insiwrans a thâl doctor. Mae rhai gweithwyr yn dweud fod Mr. Parsons yn gwneud elw mawr ar ein cefnau. Trueni fod rhai gwyllt fel Twm Llewelyn a Gomer Powel wedi cychwyn y streic ; ond, dyna fe, 'roedd bai arna i am beidio â mynd i gyfarfod y gangen a rhoi pleidlais yn erbyn y streic. Mae hi'n anodd cael amser i bob peth ; amser i Gwrdd Gweddi a Seiet a'r Undeb. Ar ôl gweithio drwy'r dydd mae dyn yn lico cael sbel fach. Pe bydden ni yn cael codiad ar ôl y streic, ni fyddai'n iawn i fi ei dderbyn a 'mod yn gweithio fel *blackleg*. Ni fyddai'r peth yn gyfiawn. Na, fe ddweda i wrth Henry Harper nad wy i ddim yn mynd i weithio yn ystod y streic.

Pan ddwedodd Tomos Hopcin wrth Henry Harper nad oedd am weithio, fe gafodd y gaffer siom fawr ynddo, ond fe lwyddodd i gael pump i weithio gydag ef, ac yr oedd dau o'r rhain yn Ogleddwyr. Am yr wythnos gyntaf fe fuont yn gweithio heb neb yn eu gwrthwynebu, ond ar ddechrau'r wythnos ar ôl hyn fe dorrwyd ffenestri ffrynt tŷ Henry Harper yn *High Street* yn yfflon, ac yr oedd ei wraig yn y tŷ ar y pryd; a chafodd gymaint o fraw fel y symudwyd hi a'i mab i aros gyda pherthnasau y tu allan i'r pentre. Fe welodd y Prif Gwnstabl fod yn rhaid i'r plismyn hebrwng y *blacklegs* o'u cartrefi i'r Gwaith; gwylio'r Gwaith pan oeddent yn gweithio; a'u hebrwng o'r Gwaith adre. Rhag ofn i ryw derfysg godi fe gasglodd y Prif Gwnstabl blismyn o'r Cwm, a'u rhoi yn barod mewn lle dirgel. Ar ran Bethel, Eglwys yr Annibynwyr, fe ddanfonodd y Parch. Llechryd Morgan lythyr ato yn gofyn iddo yn garedig am beidio â dwyn milwyr i'r pentre fel y gwnaethant yng Nghwm Rhondda. Ymhen pythefnos fe benderfynodd y streic-wyr orymdeithio drwy'r pentre gan gychwyn yn y pen uchaf a cherdded drwy'r prif heolydd hyd at y bont. Pan glywodd y Prif Gwnstabl hyn fe guddiodd blismyn y tu ôl i dai. Cyn i'r orymdaith gychwyn dyma Dwm Llewelyn a thri arall yn dwyn Henry Harper ar ei blaen hi; yr oedd wedi ei wisgo â blows a blwmers, ac yr oedd dolen rhaff am ei wddwg fel na allai ddianc. 'Roedd Twm a'r lleill wedi mynd i'r Gwaith trwy agoriad na wyddai'r plismyn ddim amdano, ac wedi dal y gaffer. Fe gychwynnodd yr orymdaith gan wau drwy'r heolydd fel sarff ddiwydiannol gerddgar. Fe gariai rhai faner y Ddraig Goch, rhai yr *Union Jack*, ac eraill faner y Mudiad Dirwestol. Eraill a godai ddarnau o gardbord ar ben polion, ac arnynt yr oedd 'Ymaith Â Harper', 'Nid cardod i ddyn ond gwaith', 'Cyfiawnder i'r Gweithwyr', *'Public Control of the Steel Industry'*, *'Stand together, Britons'* a 'Dilynwch Owen Glyn Dŵr'. Ar bob ochor i bob heol yr oedd tyrfa yn eu gwylio, ac wrth weled y gaffer yn y flows a'r blwmers fe ddwedodd bron pob un wrth ei gilydd, 'Trueni, w'. Fe ganent emynau'r Diwygiad fel 'Dyma gariad fel y moroedd', 'Calon Lân', 'O, na bawn yn fwy tebyg' a'r 'Delyn Aur'; a chaneuon fel 'Llwyn Onn', 'Y Ferch o Lan-gyfelach' a 'Gwŷr Harlech'; a'r caneuon Sosialaidd fel *'The International'* a *'The Red Flag'*. Ar ôl canu

Dyma Geidwad i'r colledig,
 Meddyg i'r gwywedig rai :
Dyma un sy'n caru maddau
 I bechaduriaid mawr eu bai :
  Diolch iddo
Byth am gofio llwch y llawr,

fe ganent

The people's flag is deepest red,
It shrouded oft our martyr'd dead ;
And ere their limbs grew stiff and cold,
Their life-blood dy'd its ev'ry fold.
 Then raise the scarlet standard high,
 Beneath its shade we'll live or die ;
 Tho' cowards flinch and traitors sneer,
 We'll keep the red flag flying here,

ond yr oedd bron pawb yn medru canu'r emyn Cymraeg,
ac ychydig Sosialwyr yn unig a fedrai ganu ' *The Red
Flag*'. Barnai'r canwyr fod y diwn yn un sâl iawn. ' 'Alle
honno ddim codi gwrthryfel mewn chwannen,' ebe un
ohonynt. Pan ddaeth yr orymdaith at y bont dyma Dwm
Llewelyn a Gomer Powel yn cydio yn Henry Harper
ac yn ei daflu dros y canllaw i'r afon, ac yno yn y pwll
tro yr oedd yn troi fel ci yn dilyn ei gynffon. Pan
welodd y plismyn hyn dyma hwy yn rhuthro allan i
geisio cael gafael ar y rhai a daflodd y gaffer i'r dŵr,
ond yr oedd y bont dan ei sang; ni allai neb symud
yno; ac wedi methu gwthio drwodd dyma'r plismyn yn
tynnu eu batynau ac yn pastyno'r bobol a oedd yn eu
gwrthwynebu. Ar un pen i'r bont eisteddai twpsyn y
pentre, y dyn bach a ddangosai ei bishyn i'r merched,
ac fe'i hergydiwyd ar ei dalcen gan fatwn, a rhedodd i
ffwrdd gan wichian fel mochyn, a'r gwaed yn rhedeg i
lawr ar hyd ei wyneb. Fe giliodd y rhai a oedd ar un
pen i'r bont i'r ochor arall i'r afon; a'r bobol ar y pen
arall i ganol y pentre; a chydiodd rhai ohonynt mewn

cerrig a thorri ffenestri rhai siopau yn rhacs-jibi-dêrs. Fe neidiodd plisman i'r afon i achub Henry Harper. Fe aeth rhai plismyn eraill i wasgaru twr o bobol a oedd yn llosgi delw. 'Roeddent wedi llunio delw o Mr. Gilbert Parsons: delw o sach a gwellt y tu mewn iddi; coesau a phen, ac yr oedd wedi peintio'r pen yn debyg i'w ben ef. O dan y ddelw, a oedd yn hongian ar bolyn, yr oeddent wedi casglu papur, gwellt a brigau, ac yr oedd y ddelw ar hanner ei llosgi pan ruthrodd y plismyn atynt. Fe ddaliwyd rhai o'r troseddwyr, y rhai a fu'n torri ffenestri tŷ Henry Harper a ffenestri'r siopau, a buont o flaen eu gwell, a'u dirwyo, a helpwyd hwy i dalu dirwyon. Ni chawsant ddigon o dystiolaeth yn erbyn y rhai a daflodd Henry Harper i'r afon.

Pan welwyd fod y streic wedi troi yn derfysg, fe alwyd am gyfarfod o'r gangen leol, a gofalodd rhai fel Tomos Hopcin fynd yno, a thrwy fwyafrif fe benderfynwyd rhoi pen ar y streic. Fe benderfynwyd hefyd ddanfon dirprwyaeth at Mr. Gilbert Parsons i ofyn am godiad yn y gyflog, gofyn am beidio â chosbi neb a fu ar streic ac ymddiheuro iddo dros y rhai a fu'n ddigon ffôl i losgi ei ddelw ar lan yr afon. Yr un oedd ei ateb; ni chaent godiad heb godi'r cynnyrch. 'Roedd y gweithwyr ifainc ac yn enwedig Dwm Llewelyn o'u co. Brad oedd rhoi terfyn ar y streic. Cachgwn, meddai Gomer Powel, oedd Tomos Hopcin a'i siort.

Ar ôl y streic fe glywodd Gomer Powel fod y plismyn a ddaeth i Waun-coed yn mynd i gerdded gyda'r rheilffordd i fyny i'r Cwm i bwll glo o'r enw Tarenni Gleision am fod streic yno ac am nad oedd digon o blismyn yno i warchod y *blacklegs*. Fe fyddai'r plismyn hyn yn cerdded gyda'r rheilffordd o dan y banc lle'r oedd *Railway Terrace*. Fe gasglodd hanner dwsin o fechgyn ynghyd, a'i fab ef, Ianto, a Chynddylan Hopcin yn eu plith, a gofyn iddynt gasglu cerrig mawr—pobls fel y'u gelwid—a'u gosod ar ymyl y banc. Cyn hyn yr oedd wedi eu siarsio i gilio, ar ôl gollwng y garreg olaf, dros ben y *railings* a thros yr hewl a heibio i dalcen tŷ Tomos Hopcin, ar hyd llwybr yr ardd, dros y sticil, ac ar hyd llwybr ei ardd ef a thros *Graig Road* ac i fyny i ben y Graig, ac aros yno nes iddi dywyllu. Dyma'r saith yn gorwedd ar eu boliau y tu ôl i'r cerrig ar ymyl y banc, a phan oedd y plismyn gogyfer â hwynt oddi tanynt, dyma Gomer Powel yn rhoi arwydd, a'r saith yn gwthio'r cerrig dros ymyl y banc, a'r gawod gerrig yn twmblo i lawr ac ar ben y plismyn ac nid oedd ganddynt le i ddianc. Ar ôl gollwng y garreg olaf fe redodd pob un am ei fywyd i ben y Graig. Pan ddaethant i lawr yn y tywyllwch i *Graig Road* fe sbiodd y saith i weld a oedd plisman yn y golwg. Gan na welsant yr un fe redasant trwy'r pwll o dywyllwch a oedd rhwng dwy lamp nwy i'w cartrefi. Pan aeth Cynddylan Hopcin i'r tŷ fe ofynnodd ei dad iddo:

' Fuest ti yn towlu cerrig ar ben y plismyn?'

' Na fues i. Pam?'

' Ma'r plismyn wedi whilo pob tŷ yn y stryd 'ma, a hyd yn ôd y tŷ bach, y cwtsh glo a'r cwb clomennod. Lle fuest ti 'te?'

' Fe fuon ni yn whare ar yr hewl, ac yna ethon ni i ben y Graig.'

' Fe glywes i rywrai yn rhedeg hibo'r tŷ 'ma yn y prynhawn,' ebe'r fam.

' Ie, ni odd yn whare cŵn a chanddoid,' meddai'r mab.

' Lle gest ti de?' gofynnodd ei fam.

' Yn tŷ Gomer Powel gyda Ianto.'

Ni chlywodd yr un ohonynt beth a ddigwyddodd i'r

plismyn, ac ni welwyd unrhyw adroddiad yn *Llais Rhyddid*, ond yr oedd Gomer Powel o'r farn ei bod hi yn amhosibl i'r plismyn i gyd ddianc yn ddianaf. 'Roedd Gomer Powel yn falch iawn o'i wrhydri, ac yn falch na chafodd ei ddal.

Yng Nghapel Seion yr oedd yr aelodau yn ceisio dyfalu a ddôi Henry Harper yn ôl i'r sêt fawr ar ôl y driniaeth a gafodd, ac wedi disgwyl am wythnosau ni ddaeth; a chlywsant ei fod wedi gadael y Capel ac ymuno ag Eglwys y Drindod. Yn Eglwys ei feistr, Mr. Gilbert Parsons, y dylai gaffer addoli, meddai ef wrth y Gweinidog, ac yr oedd yn falch nad oedd yr un Gwasanaeth Cymraeg yn yr Eglwys honno.

Y bore Llun ar ôl hyn fe gysgodd y Parch. Morris Parri ychydig yn hwyrach, yn ôl ei arfer; ac ar ôl brecwast fe aeth i'w stydi i adolygu ei Weinidogaeth ac i fyfyrio ar ddigwyddiadau.

Y mae dau wedi gadael y Capel ; Mr. Gomer Powel a Mr. Henry Harper. Sut y mae'r frwydr rhwng y gweithwyr a'r cyfalafwyr yn mynd i effeithio ar yr Eglwys ? A yw'r werin ddiwydiannol yn mynd i gilio o'r eglwysi am ei bod hi yn credu fod yr Eglwys yn un o golofnau'r gyfundrefn gyfalafol ? Y mae gwaith chwarelwyr Arfon yn waith caled a pheryglus, ond y mae yn waith naturiol. Y maent yn tyllu'r graig ac yn naddu llechi yn yr awyr agored. Pan oeddwn i yn Weinidog yn Sir Feirionnydd ac yn Sir Aberteifi, yr oeddwn yn agos at y bobol am fy mod yn gyfarwydd â bywyd y wlad. Ond profiad od ac anghysurus oedd mynd drwy'r Gwaith Dur a'r Gwaith Alcan y diwrnod o'r blaen. Y mae'r gweithwyr wedi eu cau yn y Gwaith, yn gweithio o flaen gwres y ffwrneisiau, yn rholio drwy'r melinau ac yn tendio peiriannau. 'Rwy'n gweld fod pellter rhyngof i a'r rhain. A ddylai Gweinidog ac Offeiriad weithio gyda hwy yn y Gweithiau a gweinidogaethu ar y Sul ? Syniad beiddgar iawn. Onid yw'r diwydiannau hyn yn codi Sosialwyr, Comiwnyddion ac anffyddwyr? Y mae cymaint o anfodlonrwydd ac anniddigrwydd ynddynt o'r cychwyn. 'Rwy'n deall Mr. Gomer Powel yn well yn awr ac yn cydymdeimlo ag ef. Saeson yw'r perchenogion ac y maent wedi codi Eglwys Saesneg, ac y mae Mr. Henry Harper wedi mynd yno. Y mae ef yn casáu'r Gymraeg. Saesneg yw iaith y dosbarth uchaf, ac y mae'r werin at ei gilydd yn siarad Cymraeg, ond a fydd hi yn y dyfodol agos yn efelychu'r mawrion ac yn siarad Saesneg? Beth fydd dyfodol y capeli Cymraeg yn y De? Bydd capel yn y De heb Feibl Cymraeg ac emynau Pantycelyn ac Ann Griffiths yn gapel dieithr.

Ond yr hyn sy'n fy mhoeni i fwya yw'r syniada cyfeiliornus ac anffyddol sydd yn dyfod i'r Cwm a Gwaun-coed. Y maent yn gwadu hen athrawiaetha uniongred a thraddodiadol yr Eglwys—Credo'r Apostolion, Credo Athanasiws a Chredo Chalcedon. Ac y mae rhai diwinyddion o'u plaid hefyd. Llyfr gwirion yw llyfr R. J. Campbell, *The New Theology*. Meddylier am ddiwinydd yn deud pethau fel hyn—' Mae Duw a dyn yn hanfodol un.' ' Pan beidia ein hymwybyddiaeth ni â bod, ni fydd yr un gwahaniaeth rhwng yr eiddom ni a'r eiddo Duw.' Nid yw hyn yn ddim ond pantheistiaeth. Ac mae'n dal hefyd mai'r un yw Sosialaeth â Christionogaeth. Diolch fod yna ddiwinyddion eraill. Y llyfr gora a ddarllenis i yw *The Person and Place of Jesus Christ* gan P. T. Forsyth, llyfr a gyhoeddwyd ddwy flynedd yn ôl. Y mae yn gampwaith. Hwn yw'r diwinydd mwya yn y wlad. Nid yw yn sôn am Campbell, ond y mae yn dryllio ei ddiwinyddiath yn gyrbibion mân. Diwinyddiath Feiblaidd ac Efengylaidd yw diwinyddiath Forsyth. Yr un yw'r Efengyl ym mhob man ; yn y wlad ac yn y Gwaith Dur, yn y pwll glo ac yn y chwaral. Pechaduriaid ydym i gyd. Y mae Mr. Gomer Powel yn credu yn naioni dyn, ond yn ystod y streic fe welwyd fod ynddo hen nwydau cyntefig— dinistr, creulondeb a ffyrnigrwydd. Y mae Campbell yn gwneud Duw a dyn yn un, ond y mae pellter ofnadwy rhwng dyn meidrol a'r Duw anfeidrol, rhwng y pechadur a'r Duw sanctaidd a chyfiawn, a'r Duw-ddyn yn unig a allodd drwy Ei gariad ar y Groes ei bontio :

> Y pellter oedd rhyngddynt oedd fawr,
> Fe'i llanwodd â'i haeddiant Ei hun.

Yn nwylo'r Efengyl y mae'r dyfodol am mai ganddi hi y mae'r gwir am ddyn a'r gwir am Dduw. Fel y dwedodd Eseia :

A phobloedd lawer a ânt ac a ddywedant,
Deuwch, ac esgynnwn i fynydd yr Arglwydd, i dŷ Jacob ;
Ac efe a'n dysg ni yn ei ffyrdd,
A ni a rodiwn yn ei lwybrau ef :
Canys y gyfraith a â allan o Seion,
A gair yr Arglwydd o Jerwsalem.

Ac fel y dywed yr emyn :

> Fe welir Seion fel y wawr,
> Er saled yw ei gwedd,
> Yn dod i'r lan o'r cystudd mawr,
> 'R ôl agor pyrth y bedd ;
>
> Heb glaf na chlwyfus yn eu plith,
> Yn ddisglair fel yr haul,
> Yn y cyfiawnder dwyfol byth
> A wnaed gan Adda'r ail.

Ym mar Y Ceiliog Coch yr oedd y Sosialwyr yn eistedd fel arfer yn un pen iddo, ond erbyn hyn yr oeddent yn bump: ac yn y pen arall yr oedd Telynfab Niclas a'i gwmni, ond yr oedd dau wedi eu claddu. Yn y canol yr oedd rhai yfwyr newydd, a dau wedi dychwelyd ar ôl bod dan ddylanwad y Diwygiad. Ar y cownter y pwysai'r dyn a'r naill goes ei fraich, ac ar y llawr yr oedd ei ffon fagl. Yn y blynyddoedd hyn pylid y poteli a'r gwydrau ar y silffoedd y tu ôl i'r cownter gan y digwyddiadau, ac yn anaml y rhedai'r cwrw yn llawen o'r casgenni.

'Roedd canmol ar Lloyd George yn y dafarn am ei Bensiwn Hen Bobol, sef saith a chwech i ŵr a gwraig ar ôl cyrraedd trigain a deg, a choron i ddyn sengl.

' Ma gyta fi bôs i chi,' ebe Telynfab wrth ei gwmni.

' Beth yw e ?' gofynnodd y Dryw.

' Dyma fe. Beth yw'r gwahanieth rhwng Lloyd George a Iesu Grist ?'

Ar ôl pensynnu am dipyn a chrafu pen,

' Dôs gyda fi ddim amcan,' meddai'r Dryw.

' Dim llyfeleth,' ebe'r Hebog.

' O! Dyma'r ateb. Ma Iesu Grist wedi addo coron i ni yn y byd arall, ond ma Lloyd George wedi rhoi coron i ni yn y byd hwn.'

' Ciwt, myn brain i,' meddai un o'r cwmni.

Ar y chweched o Fai, 1910, bu farw'r brenin Edward VII, ac yr oedd tristwch yn y wlad, a thristwch yn y bar, ac yfed ei gwrw yn araf a wnâi Telynfab Niclas, ac nid oedd fawr o sgwrs ganddo y nos Sadwrn hwnnw.

'Ma'r hen dderyn mawr wedi marw. Ma'r hen frenin wedi mynd. 'Rw i yn siŵr fod Madam Patti yn 'i gweld hi yn whith ar 'i ôl e,' meddai ef.

Ond cyn diwedd y nos ar ôl yfed y peintiau yr oedd yn adrodd stoc o storïau coch amdano.

'Beth yw'r slaten 'na fonco?' gofynnodd un o'r cwmni i'r tafarnwr, gan gyfeirio at lechen y tu ôl i'r cownter.

'O, 'set ti'n dishgwl yr ochor arall iddi,' atebodd y tafarnwr, 'welset ti enwe mewn sialc; enwe pobol sy wedi câl diod yma ar hen gownt, a ma'n nhw wedi addo talu yn ôl ar ôl y streic. 'Dŷn nhw ddim yn câl pensen pan ma'n nhw mâs o waith, a 'rw i yn cymryd trueni arnyn nhw.'

Yr oedd y streiciau yn destun siarad brwd yn y bar, a chan bob un ei farn; a thraethai Telynfab Niclas yn huawdl ar y pwnc, gan godi'r cudyn gwallt oddi ar ei lygad.

''Tawn i'n marw, bois, ma'r byd wedi mynd. W i ddim yn gwpod lle ma fe yn mynd. Ma fe yn llawn terfysg. Ma'r gwithwrs yn mynd ar streic ar yr esgus llia. A 'dŷn nhw ddim callach ar ôl mynd ar streic. Ar y bechgyn ifanc 'ma ma'r bai—John Hopla, Noah Rees a Noah Ablett. Codi casineb rhwng y mishtri a'r gwithwrs ma rhai yn 'i neud. 'Drychwch ar Gwm Rhondda. Fe weles yn rhywle fod mwy o wâd wedi câl 'i golli a mwy o esgyrn wedi câl 'u torri mewn awr yn ystod y streic yn y Rhondda nag ar hyd y blynydde yno. A dod â'r soldiwrs i'r Cwm ed. Pam na fydde'r

142

coliers 'ma yn dilyn Mabon? Ma Mabon yn gallu bargino â'r mishtri. Pan odd y coliers yn gofyn am ddou swllt o godiad yn 'u cyflog, fe fydde Mabon yn mynd at y mishtri i ofyn am y codiad, ac ar ôl bargino fe fydde yn câl swllt o gwnad. 'Rodd Mabon yn derbyn y swllt, ac fe fydde'r coliers yn 'i alw yn fratwr ac yn bob enw dan haul. Ond ymhen mish fe fydde Mabon yn mynd at y mishtri yr ail waith, ac yn gofyn am swllt o gwnad, ac yn câl y swllt. Dyna fe, welwch chi, wedi câl dou swllt; ac wedi 'u câl nhw heb fynd ar streic. 'Dôn nhw ddim wedi colli cinog goch y delyn yn ystod streic, ac wedi câl y codiad yn llawn. 'Nawr ma'n nhw yn colli arian yn ystod y streic, ac ar ôl hynny 'dŷn nhw ddim yn câl cwnad o gwbwl. Dyn ciwt odd Mabon, bois; dyn call, yn wahanol i'r bechgyn gwyllt 'ma. Ŷch chi'n gweld, ma Mabon yn Gymro, yn arweinydd Eisteddfote ac yn ddyn Capel. Dyna'r gwahanieth rhyngtho a'r rhain, ac ma rhai ohonyn nhw yn ishte draw fanco. Glywsoch chi am y jôc wnath Mabon arno'i hun?'

'Naddo,' atebodd fwy nag un o'r cwmni.

'O. "*I am three M.P.s*", medde Mabon amdano'i hun, "*I am the Miners' President: Member of Parliament and Methodist Preacher.*" Da iawn, on ti fe? Ma'r ffaith 'i fod e yn Gymro ac yn bregethwr Methodist yn cyfri, ŷch chi'n gweld. Ond yr arweinwyr ifanc 'ma, rhyw hanner inffidels ŷn nhw, ac yn bablan Sysneg: a'u hunig amcan nhw yw catw'r Gwithe rhag gwitho er mwyn iddyn nhw 'u rheoli nhw. Wrth gwrs, 'dyw'r ffaith fod teuluodd yn diodde yn ystod streic yn cyfri dim gyta nhw. Y diawled twp.'

'Digwddws yr un peth gyda'r streic yn y lle 'ma,' meddai'r Dryw.

' Wrth gwrs. Mynd ar streic; aros mâs am dair wsnoth, a mynd nôl heb gâl dim cwnad o gwbwl. A wetyn, dyna nhw yn towlu'r Henry Harper 'na i'r pwll tro yn yr afon fel ci yn câl 'i fedyddio. 'Dw i ddim yn lico Henry Harper. Fe gollws y diawl 'i ben ar ôl câl jobyn gaffer. Fe âth yn stumocyn. Pan odd yn cered ar y Sgwâr 'na, gallech chi feddwl fod sbindl y greadiceth yn troi ar 'i fwtwm bola fe. Ond 'dyw hyn ddim yn rheswm dros 'i gam-drin e. Fe gas gam, pŵr dab. Do, wir, bois. Whare teg, 'nawr; whare teg, myn yffarn i.'

Fe ddaeth dychryn trwy'r bar, ac aeth braw trwy'r poteli, y gwydrau a'r casgenni pan suddwyd yn 1912 y llong ansuddadwy honno, y *Titanic*. Fe aeth drwy'r byd. Fe gynhyrfwyd llyn boddhaus y cyfnod Edwardaidd. Fe gafodd balchder dyn ysgydwad, a chred dyn mewn gwyddoniaeth hen ergyd gas. Ar ôl taro yn erbyn rhewfryn ar ei mordaith gyntaf fe suddodd, a boddodd 1,500 o'r 2,200 ar ei bwrdd yn y dyfroedd iâ. Wrth suddo fe ganodd y band '*Nearer, my God, to Thee*'. Yn y bar yn Y Ceiliog Coch y nos Sadwrn ar ôl hyn fe gododd Telynfab ar hanner ei yfed i ganu'r emyn ac arwain y lleill:

> ' *Nearer, my God, to Thee,*
>   *Nearer to Thee* ;'
> *Even though it be a cross*
>   *That raiseth me ;*
> *Still all my song would be,*
> ' *Nearer, my God, to Thee,*
>   *Nearer to Thee.*'

Ond ni chanodd aelodau o'r Blaid Lafur Annibynnol am nad oeddent yn credu mewn emynau.

' Pam 'sech chi ddim yn canu'r emyn, bois?' gofynnodd Telynfab iddynt. 'Ŷch chi ddim yn cymryd trueni ar y bobol 'ma a foddws?'

'O na, ma gyda ni gydymdeimlad â nhw,' atebodd Twm Llewelyn. 'Ond fe welsoch chi fod yr un system ar y llong ag sy yn y wlad.'

'Pwy system, w?'

'Darllenwch yr hanes, Telynfab Niclas, ac fe gewch chi weld fod y Capten wedi trio achub y cyfoethogion o flân y tlodion. Y gwŷr mawr 'gas fynd i'r bade gynta. Dyna pam na chanson ni yr emyn.'

'Fe ddarllenes i hanes y llong yn fanwl yn *Llais Rhyddid*, a 'weles i ddim sôn am y Capten yn helpu'r gwŷr mawr gynta. Ffrwyth dychymyg rhyw bapur *Socialist* yw e.'

'Nag e. 'Dŷch chi ddim yn dishgwl câl hanes fel hyn mewn shwt rhecsyn â *Llais Rhyddid*. Peth arall, Telynfab Niclas, 'rŷch chi yn gneud cinog go lew fel clerc yr ange. Ond ma 'na bobol dlawd yn y pentre 'ma bron â llwgu.'

' 'Rw i yn gwpod gystel â ti, ond falle 'y mod i yn helpu mwy arnyn nhw na ti a dy siort. Blaban am y tlodion ŷch chi, a dishgwl câl swydd ar 'u cefen nhw.'

Yna fe ddaeth y newydd fod dŵr wedi torri i bwll glo Tarenni Gleision o hen bwll Ynysgeinon; ac fe foddodd pump o lowyr. Yn ffodus, yr oedd gan y lleill le i ddianc heb orfod mynd trwy'r heding o flaen y dŵr. Fe wnaethant eu ffordd i heding No. 5, ac oddi yno i lefel yr ystabl, a thrwy'r ffordd hon daethant i'r *main drift* ac o fewn ychydig ffordd i waelod y pwll. Pan glywid am ddamwain fel hon, fe âi arswyd byw trwy'r gymdogaeth. Mor ddiymadferth oedd dynion o flaen cwymp a thân a dŵr yn y pyllau glo, ac o flaen y

peiriannau yn y Gwaith Dur a'r Gwaith Alcan. Ar
wyneb pawb yr oedd gofid a galar wrth weled teuluoedd
yn cael eu rhwygo. Am fod y ddamwain mor sydyn nid
oedd gwragedd yn sylweddoli am ddyddiau eu bod wedi
colli eu gwŷr, ac yr oedd y plant yn disgwyl eu tad yn ôl.

' Glywsoch chi am yr anap?' ebe Telynfab yn y bar.
' W i wedi gneud cân. Grandwch arni.

Gorlifiad Yng Nglofa'r Tarenni

Y newydd gwyllt sy'n fflachio
    Drwy'r gwaith mewn munud awr,
Fod dyfroedd wedi rhuthro
    I fewn yn genllif mawr ;
A'r glowyr am eu bywyd
    Ar unwaith geisiant ffoi
Drwy lifeiriant enbyd
    Heb wybod b'le i droi.

Eu golau sy'n diffoddi
    A sŵn rhaeadrau 'nawr
Drwy'r fythol nos yn llenwi—
    Drwy'r caddug yn dod i lawr,
A llif o goed a rheiliau
    Yn clymu am eu traed,
A'r glowyr dewrion hwythau
    Yn ymladd yn eu gwaed.

Gafaelent yn ei gilydd,
    Pob un yn gwneud ei ran,
Y cryf o hyd yn plygu
    I geisio codi'r gwan ;
A bechgyn bach afaelent
    Am yddfau'r glowyr cryf,
Ac wrth eu dillad dalient
    A gafael nerthol, hyf.

Er cymaint fu ymdrechion
    Y glowyr ffyddlon hyn
Fe syrthiodd pump o ddewrion
    Ymhlith dyfnderau'r glyn.
Dan gwmwl mae'r ardaloedd
    Wrth feddwl am eu clwy—
A heddiw wyla miloedd
    Wrth gofio amdanynt hwy.

O ! cofiwch, feibion dynion
  Yn eich anheddau clyd,
Pan wrth eich tanau mawrion
  Yn ddedwydd iawn eich byd,
Y glo sydd yn cynhesu
  Eich aelwyd gynnes gu—
Mae wedi ei gymysgu
  A gwaed y glöwr du. '

' Da iawn,' ebe'r cwmni i gyd.

' W i yn meddwl cyhoeddi hon yn "Y Golofn Farddol".'

Fe aeth draw at aelodau'r Blaid Lafur Annibynnol a
darllen y gân iddynt.

' Ŷch chi'n gweld fod gyta fi gydymdeimlad â'r
gwithwrs, ac fe fydda i yn 'i chyhoeddi hi yn "Y Golofn
Farddol" yn *Llais Rhyddid*; a 'cha i ddim cinog goch y
delyn amdani.'

' Beth sydd ishe,' ebe Twm Llewelyn, ' yw system fydd
yn stopo pethe fel hyn.'

VI

Ym mis Tachwedd 1899 y ganed Taliesin Niclas, ei
eni ar farwolaeth ei fam; a'r wraig weddw, Mrs. Owen,
a ofalai am dŷ ei dad a'i magodd ef. Plentyn ofnus
ydoedd, ac wrth ei ddysgu i siarad fe welwyd fod atal
dweud arno; ac ar ôl cael ei deirblwydd fe ddaliai i
wlychu ei wely. Pan fedyddiwyd ef yr oedd yn llefain,
a tharo cnec yn uchel. Fe aned Cynddylan Hopcin ym
mis Tachwedd 1900; ac ymhen dwy flynedd ar ei ôl ei
chwaer, Myfanwy. Plentyn diddig oedd Cynddylan;
yr oedd gwên o hyd ar ei wyneb, ac ni chafwyd trafferth
ganddo i gysgu: ond ar ôl i chwaer ddod i'r byd, fe aeth
yn anniddig am fod ei chwaer yn cael yr holl sylw. Ym
mis Rhagfyr 1900 y ganed Evan Mabon Powel; ac
ymhen tair blynedd ar ei ôl ei chwaer, Tabitha. Plentyn
anniddig oedd Evan neu Ianto; plentyn pengam; ac yr
oedd yn waeth ar ôl cael chwaer, er i Hanna Powel geisio
peidio â rhoi'r holl sylw i'r un fach, ond yr oedd Gomer
Powel yn dwli ar y ferch. Hi oedd cannwyll ei lygad.
Yn y Cwrdd Gweddi ar nos Fawrth neu yn y Seiet nos
Iau y bedyddid plant. Ar ford y festri yr oedd lliain gwyn,
a basn o ddŵr oer arno; y rhieni yn eistedd yn y sêt
ffrynt, a'r fam yn codi i roi'r plentyn i'r Gweinidog; y
Gweinidog yn ei gymryd yn ei gôl, yn rhoi ei fysedd yn
y dŵr yn y basn, ac wrth daenellu'r dŵr ar dalcen y
plentyn yn dwedyd: ' Bedyddiaf di,' (a rhoi'r enw) ' yn
enw'r Tad, y Mab a'r Ysbryd Glân.' Yna, ar ôl gweddi
yn eu cyflwyno i Dduw a'r Eglwys, fe genid un o'r
' Emynau Bedydd ' yn y *Llyfr Emynau.* Mewn cawell y
megid y plant, cawell a thraed dano i'w siglo; ac ar
dywydd oer yr oedd y cawell wrth ochor y tân, ac ar
dywydd ffein yr oedd allan yn y cefn; a phan âi'r fam

allan o'r tŷ â hwy fe âi â hwy mewn siôl fagu. Fe gafodd
y plant hyn yn eu tro fel plant yn gyffredin afiechyd a
thwymynon—y pâs; brech yr ieir; y frech goch; twymyn
doben a thonsils. Fe aeth Telynfab Niclas i Ysbyty Aber-
tawe â'r mab i dorri ei donsils, ac yn y trên ar y ffordd
yn ôl, fe dynnai ei dad ffenestr y cerbyd i lawr i'w fab
gael poeri gwaed. Pan gribai'r fam eu gwallt yr oedd
y grib yn fyw gan nedd. Fel plant yn gyffredin, fe fuont
yn cripad cyn dechrau cerdded; yn dysgu cerdded wrth
fyned o stôl i'r ford ac o'r ford i stôl arall; yn sefyll ar un
droed; yn sgipio; yn mynd hec-a-cham-a-naid; ac yn
dysgu iaith drwy ddynwared sŵn—bow-wow; me-me:
mw-mw: ji-ji a mi-ew.

Yn bump oed fe aethant i Ysgol y Babanod, er i
Daliesin Niclas fyned flwyddyn cyn yr aeth Cynddylan
Hopcin; y bechgyn mewn blows a sgert a choler brodri,
a'r merched mewn blows a sgert a phiner. Yno y dysgid
yr A.B.C., a rhigymau Cymraeg a Saesneg, fel

Morys y gwynt ac Ifan y glaw
A chwythodd fy het i ganol y baw.

O Mari, Mari, cwyn :
Mae heddiw'n fore mwyn,
    Yr adar bach yn tiwnio
A'r gwcw yn y llwyn.

Pegi Ban âth i olchi,
Ishe dillad glân odd arni ;
Tra fu Pegi yn mofyn sebon,
Fe âth y dillad gyda'r afon.

Beti bwt a âth i gorddi,
Ishe menyn ffresh odd arni :
Tra fu Bet yn nôl y fudde
Âth yr hwch i'r crochan hufen.

Ifan bach a minnau
    Yn mynd i ddŵr y môr ;
Ifan yn codi'i goesau
    A dweud ' Ma'r dŵr yn ô'r !'

Mi af i'r ysgol 'fory
  A'm llyfyr yn fy llaw,
Heibio i'r castell newydd,
  A'r cloc yn taro naw,

a llafarganu ac actio cerddi fel y rhain:

Si-so, jac-y-do
Yn gwneud ei nyth trwy dyllau'r to.

Si-so, si-so,
Deryn bach ar ben y to.

Knock, knock (gan guro'r talcen)
Come in (codi amrant y llygad)
Lift the latch (codi'r trwyn)
And walk in (agor ceg).

Dysgu rhigymau Saesneg fel:

*Rain, Rain, go away,
Come again another day,
Little Johnny wants to play.*

Three blind mice, see how they run . . .

Hickery, dickery dock . . .

Who killed Cock Robin ? . . .

Baa baa, black sheep . . .

Mary had a little lamb . . .

*Clap hands, clap hands
  Till father comes home ;
For father's got money,
  And mother's got none.*

Yn yr iard fe ddysgent chwaraeon fel ' *Ring-a-ring-o' roses* '. Yn yr Ysgol fe chwaraeent â thywod, chware â blociau llun a thynnu lluniau â chreion. Wrth dynnu llun fe sylwai'r athrawes fod Taliesin Niclas yn cydio yn y creion yn dynn, ond ar ei ddysgu i beidio â gwneud hyn, efe oedd y tynnwr llun gorau; a rhoid ei lun mewn lle arbennig ymhlith y lluniau a binnid ar y wal. Y ddau beth a hoffai'r plant fwyaf oedd y ceffyl siglo a'r polyn Mai. Yn y neuadd yr oedd y ceffyl a chodai'r athrawes neu'r ysgolfeistres dri neu bedwar plentyn ar ei gefn, a gwthio'r pren ar y gwaelod i'w siglo; ac yr oedd y plant yn ymgiprys â'i gilydd i fynd arno, ac ar ei gefn yr oedd cystadleuaeth am ddal yr afwyn, a ffraeo hefyd. Ar ganol y neuadd y rhoid y polyn Mai: o'i dop yr oedd rubanau o bob lliw yn hongian: cydiai pob plentyn yn un ruban, a dawnsient i fiwsig y piano, a genid gan yr athrawes, o amgylch y polyn nes yr oedd y rubanau wedi eu gwau i'w gilydd yn batrwm amryliw: yna fe ddawnsient y ffordd arall gan ddad-wneud y patrwm ac aros pan oedd y rubanau yn hongian yn rhydd fel yr oeddent ar y dechrau. Yn y neuadd hefyd yr oedd bocs mawr o deganau—yn llewod, teigrod, camelod, eliffantod, ceffylau, defaid, gwartheg ac yn y blaen, ac ar y llawr y byddai'r plant yn chware â'r rhain. Fe gâi pob plentyn a ddaeth yn ddi-fwlch i'r ysgol yn ystod yr wythnos, a dod yn brydlon, garden dlws i fynd adre â hi. Wrth fynd allan o'r Ysgol byddai'r plant yn sgrechen nerth eu pen, ac yn rhedeg heibio i'r chwe ffynidwydden, y coed a gysgodai iard yr Ysgol; coed a'u rhisgl fel lledr ac arno sgwarau bach a rhychau rhyngddynt; a choed a daflai eu dail ar y llawr fel nodwyddau.

Yn yr Ysgol Sul yr oedd dosbarth y plant yn y festri, a'r dosbarthiadau eraill yn y Capel. Mari Hopcin a ddysgai'r plant; eu dysgu yn gyntaf i adrodd llyth-rennau'r A.B.C: wedyn i lunio geiriau fel T . . . A . . . D . . .—Tad; M . . . A . . . B—Mab, ac yn y blaen. Yna fe adroddai iddynt storïau o'r Hen Destament fel hanes geni Moses; hanes Joseff—ei siaced fraith, ei fwrw i'r pydew, ei fyned i'r Aifft, a'i frodyr oherwydd y newyn yn mynd at Lywydd yr Aifft heb wybod mai eu brawd ydoedd ef; cuddio'r cwpan yn y sachau a gwahodd eu tad a'u brawd ieuengaf yno; hanes Dafydd yn ymladd yn erbyn y cawr, Goliath—y stori fwyaf diddorol ohonynt: hanes Samson yn lladd y llew, yn cael ei dwyllo gan Delila; ei ddallu a thynnu pileri'r deml i lawr. Wedyn fe ddysgent y *Rhodd Mam*, y naill hanner o'r dosbarth yn gofyn y cwestiynau a'r hanner arall yn ateb.

Gofyniad : Pwy a'ch gwnaeth chwi ?
Ateb : Duw.

G. Beth yw Duw ?
A. Ysbryd . . .

G. Pwy oedd y dyn cyntaf ?
A. Adda.

G. Pwy oedd y wraig gyntaf ?
A. Efa . . .

G. Pa sawl rhan sydd mewn dyn ?
A. Dwy ran.

G. Pa rai ydynt ?
A. Corff ac enaid . . .

G. Pa sawl math o blant sydd ?
A. Dau fath.

G. Pa rai ydyw'r ddau fath ?
A. Plant da a phlant drwg.

G. I ba le yr â plant drwg ar ôl marw ?
A. I uffern.

G. Pa fath le ydyw uffern ?
A. Llyn yn llosgi o dân a brwmstan.

G. Pwy a ddichon waredu plant drwg rhag mynd yno ?
A. Iesu Grist.

G. I ba le yr â plant da ar ôl marw ?
A. I'r nefoedd.

G. Pa fath le yw'r nefoedd ?
A. Lle gogoneddus a hyfryd . . .

G. Pwy a anfonodd Duw i'r byd i achub pechaduriaid ?
A. Iesu Grist.

G. Pwy ydyw Iesu Grist ?
A. Duw a dyn . . .

G. Pwy oedd y dyn ffyddlonaf ?
A. Abraham.

G. Pwy oedd y dyn llareiddiaf ?
A. Moses . . .

G. Beth ydyw Swper yr Arglwydd ?
A. Bwyta bara ac yfed gwin yn goffadwriaeth o farwolaeth
Crist.

G. Beth y mae y bara yn ei arwyddo ?
A. Corff Crist.

G. Beth y mae y gwin yn ei arwyddo ?
A. Gwaed Crist . . .

Ar ddiwedd y *Rhodd Mam* yr oedd *Credo'r Apostolion*
ac fe ddysgid hwn ar go. Wedyn fe holai'r athrawes
bob plentyn ar ei ben ei hun ynglŷn â'r *Rhodd Mam*,
ac fe welodd mai gan ei mab hi, Cynddylan, yr oedd y
cof gorau. Fe aent i'r Seiet bob nos Iau i adrodd eu
hadnodau, gan gychwyn gyda rhai byr fel

> Cofiwch wraig Lot.
> Da yw Duw i bawb.
> Duw, cariad yw.

Ac ar ôl hyn y dysgodd y plant hŷn iddynt rigymau ar vr adnodau hyn:

> Da yw Duw i bawb,
> I fi a Shoni 'mrawd.

> Cofiwch wraig Lot.
> Pishyn tair a phisyn grot.

> Cofiwch wraig Lot.
> Hala wilber acha trot.

Dau ddyddiad pwysig yng nghalendr y plant oedd y Nadolig a thrip yr Ysgol Sul.

Fore'r Nadolig yr oedd eu shifflad yn y gwely cyn dihuno, oherwydd yr oedd yn rhaid mynd i'r pylgen erbyn chwech o'r gloch. Ar ôl brecwast fe âi'r rhieni a'r plant trwy dywyllwch y gaeaf i festri'r Capel, a phan oedd hi wedi bwrw eira yn drwm fe eid rhwng dwy wal wyth droedfedd o uchder, a hwythau yn mân oleuo'r nos; a chyn myned i gyntedd y festri, yr oedd pawb yn bwrw eu hesgidiau yn erbyn y wal i gael gwared yr eira caled. Yn y festri yr oedd distawrwydd cysglyd ar wahân i sŵn cryglyd y nwy ar y bracedi, a dic-doc y cloc ar y mur uwchben y pulpud. Fe eisteddai pawb yn y seti o amgylch y stof, a phan oedd hi'n wynt fe'i clywech ef yn y beipen yn chwythu'r tân. Cwrdd Gweddi oedd yno; a'r gweddïwr cyntaf yn dar-llen darn o bennod ar hanes y Geni; a'r tri gweddïwr yn diolch yn eu gweddïau i Dduw am anfon Ei Fab i'r byd yn faban yn y stabl ym Methlehem i farw drosom. Ar y cychwyn a rhwng y gweddïau ac ar y diwedd fe genid emynau'r Ymgnawdoliad yn y Llyfr Emynau, fel

> Peraidd ganodd sêr y borau
> Pan y ganwyd Brenin nef ;
> Doethion a bugeiliaid hwythau
> Ddaethant i'w addoli Ef :

Gwerthfawr drysor !
Yn y preseb Iesu a gaed.

Dyma Geidwad i'r colledig . . .

Brasgamai'r plant adre canys yr oedd eu 'sanau ar
byst y gwely yn llawn, ac nid oedd hawl ganddynt i'w
gweld ond ar ôl dychwelyd o'r pylgen. Fe dynnent y
ffrwythau allan—afal, orenj, jaffer, banana, cnau a
chnau mwnci. Yna fe'u siersid hwy i beidio â bwyta
gormod cyn cinio. Ffowlyn oedd i ginio, yr unig dro y
ceid ffowlyn yn ystod y flwyddyn: a byddai'r tad yn ei
garfio â chyllell fawr wedi ei hogi ar garreg y drws; a'r
fam yn rhannu'r tatws a'r llysiau ar y platiau, a rhoi
grefi dros y cwbwl. Wedyn fe rannai fasned o bwding
Nadolig, pwding yr oedd hi wedi ei wneud a'i ferwi yn
fasneidiau mewn *boiler* ar y tân; ac am bob basned yr
oedd lliain a hwnnw wedi ei glymu yn dynn ar y top.
Ar y pwding fe arllwysai saws o'r sosban. Fe fwyteid
ar ôl hyn y pwding o fasned i fasned, ond ymhell ar ôl
y Nadolig y bwyteid y basned olaf. Yn y prynhawn fe
âi'r plant i'r festri yr eilwaith, a mynd yn foldyn, ond
y fath wahaniaeth oedd rhwng y festri yn y prynhawn
ac yn y bore yn y pylgen. Ar y waliau yr oedd papur
lliw, ac wrth y nen yr oedd lanterni yn hongian, a
chanhwyllau lliw yn llosgi ynddynt. Yng nghhornel y
festri yr oedd y Pren Nadolig, a hwnnw yn llwythog
gan anrhegion. 'Roedd pob plentyn yn cael carden a
rhif arni, ac ar yr anrhegion ar y goeden yr oedd yr un
rhifau. Fe osodid y plant i eistedd yn y seti blaen yn
dawel: a phan alwai Arolygwr yr Ysgol Sul rif arbennig,
fe godai'r bachgen neu'r ferch â'r rhif hwnnw ar y garden;
mynd ymlaen at y goeden a chydiai'r Arolygwr yn yr
anrheg â'r rhif hwnnw a'i rhoi i'r bachgen neu'r ferch.

Fe gafodd Cynddylan Hopcin Jac-yn-bocs; Ianto Powel enjin a oedd yn mynd ar ôl ei weindio; Taliesin Niclas focs tiwn; Myfanwy Hopcin ddoli; a Thabitha Powel ddoli ond yr oedd hon yn cau ei llygaid ar ôl ei gosod i orwedd. Nid oedd Myfanwy yn fodlon fod Tabitha wedi cael gwell doli na hi, ond yr oedd Myfanwy yn gwybod y gallai ei mam hi wneud dillad pert i'w doli hi, ond ni allai mam Tabitha wnïo o gwbwl. Am yr enjin, yr oedd Ianto wedi tynnu ei berfedd allan cyn y nos.

Ar drip yr Ysgol Sul a phan oedd y Gymanfa Ganu mewn capel arall, yr âi'r plant y tu allan i'r pentre. Am wythnosau fe fyddent yn cynilo eu ceiniogau gogyfer â'r trip yn niwedd mis Gorffennaf neu ddechrau mis Awst. Ar ddechrau'r ganrif mewn brêc yr aent hwy a'u rhieni, brêc Sam Lewis; Sam yn cracian ei chwip uwchben y ddau geffyl, ac yn gweiddi 'ji-yp'; ac ar strydoedd coblog Abertawe yr oedd y brêc yn crynu i gyd. Ni pharhaodd y brêc yn hir canys yr oedd yn hanner dydd pan gyrhaeddai'r Mwmbwls. Penderfynwyd mynd gyda'r trên: mynd gyda'r trên o stesion Gwaun-coed i stesion y Great Western yn Abertawe; cerdded ar yr hewl a thros y tramreil heibio i'r doc, a'r plant yn rhyfeddu gweld y llongau; ac i fan cychwyn trên bach y Mwmbwls. Fe redai'r plant am y cyntaf i ddringo i dop y trên er mwyn cael gweld y traeth a'r môr, ac yr oedd y môr mor las a phell, a'r tywod mor felyn. Wrth gychwyn a rhedeg yr oedd y trên bach yn pwffian ac yn peswch fel pe byddai asma arno, ac yn poeri ei ludw ar hetiau gwellt y plant ac ar ymbrelo sidan y mamau. Ar y traeth wrth i'r trên basio yr oedd bechgyn yn sefyll ar eu pennau; eraill yn rhedeg ar eu dwylo ac eraill yn cylchdroi ar eu dwylo, a thaflai'r plant geiniogau iddynt, a Thelynfab Niclas bishyn chwech.

Cyrraedd y Mwmbwls, gwlad hud a lledrith, a phawb yn ymestyn eu llygaid i weld y pellter. Fe fyddai'r tesni yn crynu ar y dŵr, a'r llongau â'r hwyliau lliw yn llithro arno fel telynegion. Myned i'r pier ac edrych mewn drychau; y naill yn gwneud y corff yn grwn fychan fel pe byddai ar fyrstio; y llall yn ei droi yn dal denau fel cordyn bleinds. Myned i'r traeth; rhai i chware criced, ac eraill i chware rownders; y plant â'r bwcedi a'u rhofiau i gloddio tyllau yn y tywod ac i lunio cestyll: llanw'r bwced â thywod, ei droi wyneb i waered, rhoi cnoc iddo â'r rhaw, gosod y bwceidiau yn gylch ac yn y canol dŵr y castell. Cyn eich bod wedi troi rownd, yr oedd yn bryd cinio; cinio ar y traeth, a'r tywod yn mynd i'r bwyd. Y rhai hynaf yn mynd i'r dŵr i nofio; y mamau yn golchi eu traed ar yr ymyl ac yn dal eu sgertiau i fyny; y plant yn eu hymyl yn sblashan yn y dŵr ac yn cael llond pen o ddŵr hallt. Fe olchai'r dŵr y llwch o'r llygaid; yr huddygl o'r clustiau a'r mwg oddi ar y corff; ac nid oedd y pentre diwydiannol ond rhyw freuddwyd hyll a phell. Ar ôl yfed pop a bwyta india-roc a thaffis yr oedd yn bryd mynd adre tua chwech. Esgyn i dop y trên bach a'r plant yn gweld y llanw yn llanw'r pyllau yn y tywod ac yn dymchwelyd y cestyll. Y trên yn cychwyn cloncian, ac fel rhyw gawell swnllyd yn siglo'r plant i gysgu. Cyrraedd Gwaun-coed, y pentre hyll, myglyd, cul. Llusgo i fyny'r grisiau, a chyrff y plant yn gwynegu gan flinder; rhoi pen ar obennydd a chysgu, a'r breuddwydion yn llawn lliwiau glas a melyn, a'r llongau yn llithro i ryw wlad lle'r oedd yr awyr yn lân, y môr yn eang a'r traethau yn llawn cestyll a chwaraeon y Tylwyth Teg.

Bob nos ond pan fyddent wedi blino gormod fel ar

noson y trip, fe benlinient wrth erchwyn y gwely ac adrodd:

Rhof fy mhen i lawr i gysgu,
Rhof fy ngofal i Grist Iesu ;
Os bydda' i farw cyn y bore
Derbyn, Arglwydd, f'enaid inne.

Ac ychwanegai Cynddylan Hopcin:

Diolch i Ti am dada a mama a Myfanwy.

Ac Ianto Powel:

Diolch i Ti am dad a mama a Tabitha.

Ac enwai'r merched eu brodyr. Ar ôl darllen llyfrau plant a gwrando ar storïau yn Ysgol y Babanod fe freuddwydient am wrachïod, cewri, llewod, eliffantod a lladron. Fe'u gwelai'r merched eu hunain yn hedfan yn yr awyr, yn ceisio dal trên a methu ac yn mynd trwy ryw wlad bell. Yn eu breuddwydion yr oedd y bechgyn yn ofni i'w tadau gael niwed yn y Gwaith neu eu lladd; ac fe fyddent yn breuddwydio eu bod yn noethlymun neu ar farw. Fe gâi Taliesin Niclas hunllefau; a phan ddihunai yn ei gwsg a llefain, fe âi ei dad i'w ystafell wely i'w dawelu a'i gymell yn ôl i gysgu. Hefyd yr oedd arno ofn bod ar ei ben ei hun yn y tywyllwch, ofn y bwci-bo.

Hoff oeddent hefyd o chware drama a mud-actio. Yn y cwtsh glo yr oedd yr actorion yn gwisgo, ac o flaen y cwtsh glo yr oeddent yn actio; a rhaid oedd i bob plentyn a edrychai ar y ddrama dalu pin. Yn un, chware bugail oedd Cynddylan Hopcin, ac yr oedd wedi gosod hen sach ar ei war; ac o'i flaen dychmygai weld llyn, ac o edrych yn fanwl, fe welodd un o ferched y Tylwyth Teg yn dyfod ohono, sef Tabitha Powel, ac yr oedd yn debyg i'r Tylwyth Teg yn ei gwisg wen, hirllaes; ei llygaid glas a'i gwallt golau, cyrliog. Ac addawodd y ferch briodi'r bugail ar un amod—y byddai yn dychwelyd at ei thad pe byddai yn cael ei tharo deirgwaith heb achos. Addawodd y bugail, a daeth y gwartheg o'r llyn, a gwnaeth pawb sŵn mw-mw a me-me a ji-ji, sŵn y defaid a'r ceffylau. Fe'u priodwyd. Un diwrnod fe roes y gŵr arwydd i'w wraig nôl y ceffyl; ac fe drawodd Cynddylan Dabitha yn ysgafn ar ei hysgwydd, ac fe gododd hi un bys. Yn sydyn dyna sŵn chwerthin ar y llwyfan, ond fe wylodd Tabitha; dyna'r gŵr yn ei tharo ar ei hysgwydd. Fe gododd y wraig ddau fys. Wedyn dyna bawb yn llefain, a'r wraig yn chwerthin; a dyna Gynddylan yn taro Tabitha ar ei hysgwydd. Fe gododd y wraig dri bys; a dyna hi yn galw ar ei gwartheg:

> Mu wlfrech Moelfrech,
> Mu olfrech, Gwynfrech,
> Pedair Cae Tonfrech,
> Yr hen Wynebwen,
> A'r las Geigen,
> Gyda'r Tarw Gwyn
> O lys y Brenin,
> A'r llo du bach,
> Sydd ar y bach,
> Dere dithe
> Yn iach adre !

Fe welai'r bugail y gwartheg yn nofio yn y llyn, a'i wraig yn eu harwain; ac fe aeth y cwbwl o'r golwg. Disgynnodd y llen, a'r gŵr yn edrych yn edifar ac unig.

Chware arall. Gŵr a gwraig dlawd ar y llwyfan—Ianto Powel a Myfanwy Hopcin—dyma'r dewin ar y llwyfan a gwialen yn ei law—sef Cynddylan Hopcin, a dwedodd wrthynt fod cyfoeth wedi ei guddio mewn ogo, ac yn yr ogo yr oedd trysorau, a bwystfilod yn eu gwylio; ond fe allai ef gael y cyfoeth iddynt ond iddynt ufuddhau iddo. Dyna'r tri i ymyl yr ogo. Fe wnaeth y dewin gylch â'i wialen, a rhaid oedd i'r gŵr tlawd a'r wraig dlawd aros y tu mewn i'r cylch, neu fe fyddent yn cael eu lladd. Dyna'r dewin yn codi ei wialen ac yn adrodd rhyw ffregod, a dyna bawb yn gwneud sŵn tarw; dyna'r tarw yn rhuthro arnynt, ond yr oeddent yn ddiogel wrth gadw eu traed y tu mewn i'r cylch. Dyna bawb yn gwneud sŵn llew, a hwnnw yn rhuo ac yn rhuthro arnynt, a bu Myfanwy bron â rhoi ei throed y tu allan i'r cylch. Dyna bawb yn gwneud sŵn olwyn dân yn chwyrnellu drwy'r awyr, a dyna'r olwyn yn anelu at Gynddylan, a bu ar fin rhoi ei droed y tu allan i'r cylch. Fe aeth y dewin â hwy wedyn i'r ogo, a chasglodd y gŵr a'r wraig y gemau a'r perlau ar ei lawr, a mynd â hwy adre yn eu côl. Fe fuont fyw yn gyfoethog ac yn hapus byth wedyn.

Chware arall oedd chware tŷ bach. Fe gasglai'r bechgyn a'r merched gerrig a brics, eu rhoi yn sgwâr ar lun tŷ yn yr ardd neu ar lwybr yr ardd, ac yng ngardd Gomer Powel y chwaraeent fynychaf; a thu mewn fe roddent sgwarau bach o frics a cherrig, sef yr ystafelloedd. Yn y gegin ffrynt fe roddai Myfanwy Hopcin ar y bwrdd lestri bach glas, sef anrheg a gafodd o'r Goeden Nadolig, a Tabitha lwyau, cyllyll a ffyrc, sef anrheg o'r Goeden. Fe roddent ddŵr yn y tebot bach gan ddychmygu mai te ydoedd, a'i arllwys i'r dysglau. Fe fyddent yn esgus bwyta bara-menyn, caws a theisen a tharten o'r platiau, ond nid oedd hawl ganddynt i fwyta dau enllyn, sef bara-menyn a chaws: yr oedd eu rhieni wedi dysgu iddynt wrth y bwrdd fod yn rhaid dewis rhwng menyn a chaws gyda'r bara. Wrth y tân yn y gegin yr oedd cawell, anrheg Nadolig arall a gafodd Myfanwy Hopcin, ac yn y cawell rhoddai Tabitha Powel ei babi, sef y ddoli, ac yr oedd ei llygaid ar gau. Fe ofalai'r ddwy gerdded yn ddistaw pan oedd y babi yn cysgu; a phan oedd yn bryd ei ddihuno, fe godai Tabitha neu Fyfanwy y babi a'i fagu yn y siôl. Fe fyddai'r ddwy yn ffraeo weithiau ynglŷn â'r babi. Yna fe ddôi Ianto Powel a Chynddylan Hopcin adre o'r Gwaith fel eu tadau, ac yr oedd golwg wedi blino arnynt; ac ar ôl cael cinio gan eu gwragedd, fe aent i ymolchi yn y badell sinc gan ddynwared eu tadau yn ymolch. Dro arall fe wnaent babell o sach a pholion fel pabell yr Indiaid Cochion. Fe gaent help Tomos Hopcin i godi hon, ond nid oedd gan Gomer Powel ddiddordeb yn y fath waith. Y tu mewn i'r tent yr oedd sachau ar y llawr i'r llwyth gysgu arnynt. Y tu allan fe osodid brics ar lun grat, a thu mewn iddo gosodid papur a brigau a darnau bach o lo ar y top, ac ar ôl i'r glo gynnu gosod tatws neu afal arno i bobi. Am ben y merched yr oedd plu, ac am y bechgyn wregys a chyllell dun dani; a phan oedd eisiau bwyd fe âi'r bechgyn i hela anifeiliaid gwyllt yn ymyl y twlc; eu lladd â'r gyllell a'u dwyn adre ar eu hysg-wyddau i'r babell. Cyn eu blingo fe gydiai'r bechgyn yn llaw'r merched a dawnsio o amgylch y tân i ddathlu'r fuddugoliaeth.

Cyn mynd i Ysgol y Cyngor fe gafodd y bechgyn ddillad twco, sef trowsus byr a chot a gwasgod. Mari Hopcin a wnïodd y dillad i'w mab, Cynddylan, a gwneud ei grys gwlanen; a hefyd wneud y dillad i'w merch, Myfanwy. Hi hefyd a wnïodd y dillad i Ianto Powel a'i chwaer, Tabitha, ar ôl cael y defnydd gan eu mam. Am Daliesin Niclas, dillad parod oedd ganddo ef, trowsus byr nefi bliw, a chot nefi bliw a rhes o fotymau

melyn yn ei chau. Fe wisgai'r tri bachgen goler india-
ryber. Fe aeth Taliesin Niclas flwyddyn o flaen y ddau
arall i Ysgol y Cyngor, ond nid oedd yn hapus yno am
fod y bechgyn yn ei bryfocio: yr oeddent yn eiddigeddus
o'i ddillad crand ac yn gwneud sbort am ben ei olwg
ferchetaidd a'i siarad bonheddig. Ar ôl i Ianto Powel
a Chynddylan Hopcin fyned i'r Ysgol fe welsant un
diwrnod y bwli, Jac Gwenni, yn rhoi ergyd iddo yn ei
wyneb yng nghornel yr iard, a dechreuodd y trwyn
waedu a Thaliesin lefain fel babi. Pan ddaeth Cyn-
ddylan Hopcin a Ianto Powel yno, fe ddwedodd Ianto
wrtho am ei fwrw yn ôl. Fe gaeodd Taliesin ei ddyrnau
a rhoes Jac Gwenni ei ddyrnau o flaen ei wyneb, ond
dyma Daliesin yn rhuthro ato ac yn rhoi ergyd iddo yn
ei fola, ac wedi iddo ostwng ei ddwylo dyma glatshen
iddo ar ei drwyn a thynnu'r gwaed. Pan geisiodd Jac
Gwenni ei fwrw yn ôl fe drodd Taliesin ei ben, ac mewn
amrantiad dyma ergyd iddo ar ei lygad ac un arall ar
ei foch. Fe redodd Jac Gwenni adre dan lefain, ac yr
oedd un llygad yn dechrau duo a hwrlyn yn codi ar ei
foch. Pan adroddodd Taliesin yr helynt wrth ei dad, yr
oedd yn falch iawn fod y ddau wedi ei symbylu i daro
yn ôl, canys bachgen nerfus ac unig oedd ei fab, ac yr
oedd hefyd wedi cael ei faldodi. Fe gymhellai'i fab i
gyfeillachu â'r ddau, er nad oedd yn hoff o Ianto Powel
am ei fod mor arw ei ffordd. Am Gynddylan Hopcin,
nid oedd eisiau gwell cyfaill. Er mwyn eu tynnu at ei
gilydd fe âi Telynfab Niclas â'r tri gyda'i gilydd i ffair
a syrcas.

Ym mis Tachwedd yr oedd y ffair ar gae uwchben y
pentre. Fe âi Tomos a Mari Hopcin i weld y stondingau
gwlanen, gwlân a charthenni yn nhop y ffair, a'r ston-
dingau llestri a charpedi ar y ffordd i fyny. Nid oedd gan

Gomer Powel unrhyw ddiddordeb yn y ffair, ac am ei wraig, Hanna Powel, yr oedd honno yn rhy brysur wrth dderbyn y byw i'r byd a chau llygad y marw. Ar waelod y ffair yr oedd gramaffon yn canu 'Y Bwthyn Bach To Gwellt', a dyn yn ei ymyl yn dal het i gasglu ceiniogau, a thaflodd Telynfab bisyn chwech i'r het, a gwenodd y gŵr tywyll wrth glywed y sŵn ysgafn.

'Dir, Wncwl Niclas, ma gyda chi lot o arian,' meddai Ianto Powel. Swllt oedd gan Gynddylan Hopcin yn ei boced, a chan Ianto Powel chwe cheiniog, ac ni allai ddyfalu pam yr oedd llai gydag ef na'r lleill. Mynd i dop y cae ffair a sefyll o flaen y bwth saethu. Telynfab yn talu am ddryll, yn ei osod yn erbyn ei ysgwydd, a syllu ar y peli lliw yn chware i fyny ar flaen pistyll main, yn anelu at un ohonynt, yn saethu ac yn methu. Ni fwriodd yr un bêl.

'W i ddim yn gwpod beth sy arna i. W i wedi colli 'nghymal. Fe fues i yn saethwr mawr unweth.'

Nid anelodd o gwbwl at y garden i geisio tyllu'r *bull's eye*. Nid anelodd yn y bwth nesaf i geisio dryllio'r poteli. Sefyll o flaen stonding goconyt, ac yr oedd yn rhaid iddo roi i bob un o'r tri gneuen goco. Fe fwriodd yr un gyntaf yn union o'i flaen yn y rhes gyntaf yn o rwydd, ond fe fu yn hir cyn bwrw'r ail.

' 'Dyw'r breichie 'ma ddim mor gry ag y buon nhw ar ôl gatel y Gwaith Tun,' meddai wrth y bechgyn.

Ar ôl bwrw'r ail, fe fu yn llawer hwy cyn bwrw'r trydydd; ac fe ddwedodd wrth ddyn y bwth ei fod yn rhoi ei goconyts yn rhy sownd: fe ryddhaodd hwnnw y blawd llif o dan un ohonynt, ac ymhen tipyn fe fwriodd hi i lawr. Er ei fod wedi gwario tipyn o bres yr oedd yn falch fod gan bob un o'r tri gneuen goco, ac yr oedd am dalu i Ianto Powel a Chynddylan Hopcin am fod yn gyfeillion i'w fab. Talu i'r ferch am iddynt fynd ar y ceffylau bach; talu am fynd ar y merri-go-rownd, ac ef yn mynd gyda hwy; y miwsig yn dod o'r organ drwy rolyn o bapur tyllog; a dynion â'u hwynebau bawlyd a llygaid gwaedlyd yn dod i gasglu'r arian. Sefyll o flaen un o'r shews bach, shew yn dangos y fenyw leiaf yn y byd; ac ar y llwyfan o'i flaen yr oedd merched yn dawnsio, ac un ohonynt yn ferch dros chwe throedfedd.

'Diawl,' mynte Telynfab wrtho ef ei hun, 'dyna slashen. Dyna gwmpad dŵr.'

'Lle'r ŷch chi yn clwed dŵr,' gofynnodd ei fab iddo.

'O, meddwl ôn i 'y mod i yn clwed dŵr draw fonco.'

Yn ymyl yr oedd sioe Creecraft's, sioe darluniau byw, un o'r lluniau byw cyntaf. O flaen y darlundy yr oedd merched mewn tinsel pinc yn dawnsio, ac wrth syllu ar eu coesau fe welodd Telynfab fod un ohonynt yn ddyn. Y tu mewn i'r babell yr oedd ffwrymau ar y glaswellt; ar y blaen yr oedd llen, a thu ôl yr oedd peiriant mewn caban a'i flaen yn y twll. Dyma'r llun yn cychwyn, llun yn dangos hanes Charles Peace. Charles yn saethu plisman a geisiodd ei ddal ar ôl lladrata mewn tŷ: saethu Arthur Dyson wedyn ar ôl cweryl ynglŷn â menyw. Charles Peace yn dianc am ddeng mlynedd ac yn byw tan enw arall: yn byw yn ystod y dydd fel gŵr parchus, ond yn lladrata y nos: ei ddal ar ddamwain gan blisman ar Blackheath; a'i grogi yn y diwedd am ladd Arthur Dyson. Ar y sgrîn fe gerddai pob un yn fân ac yn fuan, ac ambell un ar ei ben; ac ar draws y llen yr oedd llinellau fel pe byddai hi yn bwrw glaw yn barhaus. Wrth fyned allan i'r awyr fe welent eu bod wedi byw am y tro cyntaf mewn byd ffansïol, byd y gwyrthiau, byd lle'r oedd dyn yn mynd dan stimroler, yn cael ei

wasgu yn fflat, ond yn codi eilwaith yn ddyn byw. Ar
ôl eistedd dipyn yr oedd Telynfab yn teimlo yn well.
Fe safodd o flaen y mesurydd nerth. Ar y gwaelod yr
oedd lwmpyn o haearn, ac o fwrw hwnnw â gordd fe
âi i fyny hyd biler, ac ar hwn yr oedd troedfeddi a
modfeddi wedi eu mesur, ac ar y corun yr oedd cloch.
Y gamp oedd bwrw'r ddolen haearn i fyny ar hyd y
polyn a chyrraedd y gloch a'i chanu. Ar y cychwyn fe
fwriodd Telynfab y lwmpyn haearn yn weddol uchel,
ond yn is ac yn is yr âi gyda phob ergyd arall.

' 'Dyw'r jobyn sy gyta fi, clerc yr ange, ddim yn help
i fi daro'r gloch, bois. Ma'n rhaid i fi fyta mwy o wye.'

Wrth basio bwth fe ofynnodd Taliesin am bysgodyn
aur; a bu'r pedwar yn taflu cylchau am y poteli pysgod,
a Thelynfab yn talu am yr holl gylchau. Ar ôl sawl tro,
fe lwyddodd Telynfab i daflu cylch am ddwy botel, a
Ianto Powel am un.

' Cyn yn bod yn mynd 'nawr, ôs ishe rhwbeth arall,
bois?' gofynnodd Telynfab.

' Ôs,' atebodd Ianto Powel.

' Beth?' gofynnodd Telynfab.

' India-roc,' atebodd Ianto.

Fe brynodd Telynfab bisyn o India-roc i bob un
ohonynt. Fe aethant adre drwy'r ffair, a phob un o'r
bechgyn â chneuen goco dan ei gesail, potel y pysgodyn
aur yn un llaw a'r India-roc yn y llall; ac anodd oedd
eu cario drwy'r dorf a oedd yn gwau drwy'i gilydd fel
nadredd. Ar waelod y ffair fe welodd Telynfab Iddew
mewn stonding yn gwerthu cadair, ac am ei fod yn dal
fe allai weld dros bennau'r bobol a oedd o'i flaen. Ebe'r
Iddew:

' *This is a genuine Queen Anne Chair. See the mark—Q.A.*
1710. *This mark is not an imitation. It is not painted. It*

has been burnt in. It is a proper Queen Anne Chair. Now, ladies and gentlemen, who of you will make a bid?'

Fe feddyliodd Telynfab fod rhyw dwyll yn y peth, ac ar ôl i'r Iddew ailadrodd ei bishyn, fe ddwedodd yn uchel:

'*I don't believe you,*'
ac edrychodd y bobol o'i flaen arno yn hurt.

'*Why don't you believe me?*' gofynnodd yr Iddew.

'*You see,*' atebodd Telynfab, '*I have a friend and he has got the letters W.C. on the door of his lavatory. It is not an imitation,*' (gan ddynwared dull yr Iddew). '*It is not painted. It has been burnt in.*'

'*I don't see your point,*' meddai'r Iddew.

'*You see,*' atebodd Telynfab, '*the W.C. of my friend does not go back to the time of William the Conqueror.*'

Fe chwarddodd pawb; ambell un yn chwerthin nes fod ei ochrau yn siglo; eraill yn chwerthin a rhai yn gwenu. Fe geisiodd yr Iddew ddwedyd rhywbeth, ond ni chlywodd neb ef oherwydd y chwerthin: wedyn fe geisiodd werthu mat, ond ni allodd; a bu'n rhaid i'r Iddew arall werthu yn ei le. Wrth fyned oddi yno fe ddwedodd Telynfab:

'*You see, we, Southwalians, have got up earlier in the morning than you, Jews.*'

Wrth adael y ffair yr oedd y pedwar yn clywed y ceffylau bach yn chwyrnellu, miwsig yr organ, clychau yn canu, gynnau yn saethu a'r fflamau naphtha yn chwythu, ac yn eu ffroenau yr oedd gwynt blawd llif ac olew.

Drannoeth rhaid oedd mynd i siop yn y pentre i brynu hadau pysgod aur. Gosod ychydig hadau ar wyneb y dŵr yn y fowlen, a'r rheini ymhen tipyn yn suddo i'w gwaelod. Gwylio'r pysgodyn yn bwyta'r

hadau, yn nofio o amgylch y fowlen ac i lawr ac i'r
lan; yn nofio weithiau â llinyn bach yn hongian o'i
fola; ac yn nofio at y gwydr a rhoi ei drwyn smwt arno.
Newid y dŵr bob dydd: arllwys yr hen ddŵr a'r pys-
godyn i badell, ac ar ôl rhoi dŵr ffresh yn y fowlen,
ceisio dal y pysgodyn yn y badell a hwnnw yn llithro
drwy eich bysedd; ei ddal o'r diwedd a rhyw ias yn
mynd drwoch pan oedd yn gwingo yn eich llaw. Gosod
y fowlen ar silff y ffenestr, a blino ychydig ar ei wylio:
ac yn sydyn fe'i caech ef yn gorwedd ar ei gefen neu ar
ei ochor yn hollol lonydd ac yn folwyn. Fe fu pysgodyn
aur am flwyddyn gyfan gydag ef, meddai Ianto Powel,
ond y mae'n anodd credu hyn.

Ymhen ychydig fe âi'r bechgyn a'r merched i'r ffair
ar eu pennau eu hunain, ond prin oedd yr arian.
'Roedd gan Daliesin Niclas ddeg swllt, a chware teg
iddo, fe dalai dros y lleill ambell dro: hanner coron
oedd gan Gynddylan Hopcin a'i chwaer, Myfanwy; a
swllt yr un oedd gan Ianto Powel a'i chwaer, Tabitha.
Pan welai Ianto ryw wraig neu ŵr yr oedd yn eu
hadnabod, fe'u cyfarchai â gwên serchog gan ddisgwyl
cael arian, ond ambell bishyn tair a cheiniog yn unig a
gâi ef. Fe aent y tu ôl i bebyll y shews i weled a allent
godi'r cynfas a myned i mewn heb dalu, ond yr oedd
rhywrai yn eu gwylio yn y carafanau. Fe dalodd Taliesin
am gael mynd ar y siglenni; Ianto a Myfanwy mewn un
swing a Thabitha ac yntau yn y llall; a'r ddau fachgen
yn gosod eu traed yn dynn ar y llawr ac yn tynnu'r
rhaff, a'r siglenni yn codi yn uchel yn yr awyr, a'r
merched yn sgrechen nerth eu pennau. Ar y llawr
fe edrychai Cynddylan Hopcin arnynt yn synfyfyriol.
Gwario'r arian a wnaent yn bennaf ar gonffeti a
phistolau dŵr. Yna fe aent i chwilio am y merched

i chwistrellu'r dŵr yn eu hwynebau ac i wthio'r conffeti i lawr i'w cefnau ac i lawr i'w bronnau. Fe ddaliodd Ianto Powel Fyfanwy Hopcin a gwthio'r conffeti i lawr i'w bronnau, ac wrth wneud hynny fe rwygodd ei blows; a chafodd bryd o dafod ganddi.

Ar yr un cae, yn ei thro, fe ddôi'r syrcas, Syrcas Boston & Wombells; ond cyn cychwyn y perfformans fe âi gorymdaith, a band ar y blaen, trwy brif heolydd y pentre—ponis o bob lliw yn cerdded; y ceffylau Arabaidd, a'r afwynau yn dal eu pennau yn syth, eu mwng yn blethau, a'u cyfrwyau yn llawn blodau; yr eliffantod yn cerdded yn afrosgo, a thrwnc pob un yn cydio yng nghwt yr un o'i flaen, ac yr oedd eu crwyn fel lledr trwchus wedi cracio; y camelod cymalog yn edrych oddi fry ar bawb gyda dirmyg; zebras o Affrica a rhywun wedi bod yn eu gwyngalchu a'u pardduo bob yn ail; asynnod yn cerdded yn araf fel pe na byddai dim yn mennu arnynt; ac ar gefnau'r dynion yr oedd y mwncwns a yrrai'r plant i chwerthin ac i weiddi. Mor soniarus liwgar y cerddai'r anialwch dof drwy'r pentre di-raen a rhwng y tai a'r siopau llychlyd. Telynfab Niclas a âi â'r bechgyn i'r syrcas a thalu am y seti gorau yn y rhesi o seti pren o amgylch y babell, ac yn y seti plysh wrth y cylch yr eisteddai Mr. & Mrs. Henry Harper a'u mab, Stanley Albert, a'u tebyg. Polyn mawr yn y canol a oedd yn dal y babell gynfas, a pholion llai gyda'r ymyl; a phan oedd gwynt fe fyddai yn ysgwyd y babell. Yn y pen pellaf lle'r oedd y creaduriaid yn dod i mewn yr oedd llwyfan y band. Dyma gychwyn, a deuddeg ceffyl yn rhedeg o'r fynedfa i mewn i'r cylch, a dyn yn y canol yn clecian chwip. Y ceffylau, a'r afwynau yn dal eu pennau yn syth, a phigyn bapur lliw arnynt, yn rhedeg gydag ymyl y cylch: clec ar y chwip, a dyna'r ceffylau yn troi ac yn rhedeg y ffordd arall: clec arall, a dyna'r ceffylau yn rhedeg yn ddau a dau: clec wedyn, a dyna'r ceffylau yn rhedeg yn dri a thri: clec arall, a dyna hwy yn bedwar a phedwar. Clec, a dyna ddeg yn rhedeg allan o'r cylch, a dau yn aros. Y ddau geffyl yn rhedeg o amgylch y cylch, a merch yn neidio ar un ohonynt, ac yn sefyll ar ei grwmp; yna yn penlinio ac wedyn yn cael rhaff ac yn sgipio ar y crwmp. Dyn yn rhedeg ac yn neidio ar y ceffyl arall, yn sefyll ar y crwmp, yn penlinio ac yn sefyll ar ei ddwylo a'i draed i fyny. Un ceffyl yn rhedeg allan, ac un ar ôl, y gorau ohonynt. Y band yn canu tiwn a'r ceffyl yn cerdded dawnsio iddi: newid y tiwn a'r ceffyl yn bwrw penliniau ei draed blaen allan gan ddawnsio cerdded i'r diwn filwrol. Y ceffyl yn sefyll ar ei draed ôl, a chware ei ddwy droed flaen yn yr awyr; yn penlinio ar ei ddwy droed flaen, ac yn gorwedd ar y llawr fel pe byddai wedi trigo.

'Ma'n nhw'n siŵr o fod yn greulon wrth y ceffyle 'na,' meddai Taliesin Niclas.

'Na, 'dw i ddim yn cretu. Welest ti'r dyn yn rhoi telpyn o siwgir i bob ceffyl,' atebodd ei dad.

'Ma'n nhw yn siŵr o gâl ambell slashen,' ebe Ianto Powel.

Gosod clwydi haearn y tu mewn i'r cylch yn ei gilydd, a dyma'r llewod yn rhuthro i mewn, ac un llewes. Rhedeg i eistedd bob un ar focs, a dyn yn y canol yn clecian chwip. Gosod rhaff yn dynn rhwng dwy gadair a llew dan chwyrnu yn cerdded arni. Y dyn yn dal cylch yn uchel a llew arall yn neidio trwyddo. Llew yn gorwedd ar ei ochor ar y llawr a'r dyn yn eistedd ar ei fola. Ar y diwedd y llewes yn sefyll ar ei phen ei hun ar lwyfan uchel; dau lew yn sefyll ar focs bob ochor, ac yn rhoi eu traed blaen ar ymyl y llwyfan, a dau lew, un bob ochor, yn rhoi eu traed blaen ar grwmp y ddau lew ar y bocsis.

' Ma ofan arna i, dada,' meddai Taliesin Niclas.

' Sdim ishe i ti ofni. Ma'r clwydi rhyngon ni a'r llewod,' oedd ateb ei dad.

' Fe licwn i fod yn lle'r dyn 'na,' ebe Ianto Powel.

' Gad dy ddwli,' atebodd Cynddylan Hopcin. ' Ŷch chi, bois, yn cofio am Daniel yn ffau'r llewod?'

Yr eliffantod yn dod i mewn, capan am ben pob un a seren ar waelod y benwisg; a phob un yn cydio â'i drwnc yng nghwt yr un o'i flaen. Pob eliffant yn sefyll ar focs crwn; wedyn yn eistedd ac yn codi un goes; ac yn sefyll ar eu traed ôl. Sefyll wedyn yn un rhes ar ganol y cylch, a thraed blaen pob un ond yr eliffant cyntaf ar grwmp yr un o'i flaen. 'Roedd lliw eu crwyn fel mwd wedi ei gracio gan wres yr haf mewn pwllyn. Eliffant wedyn yn gorwedd ar ei hyd fel pe byddai yn mynd i gysgu am byth. Ar y diwedd un eliffant yn sefyll ar fwrdd uchel yn y canol, rhai ar focsis a'r lleill ar y llawr, a phob un yn rhoi ei draed blaen ar grwmp yr un o'i flaen. Fe aethant allan o'r cylch â winc yn eu llygaid fel pe byddent wedi mwynhau myned drwy eu campau.

' Odd yr Arch yn fawr iawn i ddala dau eliffant,' meddai Taliesin Niclas.

' Ac yn uchel i ddala camel a jiraff,' ebe Cynddylan Hopcin.

' A lle odd Noah yn câl bwyd i ffido'r lot?' gofynnodd Ianto Powel.

Yna'r cŵn bach yn mynd drwy eu triciau; y clowns rhwng yr eitemau yn codi chwerthin, a'r doniolaf ohonynt oedd Tom Thumb. Pan ddaeth y myncwn a mynd drwy eu campau, yr oedd storm o chwerthin a sgrechen y plant yn ysgwyd y babell. Y peth a'u synnodd fwyaf oedd y dyn a lyncodd dân. Ar y diwedd dyna ddyn a merch yn dringo rhaff, ac yn eistedd ar siglenni yn nhop y babell; y ferch yn hongian wrth un droed ar ddolen; y dyn yn rhoi dolen am ei wddwg a'r ferch yn hongian ar y pen; a'r dyn yn hongian â'i ddannedd wrth ddarn pren heb rwyd odano. Am y merched yn y syrcas yr oedd Telynfab Niclas yn eu noethlymunu â'i ddychymyg.

Ar ôl mynd allan o'r syrcas fe aethant i weld yr anifeiliaid; yr eliffantod yn siglo yn ôl a blaen, a'u traed ôl yn rhwym wrth gadwyni, ac yr oedd eliffant bach gan un ohonynt.

'Meddyliwch am eliffant,' meddai Telynfab wrtho ef ei hun, ' yn cario eliffant bach am ddeunaw mish yn y groth. Ma naw mish yn itha dicon. A meddylwch am y rhain yn byw am gannodd o flynydde. A chant yw ôd dyn ar yr itha. Ble y byddwn mewn can mlynedd? 'Fydda i ddim yma, ta beth.'

Y llewod yn eu celloedd; un yn gorwedd a'r llall yn sefyll ar ei draed ac yn edrych yn hurt i'r pellter. Fe brynodd y bechgyn baceidiau cnau a'u taflu i'r myncwn a'r *chimpanzee*. Mor rhyddieithol yr edrychai'r creaduriaid ar ôl bod tan oleuni hud y syrcas ac ym miwsig lledrith y band; ac yr oedd eu drewdod yn dwyn dyn yn nes at eu cynefin. Dyma'r dynion yn dod â'r bwyd, ac yr oedd y *menagerie* yn ferw gwyllt; y llewod yn rhuthro yn erbyn y barrau ac yn ysgyrnygu eu dannedd; y myncwn yn hedeg o un pen i'r llall yn eu celloedd ac yn ysgwyd y siglenni; y ceffylau, y ponis a'r zebras yn pystylad a'r camelod yn noethi eu dannedd, ond safai'r eliffantod yn synfyfyriol dawel.

' Arswyd y byd,' meddai Telynfab Niclas y tu mewn iddo ef ei hun, wrth fynd â'r bechgyn adre, ' dyna greaduried pert, a'r fath amrywieth ohonyn nhw. Ma'r llewod a'r eliffantod 'na yn epilio yn greulon ffyrnig. Dyna beth yw nerth cnawdol; cnawd perffeth. Beth yw dyn â'i garu bach diniwed?'

Fe aeth y bechgyn a'r merched hyn tua'r saith neu'r wyth oed o gysgod y cartref i fyd y gang; o fyd y rhieni i fyd athrawon ac athrawesau. Un chware gan y bechgyn oedd ' whare cylch'. Weithiau fe fyddai'r bachyn yn sownd wrth y cylch, ond fel rheol fe fyddent ar wahân. Wrth gystadlu rhedeg â'r cylch a'r bachyn am y cyflymaf, Ianto Powel, fel arfer, a fyddai'n cario am ei fod yn dalach a chaletach na Chynddylan Hopcin a Thaliesin Niclas. ' Whare top ' oedd chware arall; gyrru'r top i droi gyda chwip; a'r un a yrrai'r top i droi hwyaf heb stopio a enillai'r gamp. Ar yr heol y chwaraeid bando, sef darn o bren yn camu ar y gwaelod fel pren hoci. Fe rennid y gang o fechgyn yn ddau dîm; rhoi dwy garreg ar yr hewl fel gôl a dwy arall dipyn o bellter rhyngddynt, a'r bêl oedd tun samwn neu ryw focs crwn. Fe fwriai Ianto Powel y bêl dun â'i freichiau cryf yn ddienaid, a'i chodi hefyd, ac yn amal fe gâi un o'r chwaraewyr gwt neu glais neu hwrlyn. Chware yn neis ddiniwed a wnâi Taliesin Niclas, a Chynddylan Hopcin yn araf hamddenol. Chware arall oedd ' whare marbls ' neu 'niclo'. Fe wneid cylch â'r sawdl ar lwch yr heol, a rhoi'r marbls yn y canol, marbls o bob lliw ac ali-bop, sef y belen wydr yng ngwddwg potel, ac ali-bert, sef marblen a lliwiau y tu mewn iddi. Y cwestiwn cyntaf oedd ' Faint ŷn ni yn rhoi lawr?' a'r cwestiwn wedyn oedd ' Pwy sy gynta?' Y gamp oedd bwrw mâs o'r cylch gynifer o farbls ag y gallech. Ar y cylch y niclid y farblen, yn y man mwyaf cyfleus i fwrw'r marbls mâs, ac os oedd eich marblen neu'r ' to ' yn aros yn y ring yr oedd gennych gynnig arall yn yr un fan. 'Roedd pob niclwr yn cael y marbls a fwriai y tu allan i'r cylch a'r to allan. Gan Ianto Powel oedd y cymal cryfaf, a thrawai farblen arall mor gryf â'i do nes ei bod yn ' stando.' Cymal smwt oedd cymal Taliesin Niclas. Ond yr oedd yn rhaid gwylio Ianto am ei fod yn ' insho mlân ' ac yn cafflo, ac ar ôl ei ddal yn cafflo, fe waeddai'r bechgyn eraill ' Cafflins come to profins'. Fe fyddai Ianto hefyd yn gweiddi ' ali-bouts ' ac yn dwyn yr holl farbls. Efe a fyddai fel rheol yn ennill mwyaf o farbls, ond yn awr ac yn y man fe fyddai Cynddylan Hopcin yn *shafers* ag ef, sef cael yr un nifer o farbls. Am nad oedd llawer o le i chware ' cŵn a chanddoid ' ar yr heol fe eid i ben tip y Gwaith am fod digon o le yno i ' gwato ' y tu ôl i'r trycs neu bentwr o blanciau neu ddarn o sindrins â darn haearn yn ei ganol. Gorwedd ar gols y tip, a hwnnw yn dwym gan y tanau y tu mewn iddo, nes bod y ' ci ' yn eich gweld, a rhedeg am y cyntaf wedyn i'r man cychwyn. Os oedd y ' canddo ' yn cyrraedd o flaen y ' ci ', yr oedd ganddo'r hawl i gwato yr eilwaith. Mynd adre â'r dillad yn llawn llwch a'r wyneb mor ddu â niger, a chael pryd o dafod gan y rhieni ac weithiau ' got'. Wrth edrych ar y domen sgrap, a disgwyl nad oedd neb yn y golwg, fe gydiodd Ianto Powel yn fframyn beisicl, a Chynddylan Hopcin yn fframyn treisicl, a'u cario adre; ond yr oedd ei dad wedi prynu beisicl bach i Daliesin Niclas. Am nad oedd *tyres* am olwynion y beisicl a'r treisicl fe ddirwynwyd rhaff amdanynt, a gyrrai'r bechgyn y peiriannau hercog ar y stryd; a'u rhoi i gadw yng nghwtsh glo Gomer Powel, canys nid

oedd Cynddylan Hopcin am i'w dad wybod ei fod
wedi lladrata'r treisicl o'r sgrap. Am fod llawer o fechgyn
yn lladrata o'r sgrap fe achwynodd Mr. Gilbert Parsons
wrth y Prif-Gwnstabl, ac nid aethant yn agos at y domen
wedyn am eu bod yn gwybod fod plisman yn ei gwylio.

'Roedd y bechgyn yn falch o weled diwrnod lladd
mochyn, a phan laddodd Tomos Hopcin ei fochyn, fe
wahoddodd Cynddylan Hopcin Daliesin Niclas i weled
y lladd, ond ni ddaeth am fod arno ofn gweled gwaed.
Trwy ffenestr y llofft yr edrychai Cynddylan Hopcin ei
hun ar y lladd, ond safai Ianto Powel mor agos ag y
gallai at y dyn-lladd-mochyn, a mwynhau gweled y
gwaed yn pistyllio a'r mochyn yn gwingo ar y ffwrwm.
Ar ôl agor pob mochyn fe gâi'r bechgyn y bledren.
Chwythu'r bledren i'w llawn maint, a chlymu'r gwddwg
yn dynn â chordyn, a chware â hi ar yr hewl. Am ei bod
mor ysgafn, anodd oedd chware socer â hi; 'roedd yn
haws chware Rygbi, ond peryglus oedd chware'r gêm
honno ar hewl galed. Onid yw timau Rygbi Cymru
yn ddyledus i bledrenni mochyn? Chware arall oedd
chware ceit (barcutan). Gwneud fframyn o ddau bren
fel croes; plygu papur brown amdano a'i dorri i'r siâp
iawn, a'i gau yn ei gilydd â phast, sef cymysgedd o gan
â dŵr. Prynu pellen o gordyn, a chlymu pen y cordyn
yng nghydiad y ddau bren. Mynd ag ef allan i ben y
banc, a phan nad oedd llawer o wynt fe fyddai'r ceit yn
cydio mewn llwyn eithin ar ochor y banc neu yn y
drysni ar lan yr afon. Gwell oedd mynd ag ef i ben y
Graig er mwyn cael uchder, a phan nad oedd llawer o
wynt fe fyddai'n disgyn yn y mieri ar ochor y Graig;
ond pan oedd gwynt fe fyddai yn codi i'r uchder ac yn
chware yn ôl a blaen yn yr awyr, a byddai'r bachgen
yn cael gwaith i'w ddal ar ôl dirwyn yr holl gordyn, a

chadw dolen neu ddwy ohono am ei law. Torri yn y
coed neu ar ochor y Graig ddau bishyn o bren, a changen
yn tyfu o bob un ohonynt, a thorri'r gangen bron yn y
bôn, a dyna i chi'r *peglegs* (*stilts*). Cerdded ar y rheini
ar yr hewl gan edrych i lawr ar bawb. Pan oedd dŵr
yr afon yn fas yn yr haf, cerdded drwy honno, ond ni
lwyddid i gyrraedd y lan arall bob tro heb gael gwlychfa.
Cerdded trwy byllau dŵr yn ymyl yr afon, a thrwy'r
feeder. Peth braf oedd gallu cerdded trwy leoedd na
fedrech gerdded drwyddynt ar draed.

Gwaith arall oedd pysgota. Nid oedd brithyllod yn
yr afon am fod y fitrel wedi eu lladd, ond yr oedd ynddi
lyswôd, a dôi'r rheini i lechu tan gerrig yn ymyl y lan.
Fe fyddai Ianto, Cynddylan a Thaliesin yn codi carreg
yn ddistaw, a thrywanu fforc i ben y llyswên, ac fe
ymdorchai am eu garddwrn a bôn y fraich. Er cydio yn
ei chwt a'i tharo yn erbyn y wal, anodd iawn oedd ei
lladd yn llwyr; a hyd yn oed ar ôl ei blingo fe neidiai
yn y ffrympan ar y tân. Ffordd arall o'u dal oedd gosod
mwydyn ar fachyn ar flaen lein; taflu'r lein i ganol y
dŵr a throi ei phen am garreg ar y lan; a'i gadael yno
drwy'r nos. O fynd i edrych y bore ar ôl hynny, fe
gaech fod llyswên wedi drysu'r lein i gyd. Pysgota â
gwialen rwyd (rhwyd gron ar ben y wialen) yn y *feeder*
a dal pilcs, a'u gosod mewn potel o ddŵr; ac wrth
bysgota fe glywech lygoden yn neidio oddi ar y lan
i'r dŵr twym—blop—; a dôi gwynt cas i'ch ffroenau,
gwynt y cŵn a'r cathod a oedd wedi eu boddi mewn
cwdau, ac ambell gorff wedi dod yn rhydd o'r cwdyn.
Mewn pyllau yn ymyl yr afon ac mewn pownd, dal
penbyliaid â'r wialen rwyd; a mynd â'r pilcs a'r pen-
byliaid adre, a'u cadw yn y poteli neu eu harllwys i'r
gasgen a ddaliai ddŵr y bargod. Yn yr haf nofiai'r

bechgyn yn yr afon, ond ofnus oedd Taliesin Niclas wrth ' oifad ' yn y pwll dwfn, a gofalus oedd Cynddylan Hopcin, ond yr oedd Ianto Powel yn gallu neidio o'r bont bren i ganol y pwllyn. Pan ddoent allan o'r dŵr yr oedd eu cyrff yn felyn gan y fitrel. Yn y gaeaf fe fyddai'r afon, pob llyn a phownd yn rhewi, a'r bechgyn a'r merched yn sleido arnynt. Fe rewai'r hewl hefyd ar ôl bwrw glaw, ac yn enwedig y dŵr yn ymyl y tap, a cheid sleid hir. Fe wneid hefyd sledj, sef hoelio estyll a rhoi darn o dun bob ochor danynt; ac fe fyddai un yn tywys y sledj ar yr iâ, ac un yn sefyll y tu ôl iddo. Fe gâi fwy nag un wlychfa pan roddai'r iâ tenau. Y bechgyn yn cydio yn yr eira ac yn ei wthio i lawr cefnau'r merched, a'r rheini yn sgrechen ac ambell un yn crio. Llunio dyn eira, a rhoi het ar ei ben, crafet am ei wddwg a phib yn ei ben.

'Roedd rhai chwaraeon a champau yn beryglus, niweidiol a chreulon. Un peryglus oedd 'whare cati'. Darn bach o bren wedi ei naddu yn y ddau ben yn bigfain oedd cati: gosodid ef mewn cylch bychan; bwrid un pen iddo yn gynnil â phastwn, a phan oedd wedi tasgu i'r awyr, ei fwrw â'r pastwn am y pellaf. Ianto Powel â'i freichiau cryf a ragorai yn y chware hwn. Ond wrth fwrw'r cati fe fyddai ambell ffenestr yn ei chael hi, a dyna bryd o dafod a bygwth. Am nad oedd gan y bechgyn a'r merched gae i chware nid oedd dim amdani ond mynd i ben y Graig. Yno ar gae fe ellid bwrw'r cati i go-liw. Am eu bod ar ben y Graig fe chwaraeent goits; sef tynnu cylch ar y cae, a thaflu cerrig fflat, llyfn i mewn iddo; a'r un a gâi'r garreg y tu mewn amlaf a enillai'r gamp. Cynddylan Hopcin a enillai fynychaf, canys er nad oedd ganddo nerth Ianto Powel, yr oedd ganddo well amcan. Nid oedd gan

Daliesin Niclas na nerth nac amcan. Offeryn peryglus oedd y bwa-a'r-saeth; y bwa wedi ei dorri o onnen neu helygen, cordyn tew yn camu'r bwa, a'r saethau yn bren main a'i flaen wedi ei naddu'n bigyn. Fe saethai'r bechgyn at y 'derots', yr adar, ar ben coeden, at y brain ar ben y to; a tharo rhai ohonynt yn farw. Fe fu ci y drws nesa lan yn udo yn y nos gan gadw Ianto Powel rhag cysgu; a'r bore ar ôl hynny fe gafodd saeth yn ei ochor ac fe udodd gan boen. Noson arall fe'i cadwyd yn effro gan wrcatha y cwrcyn drws nesa lawr, a chafodd yntau saeth ar ei grwmp. Ond pan rannai'r gang yn ddau hanner a saethu at ei gilydd yr oedd hi fwyaf peryglus; a chafodd fwy nag un anaf ar ei wyneb, ac yn agos at y llygad. Peryglus hefyd oedd y *sling*, pren ar lun ' Y ' a lastig wedi ei glymu am y ddau ben uchaf; rhoid cerrig bach ar ganol y lastig y tu mewn, ei dynnu a gollwng y garreg. Fe anelid y cerrig at bob math o adar ar y tai ac yn y coed ac at y gwenoliaid ar wifrau'r teligraff uwchben y lein, a tharo ambell un yn farw. Yn ffenestri rhai tai fe welid tyllau bach, a phan ganfyddai'r trigolion y rhain fe erlidid y bois â'u *slings* o flaen y tai, ac un hen wraig yn eu herlid â brwsh câns o'i blaen. Pelto cerrig oedd gorchwyl arall. Gosod bocs tun neu botel neu bot jam ar ben carreg, a phelto yn weddol bell oddi wrthynt gerrig, a'r cyntaf i fwrw'r bocs oddi ar y garreg neu dorri'r botel neu'r pot jam a enillai'r gystadleuaeth. Ar ochor y rheilffordd yr oedd pyst teligraff ac ar ben y pyst yr oedd pethau melynwyn fel poteli bach, a pheltid y cerrig at y rhain o ochor y banc a dryllio rhai ohonynt. Y gamp fwyaf peryglus oedd gorwedd yn ymyl un o reiliau y tu mewn ac aros yno yn ei hyd ar y *sleepers* nes y dôi'r trên yn agos atoch. Un diwrnod fe orweddodd

Ianto Powel a phan oedd y trên yn agos fe geisiai godi
ond yr oedd un droed yn sownd wrth y rheilen; a rhuth-
rodd Cynddylan Hopcin ato a rhyddhau'r droed pan
oedd y trên bron ar eu pen. Nid trên ydoedd, ond enjin
a thrycs yn dod rownd y tro, ac yr oedd y rheini yn
rhedeg yn arafach. Pe byddai yn drên ni allasai Ianto
ddianc oni fyddai ganddo ddigon o blwc i orwedd dano.
Yn yr ardd fe redai'r bechgyn ar ôl iâr-fach-yr-haf, ac
wedi ei dal ei rhoi mewn bocs matshis neu dynnu ei
hadenydd oddi wrth ei chorff, a byddai blaen eich
bysedd yn llawn llwch. Arfer arall oedd ceisio dal adar
yn yr ardd. Gosod shife (rhidyll) ar dop yr ardd, a rhoi
briwsion bara neu friwsion caws odani; ei chodi wrth
roi sbrigyn odani ar ochor at y tŷ bach; clymu cordyn
am y sbrigyn a mynd ag ef drwy'r twll yn nrws y tŷ
bach: gwylio drwy'r twll yr adar yn dod yn agos at y
shife, a phan âi odani tynnu'r cordyn a syrthiai'r shife
a'r aderyn y tu mewn. Ni wnâi Taliesin Niclas hyn am
mai peth creulon oedd dal adar fel hyn; fe ddaliai
Cynddylan Hopcin fwy na Ianto Powel am fod ganddo
fwy o amynedd i aros yn y tŷ bach: ac fe fyddai'n falch o
ddal, nid y dryw neu aderyn y to neu robin goch, ond un
o'r pincod. Cydio yn yr aderyn a'i roi yn y cwtsh glo neu'r
tŷ bach, a chau'r drws arno; neu dorri un o'i adenydd
ac edrych arno yn hercan ar hyd yr ardd. Mynd wedyn i
ochor y Graig neu i'r coed y tu hwnt i'r rhes dai i
chwilio am nythod, a dwyn yr wyau neu'r cywion bach,
a'r fam ar gangen yn cwyno ar ôl colli ei phlant. Os
byddai coeden afalau neu ryw goeden ffrwythau eraill
mewn gardd, ac yn enwedig ar ymyl y pentre, mynd
yno ar ôl iddi nosi, a'u dwyn; a phan na cheid ond afal
neu ddau, fe fyddai pob un o'r gang yn cael ' anshad '.
Yn yr hydre dringo i ochor y Graig a rhoi'r rhedyn,

y llwyni mwyar, y llwyni eithin a'r glaswellt ar dân; rhoi'r glaswellt a'r llwyni ar ochor y banc a'r drysni a'r gwair tal yn ymyl yr afon ar dân, a chodai'r mwg fel cymylau i'r awyr; a phan fyddai'r tân ar ochor y Graig yn peryglu'r coed mawr neu'r tai, fe ddywedid wrth y plisman a chasglai hwnnw ddynion i'w ddiffodd. Yna fe chwiliai'r plisman am y troseddwyr ac wrth holi'r bechgyn ni fyddai'r un yn clecan am y lleill. 'Roedd cysgod plisman ym mhob man. Arfer arall oedd cnocio drws tŷ a rhedeg i ffwrdd ffwl pelt. Clymu cordyn wrth waelod *knocker* drws a dal y pen arall y tu allan i'r berth o flaen y tŷ; tynnu'r cordyn a chodi'r *knocker* a phan agorai rhywun y drws rhedeg ymaith nerth eu baglau, a gadael y cordyn yno. Arweinydd y llwyth oedd Ianto Powel am mai ef oedd y bachgen mwyaf mentrus a beiddgar. Arwyr y gang oedd Robin Hood, Francis Drake, Nelson, y brenin Dafydd a Samson.

Fe chwaraeai'r merched ar eu pennau eu hunain a chyda'r bechgyn. Ar eu pennau eu hunain fe chwaraeent sgotsh, sef tynnu chwe neu wyth sgwâr ar yr heol â sawdl yr esgid neu â sialc pan oedd hi yn sych; cicio carreg fflat lefn neu deilsen o sgwâr i sgwâr, ond os arhosai'r garreg neu'r deilsen ar y ffin rhwng dwy sgwâr yr oeddech yn colli, a merch arall yn cymryd eich lle. Myfanwy Hopcin a lwyddai fynychaf i gicio'r garreg drwy'r holl sgwarau. Chware arall oedd lici-loci neu gwato. Y merched yn cuddio y tu mewn i glwyd neu y tu ôl i goeden ar y lawnt ac un ferch yn chwilio amdanynt: ar ôl i hon weled un a oedd yn cwato, rhaid oedd rhedeg o'i blaen i'r man cychwyn: os byddai'r ferch honno o'i blaen rhaid oedd chwilio eilwaith. Gêm arall oedd sgipio, ac wrth sgipio â'r rhaff fe lafarganent:

My father is a butcher,
My mother cuts the beef :
The baby's in the cradle
  Fast asleep.
How many hours did the baby sleep ?
  One, two, three, four—

gan gyfri'r troeon wrth sgipio. Tabitha Powel oedd y
sgipreg orau am y gallai sgipio yn gyflymach na'r lleill,
sgipio yn ôl a chwtsho wrth sgipio, a byddai ei chyrls
golau yn neidio ar ei phen. Merch ferchetaidd oedd
Tabitha, ond yr oedd Myfanwy yn dipyn o domboi am
yr hoffai chware gyda'r bechgyn a hyd yn oed niclo
marbls. Dwy gêm y chwaraeai'r merched a'r bechgyn
gyda'i gilydd oedd *leap-frog* a rownders. Yn *leap-frog*
y bechgyn a'r merched yn plygu eu cefnau; un ohonynt
yn neidio drostynt, a hwnnw wedyn yn plygu ei gefn
yn y pen pellaf; a hwnnw neu honno ar y pen blaen yn
neidio; a phob un yn ei dro. Wrth chware rownders
gosod pedair carreg fflat ar yr hewl ar lun cylch; y
merched a'r bechgyn yn cael eu rhannu yn ddau dîm;
penaethiaid y ddau yn toso ceiniog neu dynnu'r blewyn
cwta i weld pwy oedd i chware gyntaf. Fe arhosai'r
pennaeth ar y garreg yn y pen uchaf a bat bach yn ei
law; taflai pennaeth y tîm arall neu aelod arall ohono
y bêl dennis ato, a cheisiai ei bwrw mor bell ag y gallai.
Os oedd y bêl wedi ei bwrw yn ddigon pell, fe allai
redeg rownd y cerrig i gyd a dod yn ôl i'r garreg gychwyn
a chael ail dro. Fe fwriai aelodau'r tîm y bêl yn eu tro.
Os na fwrid y bêl yn ddigon pell, rhaid oedd i hwnnw
aros ar y garreg neu os bwrid ef â'r bêl pan oedd rhwng
dwy garreg, yr oedd allan. Os daliai aelod o'r tîm y
bêl, fe fyddai'r tîm hwnnw yn cael bato yn lle'r llall.
Chware arall oedd bwrw'r bêl yn erbyn y wal, ac yr
oedd cefn cwtsh glo rhai tai ar yr hewl heb lawnt o'i

flaen, eu bwrw yn erbyn y wal â'r llaw neu â'r bat, a gadael iddi hopo unwaith; ond os hopai ddwywaith fe gydiai un arall yn y bat. Un peth a yrrai ias trwy'r bechgyn a'r merched oedd miwsig hyrdi-gyrdi, a dôi hwnnw yn ei dro; y dyn yn troi handlen yr organ, a mwnci ar ei ysgwydd. Rhaid oedd rhedeg i'r tŷ i nôl ceiniog, a rhai yn rhedeg i'r siop fach i brynu cnau; gwrando ar yr hyrdi-gyrdi a rhai merched fel Myfanwy Hopcin yn ceisio mynd yn agos at y mwnci a rhedai hwnnw ar eu hôl a hwythau yn gweiddi a sgrechen, ond nid âi'r mwnci yn bell am ei fod wedi ei gadwyno wrth ei feistr. Dyn arall yr oedd disgwyl amdano oedd dyn-y-rhacs neu'r jerri, a phan chwythai ei gorn fe redent at ei gart, car ag asyn neu fiwlyn. Fe fyddai'r mamau wedi casglu rhacs, a ffeirient hwy â'r jerri am jygiau, dysglau a soseri, gwydrau a phlatiau; ac ar y platiau yr oedd llythrennau mawr—L.N.E.R.—llythrennau enw cwmni rheilffordd. Fe gâi'r bechgyn a'r merched hefyd falŵn, balŵn a llun dyn arno mewn llinellau gwyn; ac ar ôl ei chwythu i'w lawn faint fe fyddai'r dyn boliog yn gyfan, a gwên ar ei wyneb. Ar ôl chwythu a chlymu edau am ei wddwg fe deflid y balynau lliw i'r awyr; ac os byddai gwynt ganddi fe hedent ymhell dros y pentre. Am Ianto Powel, gwell oedd ganddo ef chwythu'r balŵn i'w lawn faint a rhoi clap arno â'i law i glywed ei sŵn wrth fyrsto. Fe wnâi'r un peth â chwdyn papur fel cwdyn siwgir. Peth arall a gaent gan y jerri am racs oedd melin-wynt, sef to bach lliwgar ar lun to merri-go-rownd, a phin yn ei ddal ar ben pric, ac wrth redeg fe fyddai'r gwynt yn troi'r olwyn yn gyflym. Io-io oedd ffeiryn arall, sef pêl ryber ar flaen llinyn lastig, a gallech daflu'r bêl oddi wrthych am fod y lastig yn rhoi; a hoff gan y bechgyn daflu hon i wynebau'r merched. Pistol

a chaps coch oedd ffeiryn arall. Fe roddai'r bechgyn
y gapsen goch a chylch bach glas yn ei chanol ar y man
crwn; tynnu pigyn bach odani a dyna'r triger yn syrthio
ar y gapsen, gan wneud clec a chodi mwg. Yn eu
dychymyg fe saethai'r bechgyn yr holl ferched, eu rhieni
a phawb a gwrddent â hwy. Pan oedd ganddynt arian,
fe aent i siop Mrs. Morris fach, hen wraig fach yn cadw
siop yn ei pharlwr; y poteli taffis ar fwrdd ac ar silffoedd
y tu ôl iddo ac ar sil y ffenestr. Fe brynent sherbert,
aniseed balls—deuddeg am geiniog—sbanish, licrish, loli-
pops a *chewing gum*. Pan âi Taliesin Niclas gyda hwy
fe brynai am fod ganddo fwy o arian daffis i'r bechgyn
a'r merched. Pan roddodd un tro baced mwy i
Dabitha Powel nag i Fyfanwy Hopcin fe fu'r ddwy yn
cweryla, a gofalodd roi'r un faint iddynt ar ôl hyn.
Gan Ianto Powel yr oedd lleiaf o arian, ond fe glywodd
ef yn rhywle am ddyfais i gael taffis am ddim. Fe aeth
oddi amgylch i gasglu tuniau gwag *Nestle's Milk*, ac
ar y gwaelod yr oedd cylch bach crwn a rhimyn iddo:
fe ofynnodd i'w dad dorri'r cylchau hyn allan a phwniodd
Ianto hwy yn fflat â morthwyl. 'Dewch gyda fi,'
meddai wrth y bechgyn a'r merched, ac i blatfform y
stesion â hwy, a gosododd Ianto y cylchau yn lle cein-
iogau yn slot y peiriannau. Fe dynnodd o'r slot baced
jiwbs a phaced siocled, bocs bach o fatshis a phaced â
thri Wdbein ynddo. Rhoi'r taffis a'r siocled i'r merched,
a bob o sigarèt i Gynddylan Hopcin a Thaliesin Niclas.
Y tri yn smocio, ond cyn hir yr oedd y byd yn dechrau
troi; Ianto a Chynddylan yn cerdded yn benysgafn,
a Thaliesin yn cael ei stumog yn ôl. Fe gawsant sawl
gwledd o'r peiriannau slot, ond wrth fyned i'r stesion
un diwrnod, fe welodd Ianto â'i lygaid barcut big
helmed plisman yn y drws; a cherddasant ymaith yn

ddigon diniwed. Nid aethant yno ar ôl hynny. Weithiau fe âi pump neu chwech ohonynt—Taliesin Niclas, Ianto Powel, Cynddylan Hopcin, Myfanwy Hopcin, Tabitha Powel a rhyw ferch arall—i lan yr afon, a thaflu cerrig i bwll ac edrych ar y cylchoedd yn lledu hyd yr ymyl arall: neu fynd am dro i ben y tip a chlywed pipen yng ngwal y Gwaith Tun yn poeri ager neu weled copras: ' Dyna i chi ddarn pert i neud brôtsh,' meddai Tabitha Powel: neu fyned i Goed y Twmpath y tu hwnt i'r rhes dai a dringo'r coed; y merched yn siglo ar y canghennau isaf a'r bechgyn yn dringo ac yn cripad i'r top. Pan welent gollen yn yr hydre fe fyddai'r bechgyn yn dringad y gollen a thaflu'r cnau i bineri'r merched; mynd â hwy adre, eu torri â'r efel a'u cnoi a bwyta. Dringo gyda'i gilydd i ochor y Graig neu i'w phen, ac eistedd rhwng y rhedyn.

' Dishgwl ar dy winedd, y mochyn,' ebe Tabitha Powel wrth ei brawd, canys yr oedd ei ewinedd bob pryd yn frwnt.

' Paid cnoi dy winedd: ma e yn mynd ar 'y stwmog i,' meddai Myfanwy Hopcin wrth Daliesin Niclas; yr oedd bob amser yn cnoi ei ewinedd.

Fe dynnai Ianto Powel bob amser declyn o'i boced, canys yr oedd yn dwli ar bob math o beiriannau; a'r tro hwn fe dynnodd ' lif ', sef darn tun tenau a dannedd arno, a chordyn trwy ddau dwll yn ei ganol, ac wrth dynnu'r cordyn ôl a blaen fe droai'r llif yn gyflym, a'r dannedd fel ymyl wen amdano. Fe geisiai osod y llif ar goesau neu ar freichiau'r merched. Peth arall a wnâi i'w profocio oedd gwneud llygoden o'i nished, a'i stwffo i lawr cefnau'r merched neu i'w brestis. Os byddai blodeuyn gwyw dant-y-llew yn ymyl fe gydiai Cynddylan Hopcin yn hwnnw, a chyn ei chwythu fe ddwedai wrth Dabitha

Powel, ' A ga i dy briodi di?'; ar ôl y chwythad cyntaf
' Ca ', ar ôl yr ail chwythad ' Na cha ', ac yr oedd y
briodas yn dibynnu ar y chwythad olaf. Ond yr oedd
deilen rhedyn yn well i'r gwaith hwn. Fe gydiai Ianto
yn y ddeilen a oedd ar lun plufyn; dweud wrth Fyfanwy
Hopcin, ' A wna i dy briodi di?' ac ar ôl tynnu sbrigyn
cynta'r ddeilen dywedyd, ' Gwna ', ac ar ôl y sbrigyn
cynta yr ochor arall, ' Na wna a ;' thrwy'r holl ddeilen
bob ochor, a'r briodas yn dibynnu ar yr ateb olaf. Yna
hefyd fe fyddai'r bechgyn yn codi ffrogiau'r merched i
weld lliw eu trowsus.

Fe gerddai'r bechgyn a'r merched ar y stryd dan ganu
caneuon fel y rhain; caneuon a draddodid o genhed-
laeth i genhedlaeth:

> Golau leuad fel y dydd,
> Siencyn Dafydd yn ei hyd
>   Yn claddu'i blant
>   Yn y nant—
> Pedwar ugain a saith cant,

(sef cân yn dangos y dail yn cwympo oddi ar y coed
yn yr hydre).

> Rhys, Rhys, cawl pys,
> Dala whannen ar ei grys,
>   Bob nos fel y cloc
>   Dala whannen ar ei goc !

> Bachan bach o Ddowles
>   Yn gwitho o fla'n y tân
> Jyst â thorri'i galon
>   Ar ôl y ferch fach lân :
> 'I goese fel y pibe
>   A'i friche fel y brwyn ;
> 'I ben e fel pytaten
>   A hanner llath o drwyn !

> Hen fenyw fach Cydweli
>   Yn gwerthu loshin du :
> Yn gwerthu deg am ddime,
>   Ond un-ar-ddeg i fi.

Giâr fach bert yw 'ngiâr fach i ;
Gwyn a choch a melyn a du :
Fe âth i'r nyth i ddytwi wy :
Siglws 'i chwt, a bant â hi.

Ble ma cwrcyn Modryb Beli,
    Ar 'i gefen yn y dŵr ;
Am beth odd e yn câl 'i foddi ?
    Am 'i fod e'n catw stŵr.

O mam-gu, mam-gu, capan coch,
O dere gen i i nôl y moch ;
A glyw di'r gwynt ? A weli di'r glaw ?
A glyw di'r aderyn bach fan draw ?
A weli'r dyn â britshis lleder
Yn saethu llong i frenin Lloeger ?

Mam-gu, mam-gu,
Dewch ma's o'r tŷ
I weled y gath ar gefen y ci.

O Pwsi Meri Miew,
Ble collest ti dy flew ?
Yn cario tân i Meri Tŷ-drew.

Ymhlith y caneuon hyn oedd ' Y Mochyn Du ' a
' Sosban Fach ' gan ychwanegu'r geiriau hyn ar ôl y
llinellau :

Bydd raid câl sepon, startsh a bliw
I gâl crys Mari nôl idd 'i liw.
                    Hwpwch e lan.

Wedyn fe genid caneuon lle'r oedd y bechgyn yn
gofyn a'r merched yn ateb neu fel arall :

Pwy sy wedi marw ?
    —John Ben-Tarw !
Pwy sy'n fyw ?
    —John Ben-Buwch !
Pwy sy'n gneud y coffin ?
    —John Ben-Sâr !
Pwy sy'n mynd i'r angladd ?
    —Ceiliog a giâr !

Ble ti'n byw ?
— Dan y sgiw.
Pwy sgiw ?
— Sgiw bren.
Pwy bren ?
— Pren sych.
Pwy sych ?
— Sych dy din.

Caneuon dal oedd caneuon eraill fel

Ei di i Ros
Heb weyd ' ôs ' ?

a'r gofynnwr yn ceisio trwy gwestiynau gael gan un o'r
merched neu'r bechgyn ddweud ' ôs ' : a'r un peth
gyda hon:

Pwy eiff i Landybïe
Heb weyd ie ?
Dros yr hewl
Ne dros y cïe ?

Caneuon cyfri oedd caneuon eraill, a'r cyntaf i ateb
fel rheol oedd Ianto Powel wrth eu clywed y tro cyntaf:

Cinog a chinog
A hanner dwy ginog,
Grot a phum cinog
A thriswllt ?

Sawl sgadennyn gei di am swllt,
Ffyrling y llycad a dime'r gwt ?

Pan dynnid dant neu pan ddôi dant yn rhydd fe
deflid hwnnw tros yr ysgwydd chwith gan lafarganu:

Dant du i'r ci,
Dant gwyn i mi !

Wedi i'r bechgyn a'r merched fynd yn hŷn y canent
y caneuon Saesneg a ddôi o'r *music-hall* yn Llundain:

Anybody here seen Kelly ?
Kelly from the Isle of Man ?

I kissed her on the ship
And the crew began to row :
Hi-hai-ho-hi-hai-ho,
We're off to Baltimore.

Oh, my great big beautiful doll . . .

Alexandra's rag-time band . . .

Yes, we have no bananas,
We have no bananas to-day . . .

Oh, oh, Antonio, he's gone away,
Left me all alone-io,
All on my own-io ;
We'll all cling together like the ivy
On the old garden wall.

Canu fore'r Calan oedd y canu proffidiol. Noson cyn
Calan fe gâi'r bechgyn a'r merched aros i lawr yn hwyr,
a phan oedd hi yn taro deuddeg dyna glychau'r eglwysi
yn canu a hwter y Gwaith yn chwythu. Fe gâi'r bechgyn
hynaf, rhai ohonynt, fynd allan i ganu yr adeg honno, ac
anelu gyntaf am Blasty Mr. Gilbert Parsons, a chael
hanner coron, ac wedyn at y tai yn *High Street*, lle'r
oedd Henry Harper a'i debyg yn byw, a chael swllt.
Am y plant yn gyffredinol, mynd i'w gwelâu a wnaent,
a chodi yn fore tua phump neu chwech, a phan oedd y
tadau yn dod adre o'r shifft nos neu'n mynd ar y shifft
fore, fe fyddent yn eu deffro. Yn ôl barn llawer o
wragedd a merched yr oedd gweled bachgen â gwallt
golau ganddo gyntaf yn dwyn lwc iddynt; a chan mai
gwallt golau oedd gan Daliesin Niclas, fe gâi fantais ar
Gynddylan Hopcin ac Ianto Powel.

' Ma'r diawl 'na yn câl pob mantes,' meddai Ianto
Powel. Y pennill a genid o flaen y drws oedd hwn:

Dyma'r flwyddyn wedi dod,
Y flwyddyn ore fu erio'd ;
O fore'r flwyddyn newydd,
O fore'r flwyddyn newydd,
O fore'r flwyddyn newydd dda :
Blwyddyn newydd dda i chi !

Yna fe enwid yr holl bersonau yn y teulu, ac oni cheid
ateb fe genid yr ail bennill:

Cwnnwch yn fore i gynnu tân ;
Cerwch i'r ffynnon i nôl dŵr glân :
O fore'r flwyddyn newydd,
O fore'r flwyddyn newydd,
O fore'r flwyddyn newydd dda :
Blwyddyn newydd dda i chi !

Oni cheid ateb yr ail dro fe floeddid y llinellau hyn
a mynd ymaith:

Blwyddyn newydd ddrwg,
A llond tŷ o fwg !

Ond ychydig gybyddion yn unig a wrthodai roi
rhywbeth. Gan y lleill fe geid bishyn swllt weithiau;
pishyn chwech gan eraill; pishis tair ceiniog gan rai;
ond gan y mwyafrif geiniogau, ac yr oedd rhai o'r rhain
yn gofalu rhoi ceiniogau newydd. Ar ôl deuddeg o'r
gloch y bore nid oedd hawl gan neb i ganu, ac os ceisiai
rhywun wneuthur hynny ni châi bensen. Ar ôl gorffen
canu yr oedd y bechgyn yn cyfri'r arian; rhoi'r arian
gwynion gyntaf ar y bwrdd, yn hanner coronau,
sylltau a chwechau; ac wedyn yr arian gleision, yn
bishis tair, a phentyrrau o geiniogau, deuddeg ym mhob
un. Yn wir, yr oedd y bechgyn am yr unig dro yn y
flwyddyn yn gyfoethog, ac yn hyn o beth yr oedd y
merched yn anffodus, ond fe fyddai ambell un fel Cyn-
ddylan Hopcin yn rhoi peth arian i'w chwaer. Meddwl
a wnaent am brynu pistol â chaps coch neu fat neu
lusern hud neu daffis; a chaent wario ychydig, ond fe

fyddai'r mamau yn eu gorchymyn i roi'r arian yn y bocs:
' Cadw di'r arian 'na 'nawr i brynu pilyn o ddillad.'

Nid canu a chware yn unig a wnâi'r bechgyn a'r
merched, ond hefyd helpu eu rhieni. 'Roedd gan
Gynddylan Hopcin feddwl y byd o'i dad am ei fod yn
gallu dodi'r ardd mor gryno, gwneud gwaith saer, cob-
lera a thorri gwallt. Fe wnâi iddo eistedd mewn cadair
a rhoi hen ffedog am ei wddwg a thorri ei wallt â siswrn
mawr, gloyw; a thorrai'r tad ei wallt ei hun wrth edrych
yn y glàs o'i flaen, a'i wraig a dorrai y tu ôl. Fe dorrai
hefyd wallt Gomer Powel am ddim. Dyn deche â'i
ddwylo oedd ei dad. Pan glywid trap bach yn cau am
lygoden yn y pantri neu'r cwtsh-dan-stâr, fe âi ias ofn
drwy Gynddylan a Myfanwy, ond un noson fe glywyd
mwstwr yn y cwtsh glo, ac ar ôl i'w dad agor y drws,
dyna lle'r oedd llygoden ffreinig yn sownd wrth un
goes yn y trap mawr harn, a rhuthro ato, ond cydiodd
y tad yn hamddenol yn y brwsh câns, a'i bwrw ar ei
phen a'i lladd. Dyn dewr oedd ei dad. Fe ofynnai ei
dad iddo—gofyn ac nid gorchymyn—ei helpu yn yr ardd.
Fe wnaeth ei dad gart bach iddo, sef bocs orenjis o'r
Cop, a rhoi pâr olwynion bach odano, a hoelio dwy
ddolen neu siafft bob ochor. Yn y cart bach hwn y
cariai dail, llydi a thatws, a'r chwyn a'r pridd wrth
lanhau llwybr yr ardd. Pan ddamshelai ar jini flewog,
fe ddywedid wrtho ei bod yn sicr o ddod yn law, a phan
welai forgrugyn yn hedfan yr oedd yn arwydd o dywydd
ffein. Pan welai fuwch fach gota fe'i rhoddai ar ei law,
a dweud:

> Buwch fach, fach gota
> P'un e glaw ne hindda ;
> Os taw glaw, cwymp i'r baw ;
> Os taw teg, hedfana.

Yr unig beth a yrrai ias drwyddo oedd gweld modryb whilen yn llithro rhwng y cerrig. Wrth godi dant-y-llew fe roddai ar ei law boeri'r gwcw. 'Roedd cystad-leuaeth rhwng y bechgyn a'r merched pwy oedd y cyntaf i glywed y gwcw, a phe byddai arian yn eu poced fe fyddent yn eu troi yn eu poced gan gredu y byddai arian ganddynt drwy'r flwyddyn. Ianto Powel a fostiai o hyd mai efe oedd y cyntaf, a phan nad oeddent yn ei gredu fe ddwedai:

Criss cross the Bible, never tell a lie,
If I do I'll cut my throat, and then I'm sure to die.

Pan oedd hi'n bryd, Cynddylan a Myfanwy a dynnai'r pys, y ffa a'r cydna-bêns; masglo'r pys a'r ffa a'u gwthio â bys i badell, ond eu mam a dorrai'r cydna-bêns. Wrth dynnu tatws yn yr hydre, y tad a fyddai yn eu ceibio, a'r mab a'r ferch yn eu codi a'u rhoi ar ffetan yn yr ardd i sychu, ac ar ôl sychu, helpu eu tad i'w dosrannu. Ar ôl casglu'r chwyn a'r gwrysg a'r fflwcs a'u rhoi yn un domen yng nghornel yr ardd, yr oedd Cynddylan wrth ei fodd yn rhoi matshen iddi, a'i gweld yn llosgi'n goelcerth. Cyn myned i'r tŷ yr oedd y tân wedi diffodd, ond ar ôl myned i'w wely fe ddangosai'r ffenest fod y tân wedi ail-losgi, ac âi o'i wely i edrych arno; diffodd wedyn a mudlosgi. Pan oedd y tad yn cario'r glo mewn whilber o'r hewl i'r cwtsh fe gariai Cynddylan y cnapau mân yn ei gart bach. Yn y cart bach y cariai dail y ceffylau o'r hewl i dop yr ardd, a phan oedd y tail yn ffresh, fe âi gwynt cryf i'w ffroenau. Nid cart gwaith yn unig oedd y cart bach, ond cariai ynddynt fechgyn a merched wrth chware, a phan oedd merch neu ferched ynddo, fe yrrai'r cart fel y meil, a hwythau yn llefain am gael dod allan ohono. Pan welent delpyn glo ar yr hewl fe'i codent, a'i daflu dros yr ysgwydd chwith a pheidio ag edrych yn ôl: a'r un fath gyda phedol, ond eu bod yn poeri ar honno cyn ei thaflu; a dôi'r telpyn glo a'r bedol â lwc iddynt. Fe geisiai ei dad rannu'r gwaith â'r mab pan allai. Ar ôl lladd mochyn, fe gâi'r mab fynd â'r cig mân i rai cymdogion, ac fe gâi hefyd arian weithiau. Fe fynnai Myfanwy hefyd helpu ei mam yn y tŷ ar ôl ysgol, a bore Sadwrn am ei bod yn edmygu ei mam wrth ei gweled yn gweithio ac yn twtian o fore glas tan yr hwyr heb gymryd sbel. Glanhau'r cyllyll a'r ffyrc oedd un job, sef eu glanhau ar astell a bocs ar ei phen i gadw'r clyte a'r bricston; a'u rhwbio hwynt ar ymyl lefn yr astell i dynnu'r baw mwyaf. Fe olchai hefyd y llestri, ac yn enwedig pan oedd ei mam yn mynd allan. Gwaith arall oedd glanhau'r canwyllerni, y platiau pres a'r cŵn llester ar y mantl-pîs; a blacledo'r ashban, y tegil, y tongs, y pocer a'r blower, a gloywi'r ffender a chlawr y tegil. Dal blanced a shiten pan oedd ei mam yn eu plygu, a dal edafedd ar ei garddyrnau pan oedd ei mam yn dirwyn y bellen wlân. Fe geisiai'r tad a'r fam ddangos i'r plant mai cymdeithas gydweithredol oedd teulu.

Braf yn y nos, ar ôl blino, oedd eistedd fel teulu, a sgwrsio yng ngolau'r lamp oel. Fe ofynnai eu rhieni iddynt beth yr oeddent wedi ei wneud yn ystod y dydd yn yr ysgol, ac wrth chware, ond ni sonient am y treisicl a thaffis a sigarèts y peiriannau slot. Fe ofynnai'r fam iddynt bosau fel :

' Beth odd yn mynd trwy glawdd a gadel ei berfedd ar ôl?' a'r plant yn pensynnu a methu cael ateb; ac ateb y fam oedd :

' Nodwydd yn mynd drwy glawdd a gadel yr edau ar ôl.'

Adroddai'r tad iddynt hanes ei fachgendod; troeon trwstan gyda'r anifeiliaid ar y ffarm yn Rhydcymerau, ac anifeiliaid pell oedd defaid a hyrddod, gwartheg a lloi, tarw a hwrdd, hwyad, gŵydd a ' cum-bac ' i'r mab a'r ferch, am mai anifeiliaid ffermydd ar gyrrau'r pentre oedd ffermydd iddynt hwy. Y tad wedyn yn sôn am ddigwyddiadau cyffrous, fel y tramp a alwodd yn un ffarm yn ymyl Rhydcymerau, a gofyn i'r wraig a gadwai hi y sach lawn iddo, ac fe alwai amdani yn y bore. Fe rowd y sach y tu mewn i ddrws y gegin. Pan gododd y teulu yn y bore nid oedd sach yno, ac ar ôl drwgdybio rhywbeth, fe aeth y wraig i ddrâr y seld, ac yr oedd yr arian wedi mynd. Dyn oedd yn y sach, a chyllell ganddo i'w rhwygo ganol nos. Adroddai'r fam storïau am ysbrydion, cannwyll gorff, toilu, Jac-y-lantern a sŵn canu yn y nos. Pan âi Cynddylan a Myfanwy i'w gwelâu â'r gannwyll, yr oedd eu dannedd yn crynu wrth adrodd eu pader; ac edrychent tan y gwely i weld a oedd lleidr yno cyn mynd iddo, ac ar ôl diffodd y gannwyll a chau eu llygaid fe ddisgwylient ysbryd yn dringo'r stâr gan bwyll bach, yn agor y drws ac yn eu dychrynu. Fe ddôi'r rhain i'w breuddwydion hefyd.

Fel plant eraill fe gâi Cynddylan a Myfanwy afiechydon, anafau a thostrwydd. Pan gaent wddwg tost fe roid saim gŵydd arno a gwlanen goch; rhoid papur brown a finegr arno ar y talcen at ben tost; at beswch toddi mêl, lemwn, finegr a siwgir brown mewn cwpan ar y pentan, a'i gymryd bob yn llwyaid; at buro'r gwaed cymryd te wermwd lwyd neu de senna neu laeth â brwmstan. Fe gasglai Tomos Hopcin lysiau fel wermwd a ffa'r gors, a'u rhoi i sychu dan y nen; a gwneud te ohonynt. 'Roedd meddyginiaeth at bob dolur, ac un o'r rhai mwyaf peryglus oedd rhwymo. Pan oedd

Cynddylan neu Fyfanwy yn rhwym, rhaid oedd cymryd y te. At gwt yr oedd zambuc ac at losg tân

Eli Treffynnon
  Sy'n gwella dynon ;
Eli Tre Fflint
  A welliff nhw'n gynt.

Pan oedd crachen ar wyneb neu gusan drwg neu 'dose', fe'u cynghorid i beidio â'u pilo rhag iddynt fynd yn llidus. Pan oedd 'maleithe' ar draed yn y gaeaf rhaid oedd peidio â'u crafu, ac fe awgrymai Tomos Hopcin yn gellweirus mai'r feddyginiaeth orau oedd curo'r traed â chelyn. I ddifa dafad ar y llaw y peth gorau oedd rhoi poeri cyntaf y bore arni, am y tybid fod ynddo wenwyn. Cymerid pin o'r pincas i ollwng pothell, a'r drwg yn llifo drwy'r twll bach. Am gorn fe dorrai'r tad hwnnw â chyllell fach. Rhoid powltis ar gornwyd nes ei fod yn torri, a'r un peth â charnbwncl. Fe gysgai Tomos a Mari Hopcin yn y gwely ffrynt; Cynddylan yn y gwely ffrynt arall, a Myfanwy yn y rŵm bach, ond os byddai un ohonynt yn sâl fe gâi'r ferch neu'r mab gysgu yn y gwely ffrynt arall. Ar ôl cael rhyw afiechyd fel annwyd trwm a chryd fe edrychai'r mab neu'r ferch drwy eu chwys ar yr adnod ar y wal—' God Is Love '—neu ar y siampler a wnaeth eu mam; siampler â ffigurau a llythrennau arno ar y top a'r gwaelod, ac yn y canol Adda ac Efa yn sefyll o dan y pren yng ngardd Eden. Fe gaent eu bwyd yn y gwely, a phan oedd raid ymollwng fe godent i'r gadair yn ymyl y gwely, cadair â phot tan ei sedd. Fe gâi'r ddau lawer o freuddwydion pan oeddent yn iach ac afiach. Un freuddwyd a gafodd Cynddylan oedd ei weled ei hun yn annerch tyrfa fawr, ac efe oedd y prif siaradwr, ond fe anghofiodd ei nodiadau, a siarad yn wael o'r frest, ac oedfa fflat oedd hi. Yn un freuddwyd fe welodd Myfanwy fod barrau siocled tan ei gwely, ac yr oedd wedi penderfynu y peth cyntaf yn y bore i'w codi a'u bwyta, ond daeth ei thad cyn mynd i'r Gwaith i'r ystafell wely a mynd â'r barrau cyn iddi ddihuno.

Gwaith a wnâi'r bechgyn a'r merched gyda'i gilydd oedd casglu llysi-duon-bach ar ochor y Graig, a'u rhoi mewn jygiau a stenau; a phan welai un ohonynt lwyn yn llawn llysi fe weiddai 'bar cwtsh', ac nid oedd hawl gan neb arall i'w tynnu. Fe aent adre â'u gwefusau a'u bysedd yn lasddu. Mwyara oedd gorchwyl arall; eu casglu ar ochor y Graig ac ar berthi yn y caeau y tu allan i'r pentre; a gwell oedd casglu mwyar na chasglu llysi am fod y jwg neu'r stên yn llanw yn gynt. Mesa oedd gwaith arall, ond dim ond plant y rhai a gadwai foch a gasglai'r mes ar y llawr. Rhaid oedd codi yn fore i gasglu shwrwmps, ac ni allai rhai weled y gwahaniaeth rhwng shyrwmpsyn a bwyd y boda. Pan welent ar eu teithiau ddwy frân fe ddwedent:

Dwy frân ddu,
Lwc dda i fi.

Wrth gasglu'r ffrwythau hyn a ffrwythau o'r ardd fe gâi'r plant amrywiaeth o dartenni ar eu bwrdd, yn darten fwyar, tarten llysi-duon-bach, tarten afalau, tarten riwbob, tarten gwsberis, tarten afans a tharten gyrrens duon; a gwneid jam o rai ohonynt. Gyda'r cig fe geid y llysiau o'r ardd; ac ar ôl y rhain bwding reis neu bwding bara neu sego neu dwplins. Pan âi un o'r rhieni i Abertawe, fe brynai fara lawr yn y farchnad, a'i ffrio gyda chig moch i frecwast. Yn ystod yr wythnos fe waeddai dyn ar y stryd 'Sgadan heddi', ac ar fore Sadwrn fe ddôi'r wraig o Ben-clawdd â'r fasged ar ei phen a gweiddi ' Cocls ne rython '. Tynnu'r cocs o'r cregin a'r bechgyn a'r merched yn eu llarpio gyda finegr. Pan fyddai wynwns yr ardd wedi darfod fe brynid rhaffaid neu ddwy gan Sioni Wynwns, a'r Llydawr wedi dysgu digon o Gymraeg i gyfarch a bargeinio. Sŵn hyfryd oedd clywed wynwns yn ffrio yn y ffrympan gyda chig, ac aroglau hyfryd. O'r wynwns hefyd fe wneid cawl, ac yr oedd yn un da i wella annwyd. Ar ôl lladd mochyn, yr oedd digonedd o gigach, a chodai'r bechgyn a'r merched o'r byrddau yn foldyn. Pan godai merch neu fachgen fwy ar ei blat nag a allai fwyta, fe ddwedai'r fam:

> ' Ma dy lygad di yn fwy na dy fola di.'

Wrth fechgyn a merched nad oeddent yn bwyta digon, fe ddwedai:

> ' Bytwch 'nawr. Fe ddaw bola yn gefen.'

'Roedd ar y byrddau ddigonedd o deisennod, pice, ffroesod a byns, ac ar y Groglith yr oedd llun croes ar y byns. Er bod y gweithwyr a'u gwragedd yn gymharol dlawd, eto yr oedd ar eu byrddau ddigon o fwyd cartre i'r bechgyn a'r merched gael magu asgwrn y cefen, esgyrn a chnawd. Nid oedd dim yn hyfrytach nag aros am bryd bwyd; y tegil yn berwi ar y tân; y tebot ar y pentan; y cig yn ffrio ar y ffrympan; y llysiau a'r tatws yn berwi yn y sgilet a tharten a theisen a phwding a bara yn pobi yn y ffwrn: ac nid âi aelodau'r teulu yn agosach at ei gilydd nag ar bryd bwyd.

Am fod Gomer Powel mor hoff o ddarllen papurau, fe weithiai ei fab yn galetach na Chynddylan Hopcin yn yr ardd. Nid cario tail a llydi a thatws yn unig a wnâi, ond fe balai hefyd a cheibio'r tatws yn yr hydre, ac nid

oedd ryfedd fod ei ewinedd yn frwnt. Bob bore Sadwrn
fe âi i'r tip i gasglu cols yn ei sach, ac ar ôl ei llanw, fe
rannai'r cols yn y sach yn ddau hanner, a rhoi'r canol
gwag ar ei ysgwydd, a'i chario adre â'i gefn yn wlyb
diferu a'i wyneb, ei wallt a'i wegil yn llawn llwch. Nid
oedd hawl i ddwyn y sâm (saim) o'r tip, ond pan nad
oedd plisman yn y golwg, fe roddai Ianto Powel y sâm
o dan y cols, ac un da oedd sâm i gychwyn tân. Fe
orchmynnai ei dad iddo nôl y cols er mwyn arbed glo.
Mor eiddigeddus ydoedd o Gynddylan Hopcin wrth
gario'r cols ac yn enwedig o Daliesin Niclas. 'Roedd yn
dda gan Hanna Powel am ei bod yn fydwraig ac yn
troi cyrff y meirwon heibio gael ei merch, Tabitha, yn y
tŷ i wneud bwyd a glanhau, ac fe'i dysgwyd i wneud y
cwbwl bron ond golchi a smwddio. Nid oedd cystal
bord yno, na chystal celfi, llenni a charpedi, na chystal
sgwrs a chytundeb rhwng y rhieni a'r plant. Beiai
Gomer Powel ei wraig am wneud i Dabitha weithio
gormod, ac edliwiai'r wraig iddo yntau ei fod yn gyrru
Ianto i weithio yn rhy galed. Fe gaent hwythau yr un
afiechydon, tostrwydd a'r un math o freuddwydion.
Mewn un freuddwyd fe welodd Tabitha y dyn eira, ac
yr oedd yn oer tuag ati ac yn gwgu arni; fe wenodd hi
ac fe wenodd yntau, ond pan aeth i'w gofleidio nid oedd
dim yno. Mewn un freuddwyd fe'i gwelodd Ianto ei
hun yn chware dros Gymru yn erbyn Lloeger, chware
ar y *wing* ydoedd; a phum munud cyn diwedd y gêm yr
oedd Lloeger ddau bwynt ar y blaen; ond fe gafodd
Ianto y bêl, rhedeg fel milgi, mynd heibio i'r cefnwr a
sgorio cais. Cymru a enillodd o un pwynt. Mewn
breuddwyd arall yr oedd Ianto yn bocso yn y bwth
paffio yn y ffair yn erbyn y prif baffiwr am dair rownd.
Bwriwyd Ianto i lawr yn y rownd gyntaf, ac yn yr ail, ond

fe gododd; ac yn y drydedd fe fwriodd Ianto ef dan ei ên, ac ni allodd godi cyn cyfri deg. Fe gafodd Ianto bum punt gan ddyn y bwth am ei fuddugoliaeth.

Am fod Telynfab Niclas yn glerc yr angau, yr oedd ganddo well tŷ na thŷ Tomos Hopcin; a gwell carpedi ar y llawr, gwell llenni ar y ffenestri ac yr oedd ganddo fleindsis lats. Fe brynodd biano, a châi ei fab wersi gan organydd Eglwys y Drindod, Elias Williams; ac yr oedd ei dad am iddo ddysgu canu'r piano am y byddai'n haws iddo ddysgu canu'r delyn. Casglu ei ddimeiau i brynu'r *Gem*, y *Magnet* a *Boy's Friend* a wnâi Ianto Powel, a dotio ar hanes Billy Bunter: fe ddarllenai Cynddylan Hopcin rai o'r rhain hefyd, a darllen *Trysorfa'r Plant*: a phrynai Daliesin Niclas *Trysorfa'r Plant* a *Cymru'r Plant*. Hefyd yr oedd yn llyfrgell ei dad lyfrau y gallai eu darllen fel llyfrau Ceiriog a thelynegion Eifion Wyn; a llyfrau y gallai eu canu fel *Songs of Wales*. Dechreuodd ymddiddori yn y gynghanedd hefyd wrth astudio'r *Ysgol Farddol*, a'i dad yn ei helpu i lunio llinellau o gynghanedd. Pan brynai ei dad anrheg iddo, fe wahoddai Ianto Powel a Chynddylan Hopcin i'w weld, fel y *Magic Lantern* a gafodd. Fe roddodd len ar wal y parlwr, tynnu'r bleinds, cynnu'r lamp fach oel, a gwthio'r sleids i mewn; ac ar y llen fe welwyd lluniau y Tŷ Cyffredin, afon Tafwys, eglwysi cadeiriol, cestyll, mynyddoedd ac afonydd. Mor eiddigeddus oedd Ianto Powel ohono.

Tŷ modern oedd tŷ Mr. a Mrs. Henry Harper yn *High Street*, a gwell carpedi, llenni a chelfi ynddo nag yn nhŷ Telynfab Niclas. Yn y parlwr yr oedd drutach piano, er nad oedd gan y mab, Stanley Albert, unrhyw awydd i ddysgu ei ganu. Ar ôl gadael Ysgol y Babanod yng Ngwaun-coed, nid i Ysgol y Cyngor yr aeth, ond i Ysgol breifet yn Abertawe rhag iddo gymysgu â'r plant eraill; ac fe aeth o'r Ysgol honno i Ysgol Fonedd yn Lloeger. Fe fynnai ei fam o hyd ei glymu wrth linyn ei ffedog, ac nid oedd y tad yn fodlon ei bod hi yn edrych arno fel plentyn o hyd. Pan ddôi adre ar ei wyliau, fe âi gyda'i fam i siopa, a chyda'i dad yn yr hwyr am dro i ben mynydd. Nid oedd ganddo unrhyw gyfaill na chyfeilles yn y pentre. Ni ddywedwyd wrtho fod ei dad wedi bod yn gweithio fel gweithiwr yn y Gwaith cyn cael swydd gaffer, a phan ddywedodd ei fam wrtho fod yr Anghydffurfwyr wedi bwrw ei dad dros y bont i'r afon a'i fwrw fel blaenor o'r Capel, yr oedd yn gas ganddo weled capel a chasach ganddo glywed y Gymraeg. Fe gâi yntau ei freuddwydion a'i hunllefau. Mewn un freuddwyd fe welodd y curyll coch yn disgyn o'r wybren ac yn ymosod arno a thynnu ei lygaid allan.

Yn ystod streic Tarenni Gleision yn 1910, streic Gwaun-coed yn 1911 a'r Streic gyffredinol yn 1912 fe fu'n rhaid i'r tadau, ac yn eu plith Domos Hopcin a Gomer Powel a'r bechgyn gyda hwy fynd i Dir y Twmpath i geibio cnapau glo o'r tip am nad oedd glo yn y cwtsh. Yno yr oedd hen lefelau wedi eu cau. 'Roedd y tadau wrthi yn ceibio'r tip ac yn rhoi'r cnapau yn y whilber, a'r bechgyn yn llanw eu cart bach. Heblaw'r gwŷr yr oedd rhai gwragedd yn ceibio, ac un ohonynt oedd Mrs. Job, a'i mab, Tom, crwtyn un-ar-ddeg oed. Fe welodd y crwt lo yn nhop lefel ac i mewn ag ef â'i gaib a dechrau bwrw'r glo, ond yn sydyn dyna'r top yn syrthio arno, a'r gair olaf a glywodd ei fam oedd ' Mama '. Fe ruthrodd un dyn i nôl y doctor, a'r lleill i glirio'r cwymp, a dowd o hyd i'w gorff. Fe wnaeth y dynion stretsher ag ychydig brennau; rhoi eu dillad dano a'u dillad arno, a'i gario adre, a'r fam y tu ôl bron â thorri ei chalon. Er bod ganddi enw drwg, fe helpodd ei chymdogion hi, a Mari Hopcin a Hanna Powel yn eu plith, fel pob gwraig arall mewn trybini; ac yr oedd wedi colli ei gŵr mewn damwain yn y Gwaith a'r mab yn y lefel lo. Yn yr angladd yr oedd ei ddosbarth yn Ysgol y Cyngor a'i ddosbarth yn yr Ysgol Sul, a Ianto Powel, Cynddylan Hopcin a Thaliesin Niclas yn eu plith; ac ar ôl y gwasanaeth yn y tŷ fe ddowd â'r elor allan a'r arch arno yn llawn blodau; eu gosod ar yr hewl o flaen y tŷ a chanu ar Dôn y Botel:

Yn y dyfroedd mawr a'r tonnau . . .

Ar y ffordd i'r fynwent fe gerddai Mrs. Job rhwng dau ddyn, ac wrth ymyl y bedd ar ôl canu'r emyn olaf fe edrychodd yn hir ar yr arch a'i chorff yn ysgwyd gan y llefain, a rhaid oedd i'r ddau ddyn ei thynnu oddi wrth y bedd. Fe ddaeth marwolaeth yn agos iawn at y bechgyn a'r merched; a daethant i ryw led-ymwybod â'u hamgylchfyd.

Y Capel oedd cysegr addoli Duw; canolfan dysg, diwylliant a cherddoriaeth: ac nid anghofiai'r corff ychwaith wrth drefnu trip a rasis. Nos Lun am hanner awr wedi pump yr oedd y Gobeithlu neu'r *Band of Hope* fel y'i gelwid; ac yno adroddai'r meibion a'r merched eu hadnodau; cael gwersi ar y Maes Llafur yn ystod y flwyddyn; a dysgu canu'r modwlator. Yn yr Arholiadau ysgrifennu ar y Maes Llafur nid enillai Ianto Powel fyth wobr; na Thaliesin Niclas ond fe fyddai yn weddol uchel ar y rhestr, nid oherwydd ei wybodaeth Feiblaidd, ond am ei Gymraeg: a gwelid enw Cynddylan Hopcin ar ben y rhestr yn ei ddosbarth, ac fe gâi dystysgrifau a llyfrau yn wobr. Ioan Williams, arweinydd y gân yn y Capel, a ddôi ar ôl yr adnodau a'r gwersi i ddysgu sol-ffa; gosod y modwlator dros y bwrdd du a safai ar yr *easel*, a'u dysgu i ganu'r nodau yn gywir; canu gyda'i gilydd a gofyn i rai ddod o flaen y dosbarth i ganu ar eu pennau eu hunain. Fe allai Taliesin Niclas ganu'r holl nodau ar ei ben ei hun yn gywir am fod ei dad wedi ei ddysgu i'w canu ac am ei fod yn cael gwersi ar y piano; ac yr oedd ganddo lais soprano fel merch. Fe allai Cynddylan Hopcin ganu'r holl nodau gyda'r lleill, ond ar ei ben ei hun nid oedd yn sicr o daro'r hanner nodau fel Taliesin.

Am Ianto Powel nid oedd ganddo glem ar ganu na chan ei chwaer, Tabitha, ychwaith. Am Fyfanwy Hopcin, yr oedd hi fel Taliesin Niclas, yn gallu canu'r nodau yn gywir am fod ei mam yn ei dysgu i'w canu gartre. Wrth ddysgu'r adnodau a'r gwersi ar y Beibl yr oedd gan y bechgyn feddwl mawr o Iesu Grist am Ei fod yn arwr ac yn ŵr gwybodus a nerthol. 'Roedd yn gallu cerdded ar y dŵr heb suddo; troi'r dŵr yn win a gallu cyflawni gwyrthiau: yr oedd yn gwybod am bob peth cyn iddynt ddigwydd ac yr oedd yn Frenin y brenhinoedd ac yn Arglwydd yr arglwyddi. I'r merched yr oedd Mair yn annwyl wrth fagu Ei babi yn yr ystabl tlawd, ond druan ohoni pan safodd yn ymyl y Groes a'i Mab yn hongian arni; ond yr oedd yn lwcus pan gododd Ef o'r bedd. Am Fair Fagdalen yn tywallt y blwch ennaint ar draed yr Iesu a'u golchi â'i gwallt:

' Ond odd hi yn 'I garu!' meddai Tabitha Powel. Am Fair a Martha yr oedd gwahaniaeth barn:

' Ma'n well 'ta fi Martha,' ebe Myfanwy Hopcin.

' Ma'n well 'ta fi Mair,' atebodd Tabitha Powel.

Ar ôl y *Band of Hope* am saith yr oedd y Cwrdd Dirwestol neu gwrdd adloniadol, nid yn unig i'r bechgyn a'r merched ond i rai mewn oed hefyd. Am adrodd, Cynddylan Hopcin fel rheol a gâi'r wobr, sef bag bach sidan a swllt neu bishyn chwech ynddo, a'r cadeirydd a roddai'r ruban lliw am ei wddwg. Un tro fe adroddodd ddarn, ' Y Llongddrylliad ', ac ynddo disgrifiwyd y llong yn suddo, a'r holl deithwyr yn boddi, ar wahân i un, yr olaf ar y bwrdd, a chyn i hwnnw foddi fe ganodd yr emyn:

Yn y dyfroedd mawr a'r tonnau . . .

Nid adrodd yr emyn hwn a wnaeth Cynddylan na cheisio ei ganu, ond cyn y cyfarfod fe ofynnodd i'w gyfaill, Taliesin Niclas, fyned y tu ôl i'r drws a âi o'r festri i'r Capel, a chanu'r emyn fan honno fel pe byddai'r dyn yn canu ymhell ar y môr. Fe roes Cynddylan arwydd iddo pryd i ganu, sef adrodd y gair o flaen y gân yn uchel. Fe adroddodd Cynddylan, fel yr adroddid darnau catastroffig o'r fath, yn ddramatig iawn, ac ar ôl adrodd y gair yn uchel dyna Daliesin yn canu y tu ôl i'r drws, ac yr oedd mor sydyn a newydd fel y gwefreiddiwyd y gynulleidfa, ac fe allech glywed pin yn syrthio yn y distawrwydd syfrdan. Taliesin Niclas a enillai fel rheol ar unawd i fechgyn, ac wrth ei glywed yn canu

Mi garwn fod yn angel
Tu mewn i'r nefoedd wen . . .

fe allech dyngu mai angel pengrych a oedd yn canu. Yn y ddeuawd i fachgen a merch, Taliesin Niclas a Myfanwy Hopcin a gâi'r bag a'r wobr ynddo. Yn y gystadleuaeth am ddarllen darn heb atalnodau Taliesin Niclas a enillai, er y byddai Cynddylan Hopcin yn o agos ato, ond pan ddarllenai Ianto Powel y darn a bwrw brawddegau ynghyd fe chwarddai pawb yn galon-nog. Yn yr araith ar y pryd fe eid â'r ymgeiswyr i gyntedd y festri, a'r Arolygwr yn eu cadw o'r drws rhag iddynt glywed y testun, oherwydd wrth y bwrdd yn y festri y caent y testun ac yr oedd pob un i siarad am bum munud. 'Roedd Taliesin Niclas yn rhy nerfus i grynhoi ei feddyliau ar y pryd, ond yr oedd Cynddylan yn ddigon hamddenol i'w crynhoi ac efe a siaradai orau ar destunau haniaethol; a Ianto Powel a gurai ar destunau ymarferol. Wrth gwrs, fe rennid y cystad-laethau i oedrannau arbennig; sef tan bump oed, rhwng pump ac wyth, rhwng wyth a deg, rhwng deg a deuddeg, rhwng deuddeg a phymtheg, rhwng pymtheg a deunaw, rhwng deunaw ac un-ar-hugain, rhwng un-ar-hugain a phump ar hugain; a chystadlaethau i'r rhai hŷn ac i'r rhai hynaf. Y ddwy gystadleuaeth ddigri oedd Solo Twps, sef solo i'r rhai mewn oed na allent ganu; a Llythyr Caru. Nid oedd neb i guro Telynfab Niclas am lunio llythyr caru, ond fe ataliwyd y wobr fwy nag unwaith am fod ynddo ymadroddion yn ymylu ar fod yn ' goch '. Nid anghofid yr hen bobol yn y cyfarfod, a rhoddid iddynt hwy gystadleuaeth ar ganu emyn.

Ar Lun y Pasg fe gynhelid y Gymanfa Ganu, ac yr oedd dau gapel yn ymuno ynddi; Seion Gwaun-coed a Bethania Allt-y-grug; ac yr oedd y Gymanfa yn y ddau gapel bob yn ail; ond i Allt-y-grug yr hoffai bechgyn a merched Gwaun-coed fynd am ei fod oddi cartre ac am eu bod yn cael cinio a the yno. Cyfarfod y Plant oedd Cyfarfod y Bore ac yr oedd plant y ddau gapel wedi dysgu canu emynau'r Plant ar Raglen y Gymanfa yn yr Ysgol Gân yn ystod y gaeaf a'r gwanwyn; emynau fel

Bendigedig Iesu . . .
Dring i fyny yma . . .
Mae popeth yn dda . . .
Blodau'r Iesu . . .
Rhagom, filwyr Iesu . . .

Ar ôl y Cyfarfod fe gaent ginio yn festri'r Capel, a'r
byrddau yn llawn o fwyd, yn fara-a-chig, cig moch wedi
ei ferwi, picls, saws, llysiau a jeli. Fe stwffiai'r plant
nes bod eu boliau yn dynn; a dwedodd gwraig wrth un
bwrdd eu bod yn bwyta fel pe byddent yn cael eu
newynu gartre, ond atebodd Taliesin Niclas hi:
' Gwaith caled, Mrs., yw canu.'
Cyfarfodydd i'r rhai mewn oed oedd Cyfarfod y
Prynhawn a Chyfarfod yr Hwyr, ac, fel arfer, fe welid
Telynfab Niclas yn sêt flaenaf y tenoriaid ar y llofft,
Mari Hopcin yn sêt flaenaf y sopranos. Fe âi rhai plant
i'r cyfarfodydd hyn, ac eraill i grwydro. Ar waelod y
pentre yr oedd canèl, a cheffyl wrth gerdded ar y llwybr
yn tynnu cwch arno, a phan ddoid at fflodiad rhaid oedd
gollwng y dŵr. I'r Gymanfa yr aeth Taliesin Niclas
a Chynddylan Hopcin, ond i fanc y canèl yr aeth Ianto
Powel i wylio'r cwch a'r ceffyl. Yn y canèl fe welodd
bilcs, a gorwedd ar yr ymyl i'w gwylio, a phan welodd
bilcyn mawr dyma fe yn estyn ei law a syrthio i mewn.
Dyn y ceffyl a'i cododd, ac fe aeth tu ôl i'r Capel i
chwilio am Daliesin Niclas a Chynddylan Hopcin, a
chafodd y rheini afael ar un o flaenoriaid y Capel, ac
yn nhŷ hwnnw o flaen y tân y sychwyd dillad Ianto o
bilyn i bilyn. Yng Nghyfarfod yr Hwyr fe ddwedodd y
Llywydd nad oedd yr un bachgen na'r un ferch i fynd
yn agos i'r canèl.
Ar brynhawn y Llungwyn fe geid te parti yn y festri,
a rasis ar ôl hynny ar gae gerllaw. Fe geid rasis yn ôl yr
oedran. Yn y ras i ferched Tabitha Powel a redodd

ganllath gyntaf; yn y ras ganllath i fechgyn, Ianto
Powel. Yn y ras dal ŵy ar lwy a chyrraedd y post heb
ei golli, Cynddylan Hopcin oedd y cyntaf. Yn y ras
sachau, sef rhoi sach am ddwydroed a hercian am y
cyntaf at y post, Ianto Powel oedd biau hi. Ras arall
oedd ras nished, sef clymu nished am droed bachgen a
merch, a Ianto Powel a Myfanwy Hopcin a gurai fel
arfêr, er nad oedd Taliesin Niclas a Thabitha Powel
ymhell ar ôl. Ar wahân i'r rasis yr oedd chwaraeon; y
plant hynaf yn chware rownders a *kissing ring*, a chafodd
Ianto Powel gusanau Myfanwy Hopcin a Thaliesin
Niclas gusanau Tabitha Powel: a'r plant lleiaf yn canu
a chware ac actio

Who killed Cock Robin ? . . .

Three blind mice . . .

Georgie Porgie, pudding and pie . . .

Jack and Jill went up the hill . . .

Ring-a-ring o' roses,
A pocket full of poses,
*   A-tishoo ! A-tishoo !*
We all fall down.

Fe gerddai'r Gweinidog, y Parch. Morris Parri, trwy'r
tes ac yr oedd gwên ar ei wyneb wrth weled y plant yn eu
mwynhau eu hunain, ac wrth sgwrsio â'r bobol mewn
oed fe chwarddai yn galonnog. Y peth olaf oedd tynnu'r
dorch. Fe ddewisai Telynfab Niclas a Tomos Hopcin
ddau dîm, a'r ddau yn cydio yn y rhaff bob ochor, ond
cyn dechrau tynnu fe glymid ruban neu nished am y
rhaff yn y canol, a rhaid oedd i hwnnw aros uwchben
marc yn y pridd. Fe glymai Telynfab Niclas ben y
rhaff am ei ganol a phlannu ei sodlau yn y ddaear, a

gallech feddwl na allai tîm o gewri fyth ei ddisodli a'i dynnu, ond nid oedd ganddo obaith caneri yn erbyn gweithwyr fel Tomos Hopcin. Fe âi'r plant adre wedi blino ac wedi cael diwrnod wrth eu bodd: a'r haul tanbaid wedi melynu eu hwynebau, eu coesau a'u breichiau.

Wrth fyned o Ysgol y Babanod i Ysgol y Cyngor yr oeddent yn myned o Ysgol a oedd bron yn gwbwl Gymraeg i Ysgol Saesneg, ar wahân i wersi Cymraeg ar ramadeg a llenyddiaeth Gymraeg ac un gwasanaeth Cymraeg yn y bore, sef ar fore dydd Gwener. Am fod eu plant yn medru Cymraeg yr oedd eu rhieni am iddynt ddysgu Saesneg er mwyn dod ymlaen yn y byd.

Ysgol gymysg oedd Ysgol y Cyngor, ond fe chwaraeai'r bechgyn a'r merched ar wahân i'w gilydd adeg chware a chyn mynd i mewn i'r Ysgol ac ar ôl dod allan ohoni. Chwaraele asffalt oedd chwaraele'r bechgyn, ac, felly, yr oedd yn rhy beryglus i chware rygbi arno. Yr unig ddwy gêm y gellid eu chware oedd socer yn y gaeaf a chriced yn yr haf. Wrth chware socer fe ddodid dwy garreg yn erbyn y wal fel gôl; ac wrth chware criced fe dynnid llun tair wiced â sialc ar y wal. Fe chwaraeid ar iard yr Ysgol rai o'r chwaraeon y soniwyd amdanynt, a rhai eraill fel pêl-gap, concers a chwythu bybls. Yn y pêl-gap fe osodid capau ar waelod y wal ar y llawr, a'r cyntaf a fwriai'r bêl i gap a enillai. Anodd oedd taflu'r bêl i gap am ei bod yn tasgu ar yr asffalt ac yn erbyn y wal; a'r ffordd orau oedd bwrw'r bêl yn araf ar hyd y llawr. Yn yr hydre y chwaraeid concers, sef cnau'r gastanwydden. Fe dorrid twll trwy'r concer, a rhoi llinyn neu lasen esgid drwy'r twll a chlwm ar y pen. Fe ddaliai un y concer ar y llinyn o hyd braich, a cheisiai

un arall ei dorri â'i goncer ef. Pe llwyddai fe alwai ei
goncer yn Goncer 1, ac ychwanegu'r rhif yn ôl nifer y
concers a dorrai. Wrth gwrs, yr oedd cyfle i gafflo yn
y gêm hon am na wyddai neb ond y concerwr pa nifer o
goncers a dorrodd ei goncer ef; ac fe glywodd Ianto Powel
am ffordd i galedu ei goncer, sef ei roi ar lawr y ffwrn dros
y nos. Fe ddôi rhai bechgyn â phib glai a sebon gyda
hwy i'r Ysgol a'u cuddio yn y ddesg, ac adeg chware eu
dwyn allan; rhwbio pen y bib yn y sebon meddal, a
chwythu'r bybls lliwiog i'r awyr; fe fyddai rhai yn fwy
na'i gilydd ac eraill yn hedfan ymhellach yn yr awyr
cyn diflannu. Yng nghornel uchaf y chwaraele yr oedd
y tai bach, ac yn ôl arfer bechgyn fe sgrifennid y *graffiti*
ar y drws ac ar y wal:

> *Taliesin Nicholas is courting Tabitha Powel.*
> *Cynddylan Hopkin has a big cock.*

Yr ochor arall i'r Ysgol yr oedd chwaraele'r merched,
ac am fod hwn ar oledd anodd oedd chware pêl am ei
bod yn treiglo ac yn rhedeg i'w gwaelod o hyd. Chware
sgotsh, rownders a chwaraeon eraill a wnâi'r merched.

Y peth cyntaf yn y bore oedd aros i'r drws agor, ac
ar ôl ei agor fe ddôi'r athro a ofalai am y bechgyn a'r
merched, pob athro yn ei dro am wythnos, allan, a
gosod y disgyblion yn rhesi; a martshai pob rhes i neuadd
yr Ysgol. Os byddai'n wlyb fe âi'r bechgyn yn y cyntedd
i'r lle dal dillad, a hongian eu capau a'u cotaiu glaw
ar y bachau; ac fe wnâi'r merched yr un peth yr ochor
arall i'r cyntedd. Yn y cyfarfod yn y neuadd, yr *assembly*,
fe ddarllenai'r prifathro ychydig adnodau o'r Beibl;
darllen gweddi barod; a'r disgyblion yn canu o lyfr
emynau Saesneg, ond ar ddydd Gwener fe fyddai'r
rhain yn Gymraeg. Yna fe roddai'r prifathro ryw

hysbysiad neu rybudd, a chynghori, ceryddu a chosbi. Y drosedd fwyaf yn yr Ysgol oedd mitshan, ac fe gosbwyd Cynddylan Hopcin, Ianto Powel a Thaliesin Niclas fwy nag unwaith am fynd ar ryw sgawt. Fe anogai'r bechgyn a'r merched i ddysgu eu gwersi, gofalu gwneud eu gwaith cartre yn gydwybodol a dyfalbarhau yn eu dysg er mwyn pasio arholiadau ac ennill ysgoloriaeth. Prif ddiben addysg yr Ysgol oedd ennill ysgoloriaeth i'r Ysgol Ganol.

Athrawesau oedd ar y dosbarthiadau isaf yn yr Ysgol, a phan oedd rhyw fachgen neu ferch wedi troseddu nid oedd y rhain yn eu cosbi ond eu hanfon at y prifathro i'w cosbi. Yn Standard 1 yr oedd bachgen tua deuddeg oed ac yn gwisgo trowsus hir, a'r unig beth a wnâi oedd helpu'r athrawes. 'Roedd yn rhy dwp i godi i ddosbarth uwch. Athrawon a oedd ar y dosbarthiadau uchaf, ac yn enwedig ar y prif ddosbarth, dosbarth yr ysgoloriaeth; ac yr oedd gan bob un o'r rhain gansen. Pan fyddai bachgen wedi gwneud rhyw drosedd fel cerfio ei enw ar y ddesg neu daflu peli papur at y merched neu saethu atynt rawn yr ysgawen drwy gambwlet neu ddanfon nodyn at y merched fel y gwnaeth Ianto Powel at Fyfanwy Hopcin ac arno ' *I love you* ' neu wneud clema pan oedd yr athro yn sgrifennu ar y bwrdd du fe elwid y troseddwr o flaen y dosbarth a rhoi ergyd â'r gansen ar gledr ei law, neu ddwy: ac os byddai wedi troseddu fwy nag unwaith neu os byddai'r drosedd yn waeth na'r cyffredin, rhaid oedd iddo blygu ei gorff a chael ergydion ar ei ben-ôl. Os câi'r bachgen gyfle fe roddai lyfr neu gopi y tu mewn i'w drowsus i liniaru'r ergyd; a phoeri ar ei law neu roi blewyn arni am y tybid fod hynny yn lliniaru blas y gansen. Pan na allai'r athro ddal y troseddwr fe gosbid y dosbarth i gyd drwy roi iddynt *detention,* sef eu cadw ar ôl yr ysgol i sgrifennu llinell gant o weithiau. Pan gosbwyd yr holl ddosbarth un tro, fe aeth Ianto Powel adre; a'r bore ar ôl hynny pan ofynnodd yr athro iddo pam yr oedd yn absennol, fe ddwedodd Ianto wrtho nad oedd hi yn deg cosbi'r holl ddosbarth am drosedd un dyn, ac yr oedd ei dad yn cytuno ag ef. Fe'i hanfonwyd at y prifathro ac ni chlywyd dim am y peth wedyn.

Y ddwy wers yr oedd pob dosbarth yn hoff ohonynt oedd ymarfer corff ar iard yr ysgol a chanu gyda'i gilydd gyda'r piano yn y neuadd. Braf oedd cael myned o'r ystafell fwll a gadael y seti caled a myned i awyr iach yr iard. Fe safai'r bechgyn (a'r merched yn eu lle hwythau) yn rhesi: gorchymyn iddynt godi eu breichiau hyd eu hysgwyddau, ac wedyn i fyny; rhoi eu dwylo ar eu cluniau; plygu'r gliniau ac yn y blaen; gorymdeithio yn unrhes ar hyd y chwaraele ' *left, right, left, right* '; gorymdeithio yn ddwyres a theires o glun i glun, ac os byddai rhywun yn methu cadw cam fe gâi flas y gansen ar ei goes. ' *Attention* '. ' *Stand at ease* '. Myned o'r ystafell hefyd i'r neuadd a sefyll yn rhesi y tu ôl i'r piano i ganu. Nid oedd gan yr athro lawer o waith i ddysgu iddynt ganu am fod y rhan fwyaf ohonynt wedi dysgu'r sol-ffa yn y *Band of Hope* a dysgu canu gyda'i gilydd erbyn y Gymanfa Ganu. Er hynny, nid oeddynt yn gyfarwydd â chanu caneuon Saesneg, a rhaid oedd dysgu rhai ohonynt i ynganu'r geiriau yn gywir, a cheisio cael gwared ar yr acen Gymreig. Pan oedd unawd mewn cân, Taliesin Niclas a elwid gyntaf a Myfanwy Hopcin wedyn, a'r ddau hyn hefyd a ganai ddeuawd, ac yr oedd y dosbarth yn dwlu ar glywed eu canu. Fe lenwid y neuadd hyd y trawstiau â chryndodau'r miwsig, ac

208

yr oedd hi yn yr Ysgol fel calon o gân ddiarholiad rhwng yr ystafelloedd dod ymlaen yn y byd.

Yn ôl adroddiadau'r Ysgol a gâi ei rieni, isel oedd Ianto Powel ar restr pob dosbarth: isel oedd ei farciau mewn daearyddiaeth, hanes, Cymraeg a phynciau eraill: yr oeddent dipyn yn uwch mewn Saesneg, ond ar gyfer rhifyddeg y gair oedd *Excellent*. Yn y dosbarthiadau isaf fe lafarganai'r bechgyn a'r merched y tablau nes eu gwybod ar gof, ond ar wahân i'w cofio, yr oedd ffigurau i Ianto Powel yn bethau byw. Fe welai o flaen ei lygaid yn yr awyr y rhif ' deuddeg ', ac fe fyddai yn ei rannu yn ddau, tri a phedwar: fe fyddai yn ceisio rhannu ffigurau anodd fel 97 a 119: ac fe fyddai yn tynnu oddi wrth ffigurau ac yn ychwanegu atynt. Pan ofynnai'r athro iddynt lunio syms yn y pen fe fyddai Ianto wedi cael yr ateb o flaen pawb arall. Pan oedd y bechgyn a'r merched yn ddeuddeg oed yr oedd hawl ganddynt i eistedd y *Labour Examination*, ac o'i basio fe allent adael yr Ysgol yn ddeuddeg oed ac nid aros ynddi tan eu bod yn bedair-ar-ddeg. Fe eisteddodd Ianto Powel yr Ar-holiad Llafur a'i basio: isel oedd ei farciau yn y traeth-awd Saesneg, ond fe gafodd farciau llawn am ei syms; ac ar gyfrif y rhain y pasiodd. Nid oedd ei dad yn fodlon iddo aros yn yr Ysgol ar ôl deuddeg am fod arno eisiau ei gyflog i dalu'r ffordd, ac nid oedd y mab ych-waith yn rhy hoff o'r Ysgol ac nid oedd ganddo gynnig i rai athrawon. O'r ddau fe fyddai'n well gan y tad roi addysg i'w ferch nag i'w fab, o roi addysg o gwbwl. I'r Gwaith Dur yr aeth Ianto Powel yn ddeuddeg oed i helpu Twm Llewelyn yn y pwll, ac ar y cychwyn gwnâi ryw fân jobsach. 'Roedd Ianto yn ei weld ei hun yn ddyn yn ei drowsus rib hir, ac yn fwy o ddyn pan ddaeth adre â'i gyflog gyntaf, sef chweugain.

Yn ôl yr adroddiadau, trydydd neu bedwerydd ar y rhestr oedd Cynddylan Hopcin, ac ar eu gwaelod y farn ar ei gymeriad fel disgybl oedd ' *Painstaking and conscientious* '. Mewn hanes a Saesneg y câi'r marciau uchaf, ac efe oedd y gorau yn ei ddosbarth mewn Saesneg; yr oedd ei farciau yn yr iaith honno dipyn yn uwch na'i farciau mewn Cymraeg; a'r rheswm am hyn oedd ei fod yn darllen llawer mwy o lyfrau Saesneg nag o lyfrau Cymraeg; llyfrau Saesneg o lyfrgell yr Ysgol fel *Robinson Crusoe*, *Treasure Island*, *Swiss Family Robinson*, *Cloister on the Hearth*, *The Three Musketeers*, *The Count of Monte Christo* ac eraill. Ar ôl darllen ei ysgrif Saesneg, ' Autobiography of a Penny ', fe sgrifennodd yr athro ar ei diwedd yn y copi—' *Somebody has helped you to write this* '. Fe ddangosodd y copi i'w dad ac yr oedd am iddo fynd at yr athro i brotestio yn erbyn yr enllib, canys ni allai ei dad na neb arall ei helpu i lunio hunangofiant Saesneg; ond nid oedd ei dad yn ei gweld hi yn werth myned at yr athro i gwyno. 'Roedd ei gydwybod ef yn glir, meddai wrth ei fab, a dyna oedd yn bwysig. Mewn hanes, dysgu hanes brenhinoedd Prydain a wneid yn yr Ysgol, ac yn enwedig hanes y Tuduriaid: hanes Syr Francis Drake yn gorchfygu'r Armada ac yn cadw Prydain rhag mynd yn Babyddol: hanes Wellington a Nelson,

England expects every man to do his duty

a hanesion fel ' *The Black Hole of Calcutta* ' lle y mogwyd 123 o filwyr Lloeger ar ôl cael eu gorchfygu mewn brwydr. Meddylier am yr Indiaid yn mogi'r Saeson hyn yn y twll bach tywyll a Phrydain wedi dwyn gwareiddiad i'r wlad wyllt. Yn y gwersi ar Saesneg fe ddysgid gramadeg yr iaith ac yn bennaf drwy *parsing* a dysgu'r iaith anffonetig yn bennaf drwy *dictation*. Am lenyddiaeth

Saesneg fe ddysgid ar gof ddarnau fel ' *The Charge of the Light Brigade* ', ' *The Brook* ', ' *How Horatius Kept the Bridge* ', ' *We Are Seven* ', ' *Meg Merilees* ', ' *I remember, I remember* ' ac eraill. 'Roedd athro'r dosbarth Ysgoloriaeth yn byw mewn pentre cyfagos, a dôi gyda'r trên bob bore i Waun-coed, ac am ei fod wedi cael brecwast weddol fore, fe wnâi iddo ef ei hun yn y dosbarth tua deg o'r gloch ddysglaid o *Bovril*, a'i yfed wrth ddysgu:

> *I remember, I remember,*
> *The house where I was born,* (dracht o'r *Bovril*)
> *The little window where the sun*
> *Came peeping in at morn ;* (dracht arall)
> *He never came a wink too soon,*
> *Nor brought too long a day,*
> *But now I often wish the light*
> *Had borne my breath away,* (dracht arall)

ac fe yfai'r gweddill pan oedd y dosbarth yn cydadrodd:

> *I remember, I remember*
> *The fir-trees dark and high*
> *I used to think their slender tops*
> *Were close against the sky :*
> *It was a childish ignorance,*
> *But now 'tis little joy*
> *To know I'm farther off from heav'n*
> *Than when I was a boy.*

Ar ôl te fe gliriai Mari Hopcin y ford yn ei chartre a rhoi lliain arno a'r lamp oel arno yn y gaeaf a'r gwanwyn am fod Tomos Hopcin am i'w fab a'i ferch wneud eu gwaith cartre cyn mynd i chware. Efe a'u dysgodd hwy i weithio yn rheolaidd a chyson. Pan ofynnodd ei fab iddo a gâi eistedd yr Arholiad Llafur, dwedodd ei dad wrtho am geisio Ysgoloriaeth i'r Ysgol Ganol, er na soniodd wrtho am ei freuddwyd, sef gweled ei fab yn un o brif bregethwyr yr Hen Gorff. Ar ôl cael ei ddeuddeg

fe enillodd Cynddylan Hopcin Ysgoloriaeth a myned
ym mis Medi i Ysgol Ganol Gwaun-coed.

Tua chanol y rhestr yr oedd Taliesin Niclas, yn ôl yr
adroddiadau, ac ar eu gwaelod yr oedd y sylw: ' *He has
ability, but is very negligent* '. Isel oedd ei farciau yn llawer
o'r pynciau: yr oeddent yn uwch yn Saesneg, ond mewn
Cymraeg fe gâi 93 o gant. 'Roedd ymhell ar y blaen i'r
holl ddisgyblion yn y pwnc hwn. Yn ei draethodau fe
synnai'r athro at ei Gymraeg, a sgrifennodd un tro ar
ddiwedd traethawd yn ei gopi, ' *You have received help
to compose this essay* '. Fe ddangosodd y copi i'w dad,
ac fe aeth hwnnw ar ei union at y prifathro a gofyn iddo
ofyn i'r athro ymddiheuro i'w fab am yr enllib. Fe fu'r
prifathro yn petruso beth i'w wneud, ond pan ddech-
reuodd tymer Telynfab Niclas godi fe alwodd yr athro
i'w ystafell ac fe ymddiheurodd hwnnw i Daliesin Niclas.
Fe ddarllenai yntau lyfrau o'r llyfrgell fel *Uncle Tom's
Cabin* a'r lleill, ond fe ddarllenai fwy o lyfrau Cymraeg
o lyfrgell yr Ysgol, er nad oedd llawer ohonynt ar gael
i'w oedran ef, ond fe ddarllenai *Cymru'r Plant*, llyfrau yn
llyfrgell ei dad a llyfrau a brynai ei dad iddo. Yn y
gwersi ar Gymraeg fe ddysgid elfennau gramadeg a
dysgu ar gof ddarnau fel

' Nant y Mynydd '

' Llongau Madog '

' Aros mae'r mynyddau mawr '

' Bedd y Dyn Tlawd '

' I Wennol Gyntaf y Tymor '.

'Roedd y gân olaf hon yn boblogaidd am y ceisid
dynwared nodyn y wennol ar ddiwedd pob pennill:

212

Wennol fwyn, ti ddaethost eto
I'n dwyn ar go' fod haf ar wawrio,
Wedi bod yn hir ymdeithio ;
  Croeso, croeso i ti ;
Nid oes unrhyw berchen aden
Fwy cariadus na'r wenolen,
Pawb o'th weled sydd yn llawen :
  Ebe'r wennol—Twi, twi, twi.

Yn y gwersi ar Gymraeg ac mewn un gwasanaeth yn
y bore y clywid y Gymraeg; Saesneg oedd iaith y pynciau
eraill i gyd, ac yn Saesneg yr ymddiddanai'r prifathro
a'r athrawon â'u disgyblion er eu bod i gyd yn medru
Cymraeg. Ni feddyliodd Taliesin Niclas am eistedd yr
Arholiad Llafur am ei fod yn hoffi bywyd yr Ysgol; ac
ar ôl cael ei ddeuddeg fe gafodd Ysgoloriaeth i'r Ysgol
Ganol, a'i chael hi ar ei farciau mewn Cymraeg. Wrth
gael Ysgoloriaeth fe gaent eu hysgol, eu llyfrau a'u
copïau am ddim, ond yr oedd yn rhaid i'w rhieni eu
bwydo a'u dilladu. Am ei fod flwyddyn yn hŷn fe aeth
Taliesin Niclas i'r Ysgol Ganol flwyddyn o flaen Cyn-
ddylan Hopcin, ac yr oedd Taliesin yn falch o weld ei
gyfaill yn dod i'r Ysgol, a chyda'r nos fe âi'r ddau gyda'i
gilydd am dro yn eu trowsus hir a'u blaser.

Am y merched, tua gwaelod y rhestr yr oedd Tabitha
Powel am nad oedd ganddi ddawn dysgu a hefyd am ei
bod yn gweithio yn galed yn ei chartre gyda'r nos ac ar
y Sadwrn pan oedd ei mam yn dwyn y byw i'r byd ac
yn cau llygaid y marw. Nid oedd Myfanwy Hopcin yn
gweithio mor galed yn ei chartre ac fe gâi hi lonydd i
wneud ei gwaith cartre gyda'i brawd, ac oherwydd ei
gweithgarwch cyson yr oedd hi dipyn yn uwch yn y
dosbarth na Thabitha Powel. Ar ôl cyrraedd eu pedair-
ar-ddeg fe gafodd Tabitha Powel waith yn y Cop, sef
helpu'r ferch y tu ôl i gownter dillad merched; a chafodd

Myfanwy Hopcin job mewn siop 'sgidiau yn y pentre, sef cadw cyfrifon.

Rhwng yr un-ar-ddeg a'r deuddeg yr oedd y bechgyn a'r merched yn cychwyn ar eu llencyndod, oedran y newid yn y corff a'r meddwl: yr oedd blew yn tyfu ar wyneb a rhannau o gyrff y bechgyn; y penis yn chwyddo, y 'cerrig' yn cwympo, y llais yn dyfnhau a'r dillad nos yn wlyb gan freuddwydion: bronnau'r merched yn llanw a'r misglwy yn cychwyn. Yn eu cyrff yr oedd poenau tyfu: ysmotiau a phenddüyn ar wyneb rhai bechgyn a rhai merched yn colli eu llais a'u coesau a'u breichiau yn pallu symud.

Ar ôl gorffen ei gwaith yn y nos yn y Cop nid oedd Tabitha Powel mor fodlon gwneud gwaith yn y tŷ am ei bod mor hoff o ddawnsio.

'Ga i fynd i'r ddawns heno?' gofynnodd i'w thad.

'Na chei di ddim o gwbwl,' oedd ateb y tad.

'Ond dawns yr I.L.P. sy heno ac ŷch chi yn perthyn i'r Parti. Ma'ch Parti chi ishe arian.'

'Ydw, w i yn perthyn i'r Parti ond w i ddim yn credu bod ishe dawns i gâl *funds*. Ma dawns yn ddanjerus. Bydd yn ofalus gyda phwy wt ti'n mynd a phida dod adre 'ma mewn trwbwl. A chymer gyngor gyda fi: cer gyda rhywun fydd yn apal i dy gadw yn deidi. Pida priodi gwithwr, ond prioda rhywun fel *bank-clerk* ne rywun tebyg.'

'Pidwch chi â becso, 'nhad. 'Chaiff neb y gore arna i. Ond y fi sy i ddewis 'y ngŵr, ac fe fydda i yn priodi'r dyn y bydda i yn 'i garu. Mindwch chi ych busnes ych hunan.'

'Pida di siarad â fi felna ne fe ro i di ar draws 'y nglin.'

'W i ddim yn gwbod pam y dethoch â fi i'r byd.'

Ar hyn daeth ei mam i'r gegin ffrynt i ategu'r hyn a ddwedodd y tad.

' Mam, ŷch chi yn gwisgo yn gomon iawn. Ŷch chi yn edrych fel jipsi. Pam na brynwch chi ddillad yn y ffasiwn?'

' 'Nawr, 'merch i, pida siarad â fi felna. Wt ti'n gwario gormod o dy gyflog ar ddillad ac yn enwedig ddillad isha: fe ddylet ti roi mwy o arian am dy fwyd a dy gadw. Wt ti'n meddwl dy fod ti yn rhywun, gallwn feddwl, wrth dy weld di yn cered ar y stryd a dy drwyn yn yr awyr. Wt ti wedi mynd yn hen bitsh fach gas.'

Pwdu a wnaeth Tabitha a mynd i'w hystafell ar y llofft; tynnu ei dillad amdani ac edrych ar ei chorff noeth yn y glàs. ' Ma gyda fi gorff pert.' Yna fe or-weddai ar y gwely yn ei hyd, gosod ei bysedd ar ei bronnau a'u symud wedyn yn gylchoedd dros ei chorff a cheisio dyfalu pa fath brofiad oedd cael babi. Nid oedd hi am gael babi rhag anffurfio ei chorff. Hwyrach y daw'r twysog hardd heibio i'r Sinderela hon. Onid yn y ddawns y gwelodd ef fod yr esgid yn ffitio. Fe wisgodd y dillad isaf gorau a'r ffrog orau amdani, ac aeth i lawr a dweud wrth ei thad a'i mam:

' W i yn mynd i weld 'y ffrind.'

' Cofia bido bod yn hwyr heno. Wt ti'n hwyr bob nos.'

' Fydda i ddim yn hwyr ond gwell i fi fynd â'r allwedd gyda fi rhag ofon ych bod chi yn y gwely.'

Myned i'r ddawns a wnaeth gan guddio ei phwmps dawnsio yn ei throwsus dan ei dillad, ac yr oedd dwy ddawns bob wythnos; dawns y Blaid Lafur Annibynnol yn y *Rink* a dawns yn neuadd Eglwys y Drindod, a'r Ciwrat, y Parch. Aubrey Harris yn M.C. Fe ddawnsiai'r Ciwrat a Thabitha Powel gryn lawer gyda'i gilydd.

Nid oedd Cynddylan Hopcin a Thaliesin Niclas yn gweld rhyw lawer ar Ianto Powel ar ôl iddo ddechrau gweithio yn y Gwaith Dur, ond fe fyddent yn cwrdd ar y Sul ac yn eistedd yn ymyl ei gilydd yn yr Ysgol Sul. Miss Elsie Davies, Llinos y Graig, oedd athrawes y dosbarth, a'r Samaritan trugarog oedd y pwnc un prynhawn Sul.

'Pwy oedd y Samaritan?' gofynnodd yr athrawes.

'Socialist,' atebodd Ianto Powel.

'Paid â siarad dwli. 'Dodd dim Socialists yn bod yn y cyfnod hwnnw.'

'Socialist fydde fe heddi, ta beth.'

'Pwy ddwedodd wrthot ti?'

''Nhad a Twm Llewelyn.'

'Dyna ddou bert, ond te fe. Dou anffyddiwr.'

''Dŷn nhw ddim wedi câl 'u hachub fel chi, ond ma'n nhw yn gallu explaino'r Beibil yn llawer gwell na chi.' A rhoes yr athrawes gnoc ar ei ben â'r Testament Newydd. I'r bechgyn yn ei dosbarth fe roddai adnodau i'w dysgu ar go, a chan Gynddylan Hopcin yr oedd y co gorau. Un prynhawn Sul fe adroddodd y Salm Fawr drwyddi heb un gwall. Yn Arholiadau'r Ysgol Sul efe oedd y cyntaf yn y Dosbarth Cyntaf yn ei oedran, a châi dystysgrifau, a llyfrau yn wobr. 'Roedd pawb yn y Capel yn credu mai pregethwr fyddai ef. Ar waelod y Dosbarth Cyntaf yr oedd Taliesin Niclas; nid oedd ei wybodaeth o'r Beibl gymaint â gwybodaeth Cynddylan Hopcin, ond yr oedd ei Gymraeg yn gywirach.

Nos Sul ar ôl yr oedfa fe arferai'r bechgyn a'r merched gerdded ar balmant heol o un pen i'r llall, gan basio ei gilydd a sylwi ar ei gilydd; y bechgyn yn sylwi ar goesau, wynebau a bronnau'r merched. Fe roddai Ianto Powel ei farn arnynt heb flewyn ar ei dafod, canys fe gafodd stôr o eiriau ac ymadroddion ' coch ' yn y Gwaith, a byddai Cynddylan Hopcin yn synnu ato a Thaliesin Niclas yn gwrido. Yn y ddau hyn yr oedd rhyw gyffro pêr, rhyw hiraeth mwyn, rhyw awydd swil am rywbeth newydd, rhyw ddisgwyl am ddelw dyner o gariad merch. 'Roedd Cynddylan yn ei chael hi yn anodd hoffi un ferch; yr oedd gan un goesau gwych, gan un arall wallt prydferth, gan ferch arall fronnau llawn a chan ambell un ben-ôl siapus. Fe hoffai Taliesin chwaer Ianto, Tabitha; merch bert â gwallt cyrliog golau, llygaid glas a chorff lluniaidd, ond nid oedd rhyw lawer yn ei phen. 'Roedd ef am gael merch ddifrifol a dawnus. Gwallt du fel y frân oedd gan Fyfanwy Hopcin a hwnnw wedi ei rannu yn y canol, ac aeliau du, ac yr oedd ei llygaid brown yn troi yn ddu dan y gwallt a'r aeliau. Fe hoffai Ianto Powel y ferch blaen ddifrifol hon, ond yr oedd yn rhy grefyddol iddo ef.

Un nos Sul ym mis Mawrth 1914 fe aeth Ianto Powel gyda'i dad a Thwm Llewelyn i wrando ar Keir Hardie; yr oedd yn siarad yn y *Rink* am wyth o'r gloch. Fe ymosodai'r capeli ar y Sosialwyr am gynnal eu cyfarfodydd ar nos Sul, ac ar gychwyn ei anerchiad fe ddwedodd Keir Hardie nad oedd dim o'i le ar gynnal cyfarfod gwleidyddol ar nos Sul am eu bod hwy yn credu fod eu gwleidyddiaeth hwy yn hollol gyson â Christionogaeth; na ddylid rhoi gormod o bwys ar gadw'r Sabath gan mai'r Sabath a wnaed er mwyn dyn ac nid dyn er mwyn y Sabath, yn ôl Iesu Grist; a hefyd eu bod hwy bob pryd yn cynnal eu cyfarfodydd ar nos Sul am wyth o'r gloch, sef ar ôl y gwasanaeth yn y Capel a'r Eglwys. 'Roedd ef ei hun yn aelod yn Eglwys Efengylaidd yr Alban, ond credai, er hynny, fod yr eglwysi yn rhoi gormod o bwys ar bethau ysbrydol a rhy ychydig ar bethau materol: fe sonient am y nefoedd y tu hwnt i'r llen, ond yr oedd yn rhaid cael nefoedd hefyd yr ochor hon ar y ddaear . . . Yna fe aeth i sôn am dlodi ac anghyfiawnder yn y wlad. 'Wrth ddod i'r cyfarfod hwn fe welais blant heb sgidie ar eu traed a slymiau o dai. Yn Sir Forgannwg y mae dros fil o dai dwy ystafell a phedwar person yn byw ynddynt. Yn ddiweddar y mae pris y glo wedi codi a'r rhenti, ond yn ystod yr ugain mlynedd diwethaf y mae'r meistri glo wedi gwneud ffortiwn. Meddyliwch am y tlodion, yn wŷr, gwragedd a phlant, sy wedi marw am na allent dalu am y driniaeth gan y meddygon gorau.' Yna fe ymosododd ar y Rhyddfrydwyr. 'Y mae rhai ohonynt fel Mr. Alfred Mond yn credu y dylai Cymru gael ymreolaeth. 'Rwy i'n credu y dylai Cymru a'r Alban gael ymreolaeth, ond nid Cymru gyfalafol a'r Alban gyfalafol. Rhowch ymreolaeth i'r Gymru Sosialaidd a'r Alban Sosialaidd. Rhaid cael Sosialaeth cyn cael ymreolaeth.' Wedyn fe ddaliodd y gallai rhyfel gychwyn unrhyw bryd. Diplomyddiaeth gudd oedd diplomyddiaeth gwledydd Ewrob, ac nid oedd y Senedd yn San Steffan yn gwybod beth oedd yn digwydd y tu ôl i'r llenni; nid oedd y Swyddfa Dramor yn gyfrifol i'r Senedd. 'Fe allant gyhoeddi fod Prydain yn mynd i ryfel, yn erbyn yr Almaen, dyweder, cyn rhoi cyfle i'r Tŷ Cyffredin drafod y mater. Darllenwch lyfr E. D. Morrell, *Ten Years of Secret Diplomacy*, llyfr sy'n dangos yn glir sut y mae'r cyfalafwyr wedi bod yn cystadlu â'i gilydd am farchnadoedd yn yr Aifft, Moroco, y Congo a De Affrica ac fe allant fynd i ryfel i amddiffyn eu buddiannau fel y gwnaethom ni yn y Rhyfel â'r Böeriaid. A wyddoch chi fod y wlad hon wedi bod ar fin mynd i ryfel yn ystod y deng mlynedd diwethaf?' Stocyn byr oedd

Keir Hardie; yr oedd ganddo farf a phen moel; ac fe barablai fel un o broffwydi'r Hen Destament, Amos, dyweder. Nid oedd yn areithiwr huawdl, ond yr oedd yn hawdd gweld y didwylledd y tu ôl i'w eiriau. Nid oedd Ianto Powel yn deall yr anerchiad i gyd, ond fe welodd yn gliriach nag o'r blaen dlodi; tlodi Gwaun-coed, tlodi ei deulu a'i dlodi ef ei hun. 'Roedd yn cael chweugain o gyflog am waith wythnos, a'r diawl yna, Gilbert Parsons, yn gwneud ffortiwn ar gefen ei weith-wyr. Nid tlodi yn unig a welodd ond y byd gwyn, y byd delfrydol, y byd Sosialaidd lle'r oedd chware teg a hapusrwydd a heddwch; ac yr oedd yn barod i ymladd yn erbyn y gelynion dros y byd hwn: yn barod i ymladd ac i farw; ie, yr oedd yn awyddus i farw. Mor braf fyddai cael marw yn ferthyr; yn un o ferthyron y Faner Goch. Fe ddarllenodd y llyfr a gymeradwyodd Keir Hardie, *Ten Years of Secret Diplomacy*, a dechrau darllen llyfrau eraill a gylchredai ymhlith aelodau'r Blaid Lafur Annibynnol, llyfrau fel *The People of the Abyss* a *The Iron Heel* gan Jack London; *Merrie England* a *Britain for the British* gan Robert Blatchford; *News from Nowhere*, *A Dream of John Bull* a *How I became a Socialist* gan William Morris, *Looking Backward* gan Edward Bellamy ac eraill; a darllen y *Clarion*, *Labour Leader* a *The Freethinker :* a phan âi i Abertawe fe welai yn ' *The Rationalist Bookshop* ' lyfrau Tyndale, Huxley a'r tad Jeswît a droes yn an-ffyddiwr, Joseph McCabe. Nid oedd ganddo arian i brynu llawer ond fe gâi eu benthyg gan Dwm Llewelyn ac eraill. Wrth ddarllen *The People of the Abyss*, sef disgrifio taith a wnaeth Jack London yn 1902 drwy ddwyrain Llundain, fe agorwyd ei lygaid a chodi ei wrychyn wrth ddarllen disgrifiad o dlodi affwysol fel hwn:

At a market, tottery old men and women were searching in the garbage thrown in the mud for rotten potatoes, beans, and vegetables, while children clustered like flies around a festering mass of fruit, thrusting their arms to the shoulders into the liquid corruption, and drawing forth morsels but partially decayed, which they devoured on the spot ... And as far as I could see were the solid walls of brick, the slimy pavements, and the screaming streets ; and for the first time in my life the fear of the crowd smote me. It was like the fear of the sea; and the miserable multitudes, street upon street, seemed so many waves of a vast and malodorous sea, lapping about me and threatening to well up and over me.

Nid oedd gobaith cael gwared ar y fath dlodi ond trwy godi gwrthryfel yn erbyn cyfalafiaeth a'i ddinistrio â thân a gwaed: ac er i Ernest Everhard fethu yn y gwrthryfel yn Chicago, fel y disgrifiwyd ef yn *The Iron Heel*, rhaid oedd eto godi gwrthryfel a dilyn esiampl yr arwr digyfaddawd hwn.

Cyn bod y bechgyn a'r merched yn cyrraedd pedair-ar-ddeg fe gynhaliai'r Parch. Morris Parri unwaith yr wythnos Ddosbarth y Cymunwyr Ifainc, dosbarth i'w paratoi i fod yn aelodau cyflawn o'r Eglwys. Y llyfr gosod oedd *Yr Hyfforddwr*, a holai'r Gweinidog hwy ar y pynciau a oedd yno—Cwymp Dyn; Person Crist; Y Ddau Gyfamod, sef Cyfamod Gweithredoedd a Chyfamod Gras; Gwaith yr Ysbryd Glân; Moddion Gras ac Ordinhadau'r Eglwys, ac yn enwedig Ordinhad Swper yr Arglwydd. 'Roedd yn rhaid iddynt eu holi eu hunain cyn y Cymundeb rhag iddynt gymryd corff a gwaed yr Arglwydd Iesu Grist yn annheilwng. Cyn eu Cymundeb cyntaf yn y Capel fe enwai'r Gweinidog y rhai a dderbyniwyd yn aelodau cyflawn. Wrth gydio yn y bara ac yfed o'r cwpan yr oedd llaw Taliesin Niclas yn crynu am fod arno ryw ofn; ac yr oedd ei dad wedi dysgu gweddi fechan i Gynddylan Hopcin i'w hadrodd wrtho'i hunan yn ddistaw ar ôl cymryd y bara ac yfed o'r cwpan rhag i'w feddwl grwydro; yr oedd hi yn hoelio ei feddwl ar ei bechodau ac ar fadd-euant a chariad y Groes. Gan ddilyn esiampl ei dad, a than ddylanwad Twm Llewelyn a'r llyfrau a ddarllenodd ni ddaeth Ianto Powel yn gyflawn aelod. Fe adawodd y Capel.

'Beth yw'r blydi capeli a'r eglwysi ond props y *capitalist system*? W i yn falch fod 'nhad wedi gadel y Capel. A be w i yn well o fynd i'r Ysgol Sul? Ma'r athrawes wedi 'i hachub, medde hi, ond ma'r diawl mor dwp â sledj.'

Ar ôl cael eu derbyn yn aelodau cyflawn yr oedd Cyfarfod Pump ar y Sul i'w dysgu i weddïo yn gyhoeddus. Gweddïo yn araf a phwyllog a wnâi Cynddylan Hopcin gan ddynwared ei dad ac arfer ei ymadroddion ef, ond am Daliesin Niclas fe âi hi yn nos arno yn awr ac yn y man am na allai gael geiriau yn ei nerfusrwydd i fynegi ei feddwl, ac yr oedd gweddïo ar Dduw yn gyhoeddus iddo yn arswyd. Diwrnod llawn oedd dydd Sul. Am ddeg yr oedd yr oedfa yn y bore: am ddau y prynhawn yr Ysgol Sul: am bump yn y prynhawn gyfarfod y gweddïwyr ifainc: ac am chwech oedfa'r hwyr, ac ar ôl honno yr Ysgol Gân. Nid oedd y Capel yn oeri rhwng deg y bore a hanner awr wedi saith yn y nos, ond yr oedd y festri yn cael cyfle i oeri rhwng yr Ysgol Sul a'r Ysgol Gân a orffennai tua hanner awr wedi wyth neu naw y nos. Ni chlywodd neb y rhai ifainc yn achwyn ar y Sul hirfaith.

Holi cwestiynau a wnâi Cynddylan Hopcin, gofyn cwestiynau iddo ef ei hun, i'w gyfaill, Taliesin Niclas, ac i'w dad ac eraill: gofyn cwestiynau fel ' Pwy wy i?', ' A yw fy meddyliau a'm teimladau yn debyg i feddyliau a theimladau pobol eraill, neu a wy i yn wahanol?',

' Pa fath o ddyn y carwn i fod?', ' Pa fath o bobol yw
'nhad a 'mam?', ' Pam y ganed fi mewn pentre diwyd-
iannol?', ' Beth pe byddwn wedi cael fy ngeni mewn
pentre yn y wlad?', ' Pwy yw Duw?', ' A ellir credu yn
y Drindod, y tri yn un a'r un yn dri?', ' A oes rhywbeth
neu rywun y tu ôl i bethau gweledig?', ' Pam y mae Duw
yn godde i ddaeargryn ladd pobol, godde i ddynion
gael eu lladd mewn pwll glo, gwaith stîl a gwaith tun?'
' Pam y mae yn godde i bobol ddiodde poenau ac
afiechyd?', ' A yw Ef yn gyfrifol am ddaeargryn,
damwain a phoen?', ' A yw Duw yn gyfrifol am
bechod?', ' Sut y cychwynnodd pechod?', ' A wy i yn
mynd yn bregethwr?' Fe ofynnodd i'w dad:

' Shwd ŷch chi yn esbonio athrawieth y Drindod, y
tri yn un a'r un yn dri?'

' Athrawieth anodd yw athrawieth y Drindod ac ma
cryn ddirgelwch ynddi, ond . . .'

' Ŷch chi yn gweud hyn am nad ŷch chi yn gwbod.
Creadur anwybodus ŷch chi, 'nhad.'

' 'Nawr, 'y machgen i; pida gadel i addysg yr Ysgol
Ganol dy wneud di yn falch. Ie, creadur anwybodus
w i, achos dim ond cwarter o ysgol ges i yn Rhydcymere.
Ond ma dynion galluog wedi sgrifennu ar y Drindod,
fel Cynddylan Jones yn y gyfrol gynta o *Cysondeb y
Ffydd*. Darllen hwn.'

' Enw hwnnw roesoch chi arna i, ond te fe? Enw
diwinydd. Beth am yr Ymgnawdoliad?'

' Cofia dy fod mewn oedran peryglus iawn, oedran y
temtasiyne, temtasiyne'r cnawd, a 'fydd neb yn gallu
concro'r rhain ond y ti. Cofia fod Iesu Grist wedi
cymryd yn corff ni, a byw a marw ynddo a'i godi o'r
bedd, ac o achos hyn fe ddyle corff pob Cristion fod yn
deml yr Ysbryd Glân. Fe gymerodd yn corff ni er mwyn

yn tynnu ni o'n pechode, a thrwy 'I farw ar y Groes fadde i ni a'n tynnu ni yn ôl i gymdeithas Duw a'i Fab a'r Ysbryd Glân.'

Synnu at y newid a'r cynyrfiadau y tu mewn iddi a wnâi Myfanwy Hopcin, ond fe wyddai fod Duw yn cymhwyso ei chorff i fod yn fam. Fe ddychmygai a breuddwydio ei gweled ei hun a'i gŵr yn byw ar aelwyd, a phlant yn chware ogylch eu traed. Fe'i dysgwyd mai peryglus oedd nwydau'r cnawd. Pechod yn erbyn Duw fyddai cael plentyn drwy'r berth. Pwrpas priodas oedd cael plant. Ar yr aelwyd ac yn y Capel fe'i dysgwyd mai Duw yng ngardd Eden a greodd ddyn a menyw; fe ddwedodd Iesu Grist yn y Testament Newydd y dylai gŵr a gwraig lynu wrth ei gilydd ar hyd eu hoes, ac mai pechod oedd godineb. 'Roedd am i Iesu Grist ddod i'w phriodas hithau fel y daeth i'r briodas yng Nghana Galilea, a throi'r dŵr yn win.

Ar ôl i'r dydd ymestyn fe âi Taliesin Niclas a Chynddylan Hopcin gyda'i gilydd yn ystod gwyliau'r Ysgol Ganol ar daith i'r wlad y tu allan i'r pentre a dringo i ben y bryniau, a mynd â'u tocyn a stenaid o de neu botel o ddiod fain ar dywydd poeth: ond gwell oedd gan Daliesin fyned ar ei ben ei hun am fod cwestiynau a chleber ei gyfaill yn aflonyddu arno. Am fod y pentre a'i Waith Dur a'i Waith Tun, a'r mwg a'r mwstwr a'r hagrwch wedi troi yn syrffed arno, yr oedd yn dda ganddo gael myned am fore neu brynhawn neu ddiwrnod cyfan i'r wlad. Gollyngdod oedd cerdded ar y llwybrau rhwng y cloddiau a oedd yn fyw gan friallu, gwyddfid, dail bysedd-y-cŵn, dyned, drysi, y drain gwynion a'r drain duon, rhosynnau gwyllt, blodau'r neidr, blodau dant y llew, rhedyn, eithin, dail troed yr ebol a dail tafol. A cherdded drwy gaeau a oedd yn hardd gan lygad-y-dydd, blodau menyn a meillion, a sylwi ar ysgall, cacamwnci a'r gingron. Cerdded drwy dir corsiog lle'r oedd berw'r dŵr, mint gwyllt, persli gwyllt, dail y gamil, brwyn, mwswg, ffa'r gors a phlu'r gweunydd. Cerdded drwy'r coed—y derw a'r iorwg yn eu dringo. Cyll, helyg â'u gwyddau bach, yr ysgawen y gwneid gwin o'i blodau, y gastanwydden y câi'r bechgyn ohoni goncers, y ffawydden arian a'r ffawydden goch, celyn, bedwen y gwneid y wialen gosb ohoni, y lartsh, y celyn, y griafolen a choeden crafan y moch. Sylwi ar lawntiau o flaen y bythynnod a'r ffermydd, ar rosyn Saron, yr hen ŵr, y syfi fach, y lili, y lafant, y lelog, sbectol mam-gu, bwtwm y mab ifanc, llygad llo a balchder Llundain. Wrth gerdded fe yrrai prydferthwch natur ef at brydferthwch merch, ac fe ddôi delw o ferch ddelfrydol i'w ddychymyg, a chorddi ei nwydau, ac fe gâi ollyngdod wrth orwedd ar glawdd noeth neu ar gwr cae a gollwng ei had i dwll. Fe fu lawer gwaith yn ymyl *lodge* plasty Cilybebyll, ac un diwrnod fe ofynnodd i'r gofalwr a gâi ef gerdded ar hyd y llwybr hyd at y plas, a chan fod y gŵr bonheddig oddi cartre fe gafodd fynd. Cerdded ar y llwybr rhwng dwy res o goed rhododendron, ac ym mhob blodyn yr oedd rhyw binnau hir a chlopa arnynt, a cherdded at y lawnt o flaen y plas, ac arno yr oedd paun. Fe arhosodd yno yn hir am ei fod wedi cael ei syfrdanu gan yr harddwch. Ni ellid cael dau eithaf fel y plasty llonydd, y paun a'r coed rhododendron a'r pentre diwydiannol gyda'i fwg a'i fwstwr a'i lwydni hyll. Twll y mwg oedd y pentre; twll tin y diawl. Wrth fyned oddi yno fe glywodd yr enw Cilybebyll fel enw hen a hardd ac fe ddotiai ar sŵn geiriau cyffredin fel ias, melys, serch, gras, hebog ac eraill ac ar eiriau yn ei dafodiaith ef ei hun fel bwrw amcan, derots, crasu bara, bwyta fel barcut, bwtwm bola, bripsin, cas cadw, bonclust, te cryf fel breci, cynffongi, trâd yn cysgu, whare'r bêr, chwilmanta, dod gan bwyll, enllyn gardyson, gwasborde crys, milpoth, llinyn bola, brawd mogi yw tagu, mewn shiffad, ym mhig y frân, porcyn, trwyn smwt, sachabwndi, rhacsjibi-dêrs ac eraill. Wrth ddotio ar y rhain ar y ffordd fe ddaeth at Eglwys Cilybebyll, ac i mewn ag ef drwy'r cyntedd, ac fe welai leithder ar y gwelydd ac hlywed gwynt llwydni yn yr awyr. Fe ddaeth ymlaen at yr allor a phenlinio ar y canllaw a gweddïo dros ei dad a'i fam. Fe fu bron â llefain wrth gofio fod ei fam wedi marw ar ei enedigaeth. Ni chafodd ef sugno bronnau mam na chael ei gofal, ei thynerwch a'i chariad. Yr hen Mrs. Owen 'na oedd wedi ei fagu a'i godi. Yr hen bitsh. Yr hen sgriw. Yr hen gorren. Sotyn meddw oedd ei dad, a hwrgi perffeth, ac yr oedd pawb yn gwybod hynny a'i fod yn cysgu gyda Mrs. Owen. Pam na all dyn fyw yn lân, yn foesol ac yn ddelfrydol! 'Roedd yn casáu ei dad am ei fod yn ei drin fel plentyn o hyd ac yntau wedi tyfu yn berson arbennig ac annibynnol. Yn sydyn fe gofiodd am freuddwyd a gafodd. Yn y freuddwyd yr oedd yn cerdded drwy gors unig a gwyllt, a llwybrau yn gwau drwyddi; ac wrth gerdded un o'r rhain fe welodd ei dad yn sefyll ac yn ei atal i fynd ymlaen, ond fe roes wth iddo o'r neilltu a cherdded yn ei flaen, ac fe ddechreuodd lefain ac igian am fwrw ei dad. Noson oer a niwlog oedd hi, a'r haul yn hir cyn codi, ond pan gododd fe welodd gastell sgwâr ar ben bryn, ac fe gerddodd tuag ato, ond am fod ganddo ormod o ofn yn ei galon ac am ei fod wedi blino ar ôl cerdded drwy'r nos fe fethodd gyrraedd y castell. Fe ddihunodd. Ni allaj ddehongli'r freuddwyd, ond fe welai ynddi ryw elyniaeth yn erbyn ei dad. Am ei fod yn oeraidd at ei dad, fe ofynnodd hwnnw iddo un diwrnod a oedd rhywbeth ar ei feddwl, ond yr oedd y mab yn rhy swil i ddweud y gwir. O Gilybebyll fe aeth heibio i'r ffermydd, ac un ohonynt oedd Hendregaradog, ffarm ar y fan lle bu Caradog, yn ôl y traddodiad, yn ymladd yn erbyn y Saeson; ac i fyny i ben March Hywel. Yn ôl traddodiad, fe groesodd Hywel, brenin Morgannwg, y mynydd hwn gyda'i fyddin, ac yn y frwydr â'r Saeson fe laddwyd ei farch, ac yno y claddwyd ef. Ar ben y mynydd yr oedd pedwar carn o gerrig, a thua saith mlynedd yn ôl fe ddarganfuwyd rhyngddynt gyllell hir a charn fel carn cleddyf. Dro arall fe aeth Taliesin Niclas i ben Gellionnen, ac yno mewn pant ar gefn y mynydd yr oedd Capel yr Undodiaid, y Capel cyntaf yn y cylch. Ym mur y Capel yr oedd maen hynod a delw dyn wedi ei cherfio ohono; ac uwchlaw'r Capel ar dir Garnllechart yr oedd pedair ar hugain o feini, a maen mawr yn y canol, fel meini'r Orsedd; ac yn ymyl y garnedd hon yr oedd gweddillion cromlech. Yn ei dro fe aeth i ben y Baran, i ben yr Api lle'r oedd y garreg Bica ac i ben y Gwryd. Fe aeth fwy nag unwaith i Eglwys Llan-giwc, hen Eglwys fel Eglwys Cilybebyll; ac yn Llan-giwc yr oedd un o lannau hen Eglwys y Cymry yn y chweched ganrif; ac yn un mur yr oedd twll hirgul lle'r edrychai'r gwahangleifion drwyddo ar yr offeren yn Eglwys yr Oesoedd Canol. 'Onid un o'r gwahangleifion wy inne! 'Does gen i ddim tad na mam na chyfell. 'Dw i ddim yn perthyn i'r gweithwyr. 'Dyw 'u cymdeithas hwy ddim yn gymdeithas i fi. 'Dw i ddim yn byw yng Ngwaun-côd.' Yn y wlad o amgylch y pentre ac ar y bryniau yr oedd hen hanes a hen draddodiadau'r Cymry; cromlechi, olion hen frwydrau yn erbyn y Saeson, hen eglwysi yn mynd yn ôl i'r Canol Oesoedd ac i'r hen gyfnod, a phlastai: ac wrth edrych o ben y bryniau ar y pentre yn y pant fe welai Taliesin Niclas fod y bywyd diwydiannol yn ddihanes, didradd-odiad ac anfonheddig.

Gyda'r nos yn y gaeaf fe gerddai Taliesin Niclas yn ei unigrwydd a'i aflonyddwch ar hyd heolydd y pentre, ac yr oedd yn rhaid iddo gyffwrdd â phob post lamp neu bolyn teligraff: ac wrth gerdded y palmant fe ofalai na osodai ei droed ar y ffin rhwng dwy fflagen, neu ddyfalu pa sawl cam a gymerai o'r man lle'r oedd at ryw fan draw, ond yn anamal y dyfalai yn gywir, ac weithiau er mwyn bod yn gywir fe estynnai ei gam, ond nid oedd hynny yn iawn. Weithiau yn lle cerdded fe gymerai herc-cam-a-naid. Bryd arall pan na châi hwyl ar ei waith cartre, fe âi i dŷ Cynddylan Hopcin i chware draffts. Ar ôl rhannu'r ' werin ' rhyngddynt fe geisiai ganolbwyntio ar y gêm, ond crwydro yr oedd ei feddwl, ac fe aflonyddai Cynddylan arno drwy ofyn cwestiynau twp fel ' Pwy oedd gwraig Cain?' Cynddylan a enillai bron bob cynnig am ei fod yn ceisio rhag-weld sut y gallai ei wrthwynebydd symud cyn iddo ef symud ei ' ddyn ' ef. Gêm lwc oedd ' *Snakes and Ladders* ', ac ymunai Myfanwy Hopcin yn y chware, a Tomos a Mari Hopcin yn eu gwylio, a phan safai'r cownter ar waelod ysgol a'i dringo yr oedd pawb yn falch, ond pan arhosai cownter, ar ôl cyfri'r sgwariau, ar ben neidr a disgyn i waelod ei chwt fe fyddai pawb yn anfodlon. Rhaid oedd cael chwech ar y dîs cyn y gallai chwaraewr symud ei gownter, a syniai Taliesin yn amal a allai'r meddwl effeithio ar y dîs er mwyn cael chwech. Nid oedd Tomos Hopcin yn fodlon i'w fab chware gormod rhag iddo esgeuluso ei waith cartre, ond nid oedd hynny yn poeni Taliesin. 'Roedd Taliesin yn hoff o Domos Hopcin am ei fod yn Gymro mor gywir ac o Fari Hopcin am ei bod yn gallu canu. Anamal yr âi ef i dŷ Ianto Powel i chware draffts, ' *Snakes and Ladders* ' a dominos am fod Ianto, ar ôl dechrau gweithio yn y Gwaith, yn llawer garwach, a bryntach ei dafod; ac nid oedd yn hoffi ei dad ychwaith am ei fod fyth a hefyd yn sôn am Sosialaeth ac yn ymosod ar Gymru ac ar y Gymraeg. Nid oedd Taliesin yn deall Sosialaeth, ond nid oedd yn credu ynddi am ei bod yn wrth-Gymreig. Ni wyddai'r tad a'r mab ddim am olion hanes a thraddodiadau'r genedl yn y wlad ac ar y bryniau bob ochor i'r pentre. Wrth edrych ar Hanna Powel y gair cynta a ddôi i'w feddwl oedd ' sachabwndi '. 'Roedd yn ei lico hi am fod hiwmor yng nghil ei llygaid ac am fod ganddi galon agored oherwydd ni châi fawr ddim am ddwyn babanod i'r byd, troi heibio'r marw a gwylad y cleifion. Fe hoffai ei gweled yn cerdded ar y stryd; mynd ling-di-long fel llong ar dir sych. Pan âi Cynddylan Hopcin a Ianto Powel i dŷ Taliesin Niclas fe synnent at ei faint ac at y celfi a'r carpedi; a chyn mynd i'r parlwr yr oedd Mrs. Owen yn gorchymyn iddynt sychu eu traed yn y mat. Wrth chware draffts nid oedd Telynfab Niclas yn fodlon gweled ei fab yn colli, ac fe wyliai bob ystum a symud gan ei fab ac edrych arno fel pe byddai yn dwlu arno. Peth rhyfedd, yn ôl barn Cynddylan Hopcin a Ianto Powel, oedd bod y fath ddyn call yn meddwi a hwrgïa; ac yr oedd eu tadau hwy yn well na thad Taliesin Niclas. Ar ôl blino ar y chwaraeon fe ganai Taliesin Niclas y piano, ac wedyn ganu caneuon; a chanai ei dad ganeuon fel ' Dafydd y Garreg Wen ', ac adrodd cerddi gan feirdd y cylch. Pan oedd

Taliesin Niclas wedi blino yn y tŷ a phan nad oedd am aflonyddu ar ei gyfeillion fe âi i Neuadd y pentre i chware biliards a snwcer, ond aflonydd oedd ei chware ar y bwrdd gwyrdd hefyd: ni chymerai ddigon o bwyll i sylwi ar ba fan ar y bêl y dylai ei bwrw i'w gyrru i'r boced, ac yr oedd hefyd yn taro'r peli â'i ffon yn rhy chwyrn. Bachgen yn ceisio ei anghofio ei hun oedd Taliesin Niclas, ac yn methu.

Yn yr Ysgol Ganol nid oedd Taliesin Niclas yn hoffi pynciau fel llaw-fer, gwaith saer, ymarfer corff, ffiseg, cemeg, rhifyddeg, aljibra a mesuroniaeth, ac yr oedd yn well ganddo hanes a daearyddiaeth, ac yn enwedig dynnu mapiau: ond ei hoff bynciau oedd yr ieithoedd, Lladin, Cymraeg a Saesneg. Fe hoffai gymryd Ffrangeg, ond rhaid oedd dewis rhwng yr iaith hon a'r Gymraeg. Athro a ddysgai Gymraeg, ac wrth astudio ' Cywydd y Farn Fawr ' yr unig beth a wnâi oedd esbonio ystyr yr hen eiriau ynddo, ond ni fu hwn yn hir yno; ac ar ei ôl daeth athrawes, a thrafodai honno'r Cywydd fel barddoniaeth cyn dangos ystyr yr hen eiriau. Fe ddarllenai'r Cywydd â'i hacen Ogleddol; a dyma'r tro cyntaf i'r disgyblion glywed Gogleddreg yn siarad er eu bod wedi clywed Gogleddwyr. Gwraig ifanc fwyn oedd yr athrawes, ond edrychai yn drist ddigalon ac weithiau fe ddôi i'r ystafell â'i llygaid yn goch, ac fe gredai pawb yn y dosbarth ei bod wedi colli brawd yn y Rhyfel. 'Roedd cysgod Rhyfel 1914-18 ar yr holl Ysgol. Ond fe glywodd y dosbarth fod y prifathro am ryw reswm yn ei cham-drin ac yn gwneud pob dim i'w thramgwyddo. Un peth a wnaeth oedd dod i'r dosbarth pan oedd hi yn dysgu cynghanedd; cymryd y sialc o'i llaw a dysgu cynghanedd ei hun, ond ar ei ôl fe ddaeth arolygwr yr ysgolion i'r ystafell. Fe sgrifennodd y prifathro y llinell hon ar y bwrdd du:

Yr hwyliau ar yr heli

a gofyn i fachgen yn y dosbarth pa gynghanedd oedd ynddi.

' Y Groes, syr,' atebodd y bachgen.

' Maddeuwch i mi, syr,' meddai Taliesin Niclas, ' nid y Groes sy yn y llinell 'na, ond y Draws am fod "r" cynta'r ail ran heb 'i hateb.'

Edrychodd y prifathro yn syn arno, a cherdded o'r ystafell, a'r arolygwr ar ei ôl, ac yr oedd y dosbarth yn falch ei fod wedi dangos ei anwybodaeth am eu bod yn cydymdeimlo â'r athrawes. Yn Ysgol Farddol ei dad y dysgodd Taliesin Niclas y cynganeddion er na ddysgodd hwy yn hollol gywir, ac am ei fod yn darllen y farddoniaeth, ac yn enwedig yr englynion, yn rhifyn Awst o'r *Geninen* a dderbyniai ei dad, fe ddechreuodd gystadlu yn y *penny readings* ar yr englyn, ond cyn eu danfon i'r gystadleuaeth fe'u dangosai hwy i'r athrawes, ac yr oeddent yn llawer gwell ar ôl iddi hi eu tacluso a chywiro'r gynghanedd weithiau am nad oedd yn hollol sicr o'r acen. Mewn Cymraeg ni ddôi neb yn y dosbarth yn agos at Daliesin Niclas yn ei atebion ar ramadeg, ar lenyddiaeth ac yn ei draethodau, ac fe wnâi ei waith cartre ar y pwnc hwn yn llawen.

Nid oedd Cynddylan Hopcin yn hoffi daearyddiaeth, cemeg, ffiseg, rhifyddeg, aljibra, mesuroniaeth, ymarfer corff a llaw-fer, ond yr oedd yn ddeche â'i ddwylo ar waith coed ac ar ffretwaith, ac ar ddiwedd y tymor fe âi adre â braced dal pibau, bocs cadw llythyron a phethau o'r fath. Fel ei dad yr oedd ganddo ddawn saer. Hanes a Saesneg oedd ei bynciau gorau, ac yn enwedig Saesneg, ac yn arbennig lenyddiaeth Saesneg; a'i hoff fardd oedd Shelley, a dysgai rhibynnau ohono ar go.

> *Fear not the tyrants will rule for ever,*
> *Or the priests of the evil faith ;*
> *They stand on the brink of the raging river,*
> *Whose waves they have tainted with death.*
> *It is fed from the depth of a thousand dells,*
> *Around them it foams and rages and swells ;*
> *And their swords and their sceptres I floating see,*
> *Like wrecks on the surge of eternity.*
>
> *That Light whose smile kindles the Universe,*
> *That Beauty in which all things work and move,*
> *That Benediction which the eclipsing Curse*
> *Of birth can quench not, that sustaining Love*
> *Which through the web of being blindly wove*
> *By man and beast and earth and air and sea,*
> *Burns bright or dim, as each are mirrors of*
> *The fire for which all thirst, now beams on me,*
> *Consuming the last clouds of cold mortality.*

Fe fenthyciai Cynddylan Hopcin o lyfrgell yr Ysgol nofelau Scott, Dickens, Thackeray a George Eliot, ond ni ddarllenai lawer o lyfrau Cymraeg fel Taliesin Niclas, sef nofelau Daniel Owen a Gwyneth Vaughan a llyfrau O. M. Edwards.

Gan yr Ysgol hon yr oedd cae chware, a chwaraeid arno ddwy gêm, socer a rygbi, ond rygbi oedd fwyaf poblogaidd, ac yr oedd gan yr Ysgol dîm rygbi arbennig. Ar yr aden chwith y chwaraeai Taliesin Niclas, ac fe allai'r bachgen tal, main redeg fel milgi ar ôl cael y bêl, ond chwaraewr anwadal ydoedd; pan roddai ei feddwl ar y bêl fe chwaraeai yn wych, ond pan synfyfyriai a breuddwydio nid oedd neb yn waelach. Blaenwr oedd Cynddylan Hopcin, ac fe allai'r stocyn cryf wthio yn y sgrym a dilyn y bêl, ac am ei fod yn chware yn gyson fe allai chware o'r dechrau i ddiwedd y gêm.

Ar ôl tair blynedd fe basiodd Taliesin Niclas arholiad y *Junior* er nad oedd yn uchel ar y rhestr; a Chynddylan Hopcin y flwyddyn ar ôl hynny; ac yn ystod y flwyddyn cyn y *Senior* fe weithiodd Taliesin Niclas, tan anogaeth ei dad, yn llawer caletach, a chael y *Senior* a'r ' *Matric* ' drwyddo; a phasiodd Cynddylan Hopcin a chael ei Fatric y flwyddyn ar ei ôl. Am basio fe roddodd Telynfab Niclas i'w fab gopi o Ramadeg John Morris-Jones; ac fe'i darllenodd ei hun, ac wrth edrych dros y rhan gyntaf a gweled y gwahanol arwyddion fe ddwedodd:

' Diawl, dyma beth yw gramadeg. Aljibra, myn yffarn i.'

Pan gafodd ei Fatric yn 1915 yr oedd Taliesin Niclas yn un-ar-bymtheg a hanner, ac nid oedd dwy flynedd o'i flaen i ddilyn cwrs yr *Higher* am y gelwid ef i'r Fyddin yn Ionor 1917. Yr hyn a wnaeth oedd mynd yn fyfyriwr-ddisgybl-dysgu am dri diwrnod yn yr wythnos yn Ysgol y Cyngor a mynd am ddau ddiwrnod i'r Ysgol Ganol i ddilyn y cwrs. Am Gynddylan Hopcin yr oedd ganddo fwy na dwy flynedd o'i flaen.

VII

Ar ôl i'r gweithwyr gael wyth awr y dydd rhwng 1911 a 1913, a thair shifft, yr oedd Gwaith Dur ac Alcan Gwaun-coed yn gweithio ddydd a nos; ac yn 1915, ymhen blwyddyn ar ôl cychwyn y Rhyfel Byd Cyntaf yn Awst 1914, yr oeddent yn gweithio ar y Sul, o chwech yn y bore tan ddau y prynhawn. Nid oedd shitiau sinc-bwrw gwelydd a tho'r Gwaith Dur yn cael yn awr hoe i oeri; fe fwriai'r naw stac lwytgoch eu mwg melyn o hyd; fe agorai'r cewri o ffwrneisiau eu safnau yn ddi-baid, a'u cau, a chyn cael cyfle i oeri yn iawn ar ôl chwydu bolied o fetel tawdd drwy eu pen-ôl i'r ladl fe osodid bolied arall o *pig* a sgrap ynddynt i ferwi: yr oedd y peiriannau yn pwffian yn ddi-baid, y tryciau yn tabyrddu a'r gantri yn chwyrnellu. Poeth oedd y rheilffyrdd yn y Gwaith wrth gario'r cols a'r sindrins i'r tipiau, a'r rheilffyrdd yn ymyl y Gwaith dan y drafnidiaeth ddi-ball o dryciau, ac nid oedd digon ohonynt ar y brif reilffordd wrth gario barrau dur i'r gweithfeydd cad-ddarpar. Yng ngwanwyn 1915 fe welwyd fod y Fyddin yn Ffrainc yn brin o ynnau a thân-belenni; ac wedi disodli Mr. Asquith fe ddaeth Mr. Lloyd George yn Brifweinidog y Llyw-odraeth Glymblaid, a chododd Gabinet Rhyfel a Gweinyddiaethau newydd fel y Weinyddiaeth Gad-ddarpar, y Weinyddiaeth Fwyd, y Weinyddiaeth Ben-siynau a'r Weinyddiaeth Ad-drefnu. Drwy Act Senedd ym Mai 1915 y codwyd y Weinyddiaeth Gad-ddarpar a Mr. Lloyd George yn Weinidog arni, ac o dan reolaeth hon y rhoddwyd y rhan fwyaf o Weithiau Dur ac Alcan Prydain gan rannu'r wlad yn chwe rhanbarth, a Deheudir Cymru yn un ohonynt, ac ar bob un ohonynt yr oedd arolygwr. Dur oedd yn bwysig ac nid alcan, a gorfu i rai o weithwyr Gwaith Tun Gwaun-coed fyned i weithio i'r Gwaith Dur ac eraill i weithfeydd cad-ddarpar. Nid oedd y Gweithiau Dur yn awr yn chwilio am farchnadoedd tramor ac yn cystadlu amdanynt, (yn ystod y Rhyfel fe gipiwyd eu marchnadoedd yn Japan, Tseina a Chanada gan America), ond chwilio am adnoddau; tan ganol 1916 yr oedd ganddynt ddigon o stoc, ond ar ôl hyn, ac yn enwedig pan suddid llongau Prydain gan longau tanfor yr Almaen yn 1917, yr oedd adnoddau yn brin; a rhaid oedd codi cyfartaledd y sgrap yn y ffwrnais i hanner cant y cant. Y Wein-yddiaeth Gad-ddarpar a reolai bris y dur, a cheisio ei gadw rhag codi: hi a gasglai adnoddau a chyfuno barn a gwybodaeth y meistri diwydiant a'r technegwyr i godi'r cynnyrch: hi a roddai gymhorthdal at y costau cyn-hyrchu: hi a reolai lafur gan roddi i'r gweithwyr fonws ar ben eu cyflogau pan ofynnent am godiad. Dau fath o ddur a wnaed, dur y tân-belenni a dur yr awyrlongau; ac yr oedd hi'n anos cynhyrchu'r dur hwn na'r dur mas-nachol; a rhaid oedd i'r gweithwyr medrus ddysgu dyfeisiau newydd, a'u meistroli, a dwyn i'r Gwaith brosesau technegol newydd. Y Wladwriaeth hefyd a reolai'r rheilffyrdd i gario milwyr ac adnoddau rhyfel, a'r pyllau i gael glo i longau llynges. ' *We had to have a bloody war,*' meddai Twm Llewelyn yn y Gwaith, ' *in order to get a Socialist State.*'

Cyfarwydd oedd trigolion Gwaun-coed â chlywed sŵn traed y gweithwyr ar eu ffordd i'r Gwaith ychydig cyn chwech bob bore, ond yr oedd hi'n od clywed cloc larwm y traed ar fore Sul. Nid oedd Tomos Hopcin yn fodlon gweithio ar fore Sul, torri'r Sabath; ond ar y llaw arall yr oedd eisiau arfau ar y milwyr i ennill y Rhyfel. Problem anodd oedd hon, un o'r rhai mwyaf

anodd, a throes ben ei fwstàsh lawer gwaith. Fe ofyn-
nodd i'w Weinidog, y Parch. Morris Parri, am ei
gyngor a dwedodd hwnnw wrtho am ddilyn ei gyd-
wybod: ond, yn ôl ei farn ef, nid oedd gweithio ar y Sul
i helpu'r Fyddin i ennill y Rhyfel cyfiawn yn dorri'r
Sabath; y Sabath a wnaed er mwyn dyn, ac nid dyn
er mwyn y Sabath; a hefyd, er ei fod yn colli oedfa'r
bore a'r Ysgol Sul fe gâi ddod i oedfa'r hwyr i addoli
Duw. Am fod y Gweinidog yn gwybod yn well nag ef,
gweithio ar fore Sul a wnaeth Tomos Hopcin. Nid
oedd Gomer Powel ychwaith am weithio ar fore Sul,
ond nid am yr un rheswm: nid oedd ef am helpu'r
cyfalafwyr yn eu Rhyfel, eithr yr oedd y gweithwyr yn
gweithio oriau dros ben ac yn cael pai dwbwl a chael
bonws ar ben eu cyflog, ac am iddo fod mor dlawd ar
hyd y blynyddoedd yr oedd yntau am ennill cyflog
fawr. Ar fore Sul yng Nghapel Seion yr oedd y sêt
fawr yn fwy na hanner gwag a'r gynulleidfa yn y seti
yn llawer llai am fod y gweithwyr yn gweithio, a thenau
oedd yr Ysgol Sul hefyd: ac am nad oedd y Capel
nepell o'r Gwaith Dur fe glywid yn y gwasanaeth sŵn
y ffwrneisiau yn tapo, y peiriannau yn pwffian, y tryciau
yn shynto a'r gantri yn chwyrnellu. 'Roedd sŵn y
diwydiant rhyfel yn aflonyddu ar yr addoli. Ar wahân i'r
Seiet, y Cwrdd Gweddi a'r *Band of Hope* yn ystod yr
wythnos fe gwrddai'r merched a'r gwragedd ar nos
Fercher i wau 'sanau a sgarffiau i'r milwyr, ac ar nos
Wener fe gesglid arian at y *Cynilion Rhyfel*. Ar ôl gweithio
deuddeg awr y dydd yn y Gwaith, fe weithiai'r gweith-
wyr yn y gwanwyn, nid yn unig yn eu gerddi, ond hefyd
ar eu lotments, oherwydd y prinder bwyd: a throwyd
pob math o dir wast yn lotment, a hefyd fe leflwyd rhai
tipiau. Am nad oedd amser gan rai i drin gardd a

lotment yn ystod yr wythnos fe weithient arnynt ar y Sul. Yn y wlad o amgylch y pentre fe orfodwyd y ffermwyr i droi'r hyn a allent o'u tir yn dir pori, llafur a thatws; a throwyd pob math o dir gwyllt a chorsiog yn dir bwyd; ac am fod cymaint o brinder bwyd, ac yn enwedig yn 1917 a 1918 yr oedd yn rhaid aredig yn y nos, a chael cwmnïoedd o wragedd a merched rhwng 17 a 20 i helpu ar y tir. Am y gweithwyr a chanddynt ffermydd a thyddynnod ni chaent amser yn rhydd o'r Gwaith i weithio ar y cynaeafau. Anniddig oedd y gweithwyr a'r gwragedd am fod prisiau yn codi; fe gododd pris bara, ymenyn, caws, wyau, pysgod, bacwn, matshis ac esgidiau; fe gododd y rhenti a'r dreth incwm. Erbyn diwedd y Rhyfel yr oedd prisiau nwyddau cyfanwerth wedi codi 140 y cant; a gwerth y bunt wedi gostwng i 8/3. Fe gododd y Llafurwyr eu cri dros fwyd rhatach, ac yn erbyn gorelwa'r siopwyr a'r diwydianwyr: fe ddylid consgriptio cyfoeth yn ogystal â dynion; a rhaid oedd i'r Llywodraeth godi Treth Gorelw. Er mwyn cadw'r bobol rhag gwario eu harian ac am fod arnynt eisiau pres fe gychwynnodd y Llywodraeth y Cynilion Rhyfel, ac er mwyn rhoi esiampl i bawb fe roes Mr. Gilbert Parsons gan mil o bunnoedd i'r Benthycion Rhyfel.

'Dyna ddangos yn glir,' ebe Ianto Powel, 'fod y diawl yn gneud ffortiwn ar yn cefne.'

Fe addawodd y gweithwyr, ar wahân i'r glowyr, ac yn enwedig lowyr Cwm Rhondda, beidio â mynd ar streic, a phan oedd bygwth streic, fe roddai'r Llywodraeth yr hyn y gofynnent amdano. Un streic a fu yng Ngwaith Dur Gwaun-coed yn ystod y Rhyfel, a streic y bricwyr oedd honno; yr oeddent am ragor o gyflog am fod eu gwaith yn beryglus, canys yr oedd yn rhaid bricio'r ffwrneisiau a'r ladl pan oeddent yn boeth, a rhaid oedd iddynt weithio yn gyflym. Un nos Sul yn Eglwys y Drindod, fe ymosododd y Ficer, y Parch. Josiah Griffiths, yn ei bregeth ar y streicwyr gan ddal eu bod yn bradychu'r milwyr yn Ffrainc fel y bradychwyd yr Arglwydd Iesu Grist gan Jwdas. Fe gododd un o'r streicwyr i'w ateb:

'Pam na ewch chi a'ch coler ci i ymladd? Ma'r Llywodreth wedi'ch cadw chi a'ch siort rhag mynd i'r Rhyfel er mwyn rhoi cyfle i chi recriwto. Os ŷch chi yn ormod o gachgi i ymladd pam na ewch chi i roi brics yn y ladl a'r ffwrnisie?'

Fe fygythiodd y Ficer alw am blisman i'w fwrw allan, ond wrth fynd fe ddwedodd:

' 'Dôs dim rhaid ichi. Fe â i yn dawel fach, a w i yn falch iawn i gâl mynd ed achos prop y *capitalist system* a'r jingos yw'ch Eglws.'

Yn y pentre fe gynhelid cyfarfodydd recriwtio a'r cyntaf oedd cyfarfod a'r Parch. Morris Parri yn gadeirydd arno a'r Athro Henry Jones a William Jones, yr Aelod Seneddol dros Arfon, yn ei annerch: ni chafodd yr athronydd lawer o hwyl arni am nad oedd ei galon yn y gwaith, ond am yr ail, fe ymunodd ugeiniau o fechgyn â'r Fyddin ar ôl gwrando ar huodledd ei lais arian. Yn y pentre yr oedd rhai ffoaduriaid o wlad Belg, a rhoddodd Mr. Gilbert Parsons ei blasty, Glanrhyd, i'w droi yn ysbyty i filwyr clwyfedig. Trwy'r pentre y gorymdeithiai yn awr ac yn y man gatrawd o filwyr, a miwsig eu band yn llanw'r heolydd a chrynu'r tai. Ar y parwydydd hysbysebu yn y pentre fe welid hysbyslenni newydd, a dwy ohonynt yn ymyl ei gilydd:

YOUR COUNTRY NEEDS YOU. JOIN THE ARMY AND FIGHT FOR KING AND COUNTRY

a

sef hysbyslen sect y *Russelites,* sect a gredai ymhlith
pethau eraill mai 666 oedd rhif y Kaiser, yr un rhif â'r
bwystfil yn Llyfr y Datguddiad. Yn y Rhyfel yr oedd y
proffwydoliaethau apocalyptig yn cael eu cyflawni.

Yn ei bregethau yng Nghapel Seion cyfiawnhau'r
Rhyfel a wnâi'r Parch. Morris Parri, ac annog y bechgyn
yn yr oed i ymuno â'r Fyddin, fel y gwelir wrth y darnau
hyn ohonynt:

'Does dim amheuaeth o gwbwl nad yw'r Rhyfel hwn yn
gyfiawn. Nid yw pob Rhyfel yn gyfiawn. Ni chredaf fod y
Rhyfel rhwng Prydain a'r Böeriaid yn Rhyfel cyfiawn, ond
y mae hwn. 'Roedd yr Almaen wedi cytuno i beidio ag ymosod
ar y wlad fach, Beljym, ond dyma hi yn torri'r cytundeb fel
sgrap o bapur, ac yn ei threisio. Dim ond barbariaid a allai
suddo'r *Lusitania.* Fe glywsoch fod ein milwyr ni wedi gweled
angylion ym mrwydr Mons. Ymladd o blaid Prydain y mae'r
angylion, a'r dieflaid o blaid yr *Huns.*

Cas gen i yr Almaen. Diwinyddion y wlad hon yn y ganrif
ddiwethaf sydd wedi tanseilio'r Beibl a cheisio darnio'r Efengyl.
Y mae'n flin gen i ddeud i mi fod mor ffôl â darllen cyfieith-
iadau Saesneg o'u gweithiau, ond y noson o'r blaen fe euthum
â'r cwbwl ohonynt i ben yr ardd a'u llosgi yn goelcerth.

Y mae lleiafrif bach o bobol, ac yn eu plith Gymdeithas
sydd yn ei galw ei hun yn Gymdeithas y Cymod, Cymdeithas
heddychol gan yr Anghydffurfwyr, yn condemnio'r Rhyfel
hwn ac yn dal fod pob rhyfel yn Anghristionogol. Fe gawsant
y gair 'Cymod', yn ôl pob tebyg o'r ddwy adnod, II Cor.
V. 18-19 :

18.   A phob peth *sydd* o Dduw, yr hwn a'n cymododd ni ag
ef ei hun trwy Iesu Grist, ac a roddodd i ni weinidogaeth y
cymod ;

19.   Sef, bod Duw yng Nghrist yn cymodi y byd ag ef ei hun,
heb gyfrif iddynt eu pechodau ; ac wedi gosod ynom ni air
y cymod.

Ond y maent yn camesbonio'r adnodau hyn. Fel y gwelwch,
cymodi pechaduriaid drwy aberth y Groes a wnaeth Duw yng

238

Nghrist : dim ond y cadwedigion sydd wedi eu cymodi. Nid oes sôn yn yr adnodau hyn am gymod rhwng dyn a dyn a rhwng cenedl a chenedl. Nid egwyddorion teyrnasoedd y byd yw egwyddorion y Bregeth ar y Mynydd, ond egwyddorion Teyrnas Dduw. Y mae'r heddychwyr hyn yn sôn o hyd am Gariad, ond trwy ras Duw yn unig y gall Cristionogion garu eu brodyr, ac er eu bod yn Gristionogion y maent o hyd yn bechaduriaid. Nid efelychu'r Crist yw ein dyletswydd ni ; ni allwn wneud hynny ; ond fe allwn ymddiried yn y Gwaredwr. Ni all unrhyw Galfinydd fod yn heddychwr am fod Calfin o blaid rhyfel. Dyrnaid bach o anarchistiaid a Phelagiaid yw'r heddychwyr hyn. Nid ydynt yn credu mewn pechod, ond yn naioni cynhenid natur dyn. Duw sydd wedi ordeinio'r awdurdodau goruchel, yn ôl yr Apostol Paul. Pwrpas Cesar, sef y wladwriaeth, yw gweini cyfiawnder, a thrwy ddeddf a chyfraith y gellir gosod cyfiawnder, a sail deddf a chyfraith yw grym y plismon a grym y milwr. Fel dinasyddion rhaid inni ufuddhau i'r Llywodraeth ; rhaid i ni ei chynorthwyo i seilio cyfiawnder a heddwch. Ni all llywodraeth gymhwyso'r Bregeth ar y Mynydd at anghenion ei deiliaid ac amgylchiadau'r wlad.

Y mae'r giwed hon o heddychwyr yn dyfynnu hefyd adnodau o'r Testament Newydd i brofi eu dadleuon, ond nid ydynt yn dyfynnu adnodau sydd yn cyfiawnhau rhyfel, fel Mat. X. 34 :

Na thybiwch fy nyfod i ddanfon tangnefedd ar y ddaear : ni ddeuthum i ddanfon tangnefedd, ond cleddyf.

Fe wyddai'r Arglwydd Iesu Grist y byddai rhyfeloedd, a bod yn rhaid wrthynt :

Ond pan glywoch am ryfeloedd, a sôn am ryfeloedd, na chyffroer chwi : canys rhaid i *hynny* fod ; nid yw y diwedd eto. (Marc XIII. 7)

Cariad mwy na hwn nid oes gan neb ; sef, bod i un roi ei einioes dros ei gyfeillion. (Ioan XV. 13)

Nid oes eisiau gwell adnod na hon :

Yna y dywedodd wrthynt, ond yn awr y neb sydd ganddo bwrs, cymered ; a'r un modd god : a'r neb nid oes ganddo, gwerthed ei bais, a phryned gleddyf. (Luc XXII. 36)

Ac fe ddefnyddiodd Iesu Grist rym ei hun drwy yrru'r gwerthwyr a'r newidwyr arian o'r demel â fflangell o fân reffynnau.

Hefyd y mae'r diwinydd mwyaf ym Mhrydain ac yn Ewrop o blaid y Rhyfel, sef P. T. Forsyth yn ei lyfr, *Justification of God*, ac y mae gennyf fwy o ffydd ym marn hwn nag ym marn neb arall. Ein pregethwr mwyaf yng Nghymru, y Parch. John Williams, Brynsiencyn, y mae hwn yn credu yn y Rhyfel, ac yn pregethu ym mhulpudau'r wlad yn lifrai Caplan y Fyddin. Nid Presbyteriaid yn unig sydd o blaid y Rhyfel, ond Eglwyswyr a Phabyddion hefyd ; ac, yn wir i chi, y mae llawer o Annibynwyr hefyd. Y mae eu diwinydd mwyaf yng Nghymru, yr Athro Miall Edwards, yn cyfiawnhau'r Rhyfel hwn, fel y gwelwch chi wrth ddarllen ei lyfr, *Crefydd a Bywyd*. Am y Sosialwyr a'r Undebau Llafur, y mae'r cwbl o blaid y Rhyfel, ond rhyw ddyrnaid bach o aelodau'r Blaid Lafur Annibynnol. A ydyw'r rhain i gyd yn cyfeiliorni, a rhyw ddyrnaid bach o ymhonwyr yn iawn ?

Gadewch i ni gyd wneud a allom ni i helpu'r Rhyfel ac ennill buddugoliaeth. Ymuned y bechgyn ifainc â'r Fyddin a'r Llynges i ymladd yn y Rhyfel i roi terfyn ar ryfel ; y Rhyfel tros ddemocratiaeth ; y Rhyfel dros ryddid cenhedloedd bychain ; a'r Rhyfel i gadw Cristionogaeth, er gogoniant i Dduw.

Wrth wrando arno yn pregethu yr oedd y gynulleidfa i gyd yn cytuno â'i grwsâd dros y Rhyfel, ac yn enwedig Delynfab Niclas a'i fab, Taliesin; yn eu barn hwy ni fu erioed gystal pregethwr; a chytunai Cynddylan Hopcin hefyd, er bod ganddo rai amheuon. Wrth ymosod ar yr heddychwyr, yr oedd un person yn dod o flaen llygaid pawb, sef y Parch. Llechryd Morgan, Gweinidog Bethel, Capel yr Annibynwyr yng Ngwaun-coed.

Fel y gwelir wrth ei enw, gŵr o Lechryd, pentre yn ymyl tre Aberteifi, oedd y Parch. Llechryd Morgan; a chodwyd ef yng Nghapel yr Annibynwyr yno, Capel y Parch. William Rees, y Swedenborgiad. Gŵr tal, tenau oedd y Parch. Llechryd Morgan; a chnwd o wallt du ar ei ben, a'r gwallt hwnnw yn edrych yn dduach am fod ei wyneb mor welw; ac yr oedd y gwelwder hwnnw yn disgleirio. 'Roedd yn ddirwestwr ac yn fwytawr llysiau. Ni fyddai fyth yn bwyta cig am mai pechod oedd lladd anifeiliaid, ac yn enwedig ŵyn bach; ond pan oedd i ffwrdd yn pregethu, a gwraig y Tŷ Capel wedi paratoi ffowlyn i ginio fe fwytâi frest y ffowlyn am nad oedd eisiau siomi'r wraig; ond fe gyfaddefai ar ôl hynny ei fod wedi ildio i demtasiwn a gofyn i Dduw am faddeuant. Wrth sefyll yn ei bulpud yr oedd golwg bell freuddwydiol arno fel pe na byddai yn byw ryw lawer yn y byd hwn; ond wrth bregethu fe newidiai, a byddai ei lygaid treiddgar yn fflachio a'i wyneb yn llawn angerdd, angerdd y proffwyd wrth ymosod ar bechodau'r oes. Gwraig fer a thew, bwfflyd o dew, oedd ei wraig, Ethel Morgan. Un diwrnod ar bryd te fe lyncodd garreg blwmsen, ac ni fu hi fyth yr un fath ar ôl hynny. Fe fyddai yn cwyno ac yn conan, ac yn achwyn nad oedd hi yn hanner da, ac yn ei hafiechyd ni châi gymaint o gydymdeimlad ag y disgwyliai ei gael. Fe arhosai bob bore, ond bore Sul, yn ei gwely; a'r Gweinidog a godai bob bore i wneud brecwast, a mynd â brecwast iddi hi yn y gwely; ac wedyn fe fyddai yn cynnu'r tân a glanhau'r tŷ. Nid oedd ganddynt blant.

Ni fu'r Gweinidog yn hir yng Ngwaun-coed cyn darganfod y Graig; darganfod y llwybrau unig ar ei phen lle y gallai synfyfyrio yn y distawrwydd gwyrdd. Ar ôl gwneud bwyd, glanhau'r tŷ, llunio pregethau, ysgrifennu llythyrau ac ymweled â chleifion ei Eglwys fe ddihangai i ben y Graig; ac os byddai cyn hynny wedi darllen gwaith un o'r cyfrinwyr—Swedenborg, Plotinws, Boehme a Morgan Llwyd neu farddoniaeth Blake neu Islwyn—fe ddringai i ben y Graig fel dringo i'r byd ysbrydol. Ar ben y Graig fe gâi olygfa a gweledigaethau. Yn y weledigaeth fe fyddai'r Cwm yn troi yn baradwys: y ffwrneisiau yn toddi a choed a blodau yn tyfu yn eu lle ac fe ddôi arogl rhosynnau i'w ffroenau: y tipiau yn troi yn golofnau aur a'r mwg yn esgyn ohonynt fel gweddïau; y tipiau yn troi yn lawntiau; yr afon felen yn Afon y Bywyd; y rheilffyrdd yn llinellau arian; a'r môr ar y gorwel fel y byd tragwyddol y tu hwnt i'r llen. Dro arall ar ben y Graig, pan godid drws y ffwrnais, fe welai'r tân fel tân Duw, y tân sydd yn llewyrchu ac yn llosgi yr un pryd. Pan godai'r clomennod o'r cwb yn y gerddi islaw a hedfan drwy'r awyr â goleuni'r haul ar eu hadenydd, fe'u gwelai hwy yn debyg i'r Ysbryd Glân. Y tu ôl i bethau gweledig fe welai'r ysbryd. Wrth drin Natur yr hyn a wnâi dyn oedd tynnu'r nodau cudd ohoni fel y tynnai'r telynor y nodau o'i delyn. Weithiau fe glywai sŵn canu yn yr awyr, sŵn côr angylion yn canu oratorio. ' Miwsig y Sowth,' meddai wrtho'i hun, ' wedi troi yn fiwsig tragwyddol.' Yn yr awyr hefyd fe welai weithiau y Wyry bur, y Forwyn berffaith. Yn ôl y cyfrinwyr, cwympo i gnawdolrwydd a wnaeth Adda ac Efa yng ngardd Eden ar ôl pechu; ac fe wahanwyd y gwryw yn y dyn oddi wrth y fenyw, a chwilio am honno y mae dyn o hyd. Yn Iesu Grist yr oedd y gwryw a'r fenyw yn gytûn berffaith. Ai'r wyry y chwiliai ef amdani oedd y Wyry honno neu Forwyn Doethineb? Nid oedd yn fodlon gweled yr haul yn machlud oherwydd delw o Dduw oedd yr haul; ond arhosai ar y Graig ac ar ôl iddi nosi fe gâi gwmni'r sêr tragwyddol. Fe âi hyd yn oed yn y gaeaf i ben y Graig a phan oedd hi yn bwrw glaw fe ddôi adre yn wlyb diferu.

Ar ôl i'r Rhyfel gychwyn yn Awst 1914 nid oedd y gweledigaethau ar ben y Graig mor ddisglair. O amgylch yr haul yr oedd tywyllwch; yr oedd tân y ffwrneisiau yn debyg i dân uffern, ac yr oedd y nos yn boddi'r sêr. Trwy'r baradwys fe garlamai'r march coch, a rhwng y coed a'r blodau y siai'r seirff; fe ddôi arogl blodau a llysiau i'w ffroenau o hyd, ond yr oedd yn gymysg ag ef ddrycsawr moch, geifr, brwmstan a chelanedd. Nid oedd cymaint o arian yn y rheilffyrdd; nid oedd cymaint o sglein ar y clomennod; a thros y môr yn y pellter yr oedd niwl. Fe ddiffoddwyd y canu a diflannodd y Wyry bur, berffaith. Ildio i'r tywyllwch y tu mewn iddo a wnaeth dyn; ufuddhau i ewyllys yr hunan, gan droi'r cariad ynddo yn gasineb. Dyna oedd y Rhyfel. Yn awr fe welai ei bwrpas fel Gweinidog Duw, sef dilyn y goleuni yn y tywyllwch; dilyn y glomen yn y diffeithwch; canlyn Baner yr Oen; addoli Tywysog Tangnefedd. Ar ôl i'r Rhyfel gychwyn, ymosod a wnaeth arno yn ei bregethau a fflangellu'r rhai yr oedd yn dda ganddynt ryfel a phregethu'r heddwch Cristionogol; ond nid oedd aelodau ei Gapel yn cytuno ag ef, a dechreuodd rhai ohonynt ymosod arno y tu ôl i'w gefn. Fe glywodd ei wraig am y rhain ac ofni y gallent ei yrru o'r Capel, ac ni allai wneud unrhyw waith arall. Fe geisiai ei gorau glas i'w berswadio i beidio â phregethu hedd-ychiaeth; nid oedd eisiau iddo ymosod ar y Rhyfel na'i gyfiawnhau: y peth doethaf oedd bod yn ddistaw: ond nid oedd dim yn tycio. Ar ôl methu ei berswadio, ni siaradodd ei wraig air ag ef ond pan fyddai'n hollol angenrheidiol. Ar ôl pasio Deddf Gorfodaeth Filwrol yn 1916 fe aeth pethau o ddrwg i waeth, oherwydd fe amddiffynnodd ef rai gwrthwynebwyr, ac un neu ddau o'i Eglwys ef, yn y Tribiwnlysoedd. Fel Gweinidog, fe âi i weled rhieni'r bechgyn o'r Eglwys a oedd yn filwyr yn y gwersylloedd ac ar feysydd y brwydro; ac ysgrif-ennai lythyrau dros y rhieni na allent sgrifennu, ac ysgrifennu llythyr ei hun unwaith bob mis. Pan ddoent adre ar saib o'r Fyddin, ac yn enwedig ar y saib olaf cyn myned i Ffrainc, fe gynhelid cyngerdd iddynt yn festri'r Capel, a rhoddai'r Gweinidog dros yr Eglwys i bob un Feibl neu Lyfr Emynau. Yn y Capel ar y Sul fe weddïai yn daer ar i Dduw gadw'r bechgyn ar faes y frwydr ac am eu dychwelyd i'w cartrefi. Pan leddid

milwr fe âi i'r cartref i gydymdeimlo â'i rieni a'i berth-
nasau, a dwywaith yn unig y dywedodd rhieni wrtho
am gadw ei gydymdeimlad ac am fynd drwy'r drws.

Ym mis Tachwedd 1916 fe ddanfonodd y Parch.
Llechryd Morgan lythyr i *Llais Rhyddid:*

Foneddigion,
   Fe gynhelir cyfarfod yn nhŷ'r Gweinidog nos Fercher nesaf
am 5.30 i ystyried codi cangen o Gymdeithas y Cymod yn y
dref hon. Y mae croeso i bawb.
                              Yr eiddoch yn gywir,
                                 (Y Parch.) Llechryd Morgan

Fe welodd Cynddylan Hopcin yr hysbysiad, a
gofynnodd i Ianto Powel ddod gydag ef, ac fe ddaeth,
er nad oedd yn fodlon iawn am ei fod yn tybied mai
Cymdeithas Gristionogol oedd hi.   Pedwar a ddaeth
yno i gyd; blaenor o Gapel y Parch. Llechryd Morgan
a Gweinidog arall gyda'r Annibynwyr, y Parch. Roser
Jenkins; a hwythau ill dau. Y peth cyntaf a wnaeth y
Parch. Llechryd Morgan oedd agor y Beibl, a darllen
dwy adnod, II Cor. V. 18-19:

18.   A phob peth *sydd* o Dduw, yr hwn a'n cymododd ni ag
ef ei hun trwy Iesu Grist, ac a roddodd i ni weinidogaeth y
cymod ;
19.   Sef, bod Duw yng Nghrist yn cymodi y byd ag ef ei hun,
heb gyfrif iddynt eu pechodau ; ac wedi gosod ynom ni air y
cymod.

Yna fe gydiodd yng nghyfrol *Gweithiau Morgan Llwyd*
o Wynedd, a darllen y darnau hyn o *Gwaedd Ynghymru
Yn Wyneb Pob Cydwybod:*

Ond (meddwch chwi) Pa le y mae'r goleuni yma ?
Pa fôdd y cai fôd yn Sicr o'r ffordd ? Ni welwn ni ond y tyw-
yllwch yn parhau. Beth a wnaf i fodloni Duw ac i achub fy
enaid truan ?

O ddyn, fe ddangosodd Duw i ti beth sydd dda.
Fe roes i ti gannwyll ynot i ddangos y ffordd.
Yn gyntaf Gwrando ar dy gydwybod oddifewn.
Pa beth y mae hi yn ei geisio ddwedyd wrthyt ?
Pwy bynnag wyt, mae cloch yn canu o'r tu fewn i ti.
Oni wrandewi ar y llais sydd ynot dy hunan, Pa fodd
y gwrandewi di ar gynghorion oddiallan ? . . .
Pa fodd y gwyddom ddarfod glanhau'r gydwybod hyd y
gwaelod ? Os dy gydwybod a'th gyhudda, *mae Duw yn fwy
nath gydwybod* . . .

A darnau o *Lyfr Y Tri Aderyn*:

Eryr. Pa fodd y gelli wneuthur felly ?

Cigfran. Mae llawer yn dywedyd yn erbyn eu cydwybod, ac
yn ôl eu hewyllys, a rhai yn llefaru yn erbyn eu hewyllys,
ac yn ôl eu cydwybod ; felly yr wyf finnau yr awron, er
nad wyf i yn arfer hynny.

Eryr. Pa ymryson sydd rhwng y gydwybod a'r ewyllys ?

Cigfran. Mae'r gydwybod yn llefaru, Di a ddylit wneuthur fel
hyn, a'r ewyllys yn dywedyd mi fynnaf wneuthur hyn acw.
Ond yr ydym ni yn rhy fynych yn dilyn ein hewyllys, ac yn
gadel ein cydwybod.

Eryr. Ond beth (meddi di) yw'r Gydwybod ?

Cigfran. Tyst oddi fewn, Goleuni'r adar ; Cannwyll dynion ;
llais yn ein holrhain ; Gwalch Noah ; Sgrifennydd buan ;
Cynghorwr dirgel ; Cyfaill tragwyddol ; Gwledd wastadol
i rai, a phryf anfarwol mewn eraill. Ond nid da gennyf
chwedleua gormod am y gydwybod yma . . .

Eryr. Ond mae rhai yn dywedyd mai'r Arch yw'r Eglwys : ac
mae gwŷr duwiol, dysgedig o'r meddwl hwnnw.

Colomen. Yr un yw'r pen â'r corff ; yr un yw'r gwreiddyn â'r
canghennau ; yr un yw'r gŵr â'r wraig ; a'r ysbryd â'r
enaid; a'r tân yn y tanwydd: yr un yw yr hwn a sancteiddir
â'r hwn a sancteiddia ; ac yr un yw Crist â'i eglwys, yr hon
sydd gnawd o'i gnawd, ac ysbryd o'i ysbryd . . . Nid yw
eglwysydd y plwyfolion ond ysguboriau gweigion ; llawer
eglwys blwyf sydd fel corlan geifr, a buarth gwarchae defaid.
Mae'r Eglwysydd yn gollwng defni, a'r distiau yn pydru.
Mae rhai, yn sicr, fel y canwyllbrenni aur ; eraill yn bres ;
eraill yn blwm : ac, er hynny, canwyllbrenni ydynt oll.
Mae rhai ohonynt yn freninesau ; eraill yn ordderch-
wragedd ; ac nid oes ond ambell un yn aros yn y tŷ gyda
mab Duw : ac am hynny, nid eglwys ond yr ysbrydol :
nid ysbryd ond yr ail Adda ; nid teml i Dduw ond meddwl
pur dyn : nid teml barhaus i ddyn ond yr Hollalluog ;

a'r Oen, nid undeb ond undeb yr ysbryd tragwyddol ; nid
canu, nid cymun, nid uno, nid gweddïo, nid ymaelodi
mewn un Eglwys oni bydd ysbryd y pen yn rheoli mewn
nerth . . .

Fe ddotiai Cynddylan Hopcin ar y Gymraeg, y
syniadau a'r symbolau yn y darnau, ond nid oedd Ianto
Powel yn eu deall a phan glywodd enw Crist nid oedd
ganddo ddiddordeb; ac fe roes y Parch. Llechryd
Morgan ychydig sylwadau arnynt:

Fe welwch fod Morgan Llwyd yn rhoi pwys mawr ar y gyd-
wybod mewn dyn ; y mae hi fel cannwyll, neu fel lamp ;
ond mae'n rhaid glanhau'r pabwyr cyn gosod fflam Duw arno.
Mae ein cydwybod ni yn datgan fod pob rhyfel yn groes i
Gristionogaeth.   Ni ellir cysoni unrhyw ryfel ag Efengyl
Tywysog Tangnefedd. Nid yw gwrando ar lais y gydwybod
yn ddigon : y mae'n rhaid i ni weithio dros heddwch a chymod.
Os bydd raid, fe ddylem fod yn barod i fynd i garchar ; ie,
fe ddylem fod yn barod i farw, marw fel merthyron. Y mae
marwolaeth merthyr yn llawer gwell na marwolaeth milwr.
     Fe welsoch fod Morgan Llwyd yn sôn am y Tri Aderyn :
yr Eryr, y Gigfran a'r Golomen. Fe allwn ni esbonio'r rhain
fel y mynnwn ni. Yr Eryr yw llywodraeth Prydain Fawr, ac,
fel y gwelwch chi heddi, hon sydd yn rheoli pob peth. Hon
sydd yn gorchymyn aelodau'r eglwysi i weithio ar fore Sul i
wneud dur tân-belenni ; ac y mae'r aelodau yn ufuddhau.
'Rwy i wedi cael gweddïau a phregethau gan y Llywodraeth
i'w gweddïo a'u pregethu yn y Capel, ac y mae pob gweinidog
ac offeiriad wedi eu cael. Meddyliwch o ddifri am yr Eryr
yn ein hannog ni i weddïo ei weddïau ef ac i bregethu ei
bregethau ef ; gweddïau a phregethau o blaid y Rhyfel, wrth
gwrs. Cesar yn cymryd lle Duw. Eu taflu i'r tân a wnes i.
Y Gigfran yw'r eglwysi rhyfelgar. Hen gigfran yw'r Eglwys
Babyddol, ac y mae ei phlu a'i phig yn goch gan waed tru-
einiaid y chwil-lys a gwaed yr Hugenotiaid, yn wragedd a
phlant. Cigfran arall yw Eglwys Loeger, cigfran yn nythu
ym mhlu'r eryr ; ac y mae allorau hon yn diferu o waed y
merthyron a gwaed y milwyr sydd wedi treisio'r gwledydd a
lladrata eu cyfoeth. Y mae'r ddwy Gigfran wedi cyfiawnhau
rhyfeloedd ar hyd y canrifoedd ac wedi bendithio milwyr a
llongau rhyfel. Cigfran hefyd yw'r eglwysi Anghydffurfiol,
ond bod mwy o ysbryd y Glomen yn y rhain. Maddeuwch imi
am sôn am fy Enwad fy hun. Yn ein Henwad ni yr oedd yn

y ganrif ddiwethaf heddychwyr fel S.R. a Henry Richard ; a thraddodiad y rhain yw gwir draddodiad ein Heglwys ni ; ond ychydig sydd yn ei ddilyn. Eglwys ysbrydol, fel y dangosodd Morgan Llwyd, yw Eglwys y Glomen ; Eglwys yr Oen. Ni allwch fyth goncro oen am nad yw yn ymladd. Eglwys y Cymod ydyw hi. Pwrpas Cymdeithas y Cymod yw troi naturiaeth y Gigfran yn naturiaeth y Glomen y tu mewn i'r eglwysi a thu allan iddynt. Hwyrach fy mod i wedi siarad mewn damhegion, fel Morgan Llwyd, ac wedi methu gwneud fy meddwl yn glir. A oes gennych gwestiynau ?

Ar ôl tipyn o ddistawrwydd fe ofynnwyd cwestiwn gan Ianto Powel :

Ma 'nhad a fi wedi gadel y Capel, ac ŷn ni'n falch. Achos ych bod chi wedi attaco'r Eglws pam ŷch chi yn aros yn Winidog ar Gapel ?

Y Gweinidog : Camgymeriad mawr oedd i'ch tad a chi adel y Capel. Ac fe awn yn bellach. 'Roedd yn llwfwrdra. Dyletswydd pob aelod yw sefyll dros ei egwyddorion yn y man a'r lle. 'Fedrwch chi fyth ennill y frwydyr ysbrydol a chilio o'r maes. Fel y dwedais i, y mae'n rhaid ymladd ac aberthu.

Cynddylan Hopcin : Fe ddwedodd ein Gweinidog ni mewn pregeth na all Calfinydd fod yn heddychwr. Y mae Calfin wedi cyfiawnhau rhyfel. Beth yw'ch ateb chi i hyn ?

Y Gweinidog : Wrth ateb 'charwn i ddim rhoi'r argraff fy mod i yn ymosod ar berson. 'Does a fynnom ddim â phersonau ond ag egwyddorion. Y mae'n wir fod Calfin yn cyfiawnhau rhyfel, ond wrth wneud hynny y mae'n dyfynnu adnodau o'r Hen Destament. Wrth gwrs, yr oedd Calfin yn perthyn i'w oes, ond fe arweiniodd yr Ysbryd Glân i lawer o wirioneddau ar ôl cyfnod Calfin. ' Canys pan ddêl efe, *sef* Ysbryd y gwirionedd, efe a'ch tywys chwi i bob gwirionedd . . .' meddai Ioan. Cymerwch, er enghraifft, gaethwasiaeth. 'Roedd pawb ar ddechrau'r ganrif ddiwethaf yn credu mewn caethwasiaeth, a phan wrthodwyd yr Act i ryddhau'r caethion fe ganwyd clychau'r eglwysi i ddathlu'r gwrthod. Ond yn y diwedd fe lwyddodd Wilberforce ac eraill ; y dyrnaid bach a oedd am ryddhau'r caethion. Erbyn hyn, nid oes neb yn credu mewn caethwasiaeth. Dyna arweiniad yr Ysbryd Glân i'r gwirionedd yna. Mae'r un peth yn wir heddiw am heddychiaeth.

Cynddylan Hopcin : Oni ddylid bwrw'r Hen Destament o'r Beibl ? Fe gewch sôn am Dduw yn rhoi buddugoliaeth i Israel, gan lawenhau mewn lladd gwragedd a phlant.

Y Gweinidog : Cwestiwn anodd. Ni ddylid, wrth gwrs, fwrw'r Hen Destament o'r Beibl am mai yn y Llyfr hwn y cewch y proffwydi, bach a mawr. Am y rhyfeloedd y soniasoch amdanynt, 'rwy'n tueddu i gytuno â Swedenborg. Mae Swedenborg yn dal fod ystyr fewnol i eiriau'r Beibl. Yn yr hanes am y rhyfeloedd yn erbyn y Canaaneaid, yr Asyriaid a'r lleill yr hyn a gewch chi yw alegori o'r frwydr rhwng y drwg a'r da. Ma'n rhaid i chi ysbrydoli'r darnau hyn o'r Hen Destament.

Ianto Powel : Ma'r *Socialists* yn erbyn y Rhyfel. Pam na drowch chi yn *Socialist* ?

Y Gweinidog : Wel, y mae gen i barch mawr i'r Blaid Lafur am ei bod hi yn rhoi pwyslais ar egwyddorion fel cyfiawnder a Brawdoliaeth Dyn ; ond 'rwy i wedi cael siom fawr ynddi. Nid yw hi yn wir dweud fod y Sosialwyr yn erbyn y Rhyfel. Dyna i chi un o'r rhai mwya—Robert Blatchford. Mae'r Sosialwyr sy yn y Llywodraeth o blaid y Rhyfel, ac, fel y gwyddoch yn well na fi, y mae'r Undebau Llafur o blaid y Rhyfel. Fe wyddoch fod y mob o weithwyr yn Aberdâr wedi ei hwtian a'i fygwth, y gonestaf ohonynt i gyd ; ac agwedd y Blaid Lafur at y Rhyfel a dorrodd ei galon. Mae'n wir fod dyrnaid bach o aelodau'r Blaid Lafur Annibynnol dan arweiniad Ramsay Macdonald a Philip Snowden yn erbyn y Rhyfel.

Cynddylan Hopcin : Fe ddwedodd ein Gweinidog ni ych bod yn camesbonio'r adnodau a ddarllenwyd ar y dechrau. Y cymod a wnaeth Duw â dyn drwy aberth Iesu Grist oedd y cymod : cymod y cadwedigion yn unig ydyw. Nid yw yn gymod rhwng dyn a dyn a rhwng cenedl a chenedl.

Y Gweinidog : Y mae ganddo syniad cul iawn am yr Efengyl. Nid Efengyl i'r etholedigion yn unig yw'r Efengyl, ond Efengyl i bawb. Fe fu farw Crist dros bawb. Y mae'r Efengyl yn Efengyl y cyfanfyd, yn Efengyl y cosmos ; ac y mae hi yn cynnwys bywyd i gyd, yn wleidyddiaeth ac economeg a phob peth. Fe ddylai'r cyfamod rhwng Duw a dyn fod yn gyfamod rhwng dyn a dyn a chenedl a chenedl. ' Câr yr Arglwydd dy Dduw a'th gymydog fel ti dy hun.' Y mae hi yn cynnwys hyd yn oed eich gelynion. ' Cerwch eich gelynion.' Talwch ddaioni am ddrwg.

Y Parch. Roser Jenkins : Mae'r Crynwyr wedi sefyll yn gadarn yn erbyn pob rhyfel. Ac yr oedd Morgan Llwyd yn cyd-ymdeimlo â'r Crynwyr onid oedd yn un ohonynt. Y mae gennych chi, gyfaill, gydymdeimlad mawr â hwy. Pam na fyddech chi a fi yn ymuno â'r Crynwyr ?

Y Gweinidog : Oes, y mae gen i barch mawr i'r Crynwyr ; ac 'rwy'n cytuno â'u hagwedd at ryfel ac yn hoffi'r distawrwydd yn eu gwasanaethau. Ond 'ymunwn i ddim â hwy am nad ydynt yn canu mawl, ac y mae'n rhaid i ni, y Cymry, ganu ; ac am nad oes ganddyn nhw ordinhadau fel y Bedydd a'r Cymundeb. Dyna pam nad ŷn nhw wedi cael gafael ar Gymru. A oes rhagor o gwestiynau ?

Gan nad oedd cwestiwn arall fe ofynnodd y Gweinidog a oeddent am godi cangen o Gymdeithas y Cymod, ac yr oedd pawb yn gytûn.

' Os felly, mae'n rhaid inni ddewis Cadeirydd ac Ysgrifennydd. Pwy gawn ni yn Gadeirydd ?'

' Y Parch. Llechryd Morgan,' ebe'r Parch. Roser Jenkins.

' A oes enw arall ?'

' Nac oes, yn anffodus. Beth am Ysgrifennydd ?'

' W i yn cynnig Cynddylan Hopcin,' meddai Ianto Powel.

' A oes enw arall ? . . . Nac oes. Cynddylan Hopcin yw'r Ysgrifennydd. Beth am gael cyfarfod cyhoeddus yn y dre dan nawdd y Gymdeithas hon ? Pwy gawn ni i'w annerch ?'

' Y Parch. Puleston Jones,' ebe'r blaenor.

' Enw arall ? . . . Nac oes. Yn lle y cynhaliwn y cyfarfod ?'

' Capel y Methodistiaid Calfinaidd yw'r mwyaf canolog, ac 'rwy i yn cynnig yn bod yn gofyn iddyn nhw am gael benthyg y festri.'

' A oes gynnig arall ? . . . Nac oes. Ysgrifenned Mr. Hopcin, felly, at Ysgrifennydd ei Gapel i ofyn yn garedig am gael benthyg y festri. Cyn eich bod yn gadael dyma gopi i bob un ohonoch chi o Rifyn Cyntaf *Y Deyrnas*, misolyn Cymraeg Cymdeithas y Cymod. Darllenwch ef yn ofalus. Prynhawn da, i gyd.'

Wrth fynd adre o'r cyfarfod fe ddwedodd Cynddylan Hopcin wrth Ianto Powel:

' 'Rw i wedi câl siom yn 'y nhad. Calfinydd hen-ffasiwn yw e.'

' Fe ges inne siom ed,' ebe Ianto Powel, ' ôn ni yn credu mai 'nhad odd y *Socialist* mwya yn y byd, ond wedws Twm Llewelyn wrtho i yn y Gwaith mai Lib-Lab oedd e; odd e yn iawn ed.'

' Wyt ti'n cofio dy dad yn casglu ni'r bechgyn i belto cerrig a chobls ar ben y plismyn ar y rel-we? Ma'n ddrwg gyda fi neud y fath beth creulon,' meddai Cynddylan Hopcin.

' 'Dyw e ddim yn ddrwg gyda fi. Trueni na fydde pob un ohonyn nhw wedi 'i châl hi. W i ddim yn basiffist. Fe ymladdwn i dros *Socialism* a saethu pob *capitalist*, os bydde raid. Fe ddarllenes i lyfyr, *Ten Years of Secret Diplomacy* gan E. D. Morrell, (a'r hen Keir Hardie soniws am y llyfyr yn 'i *speech*) ac ma'r llyfyr yn dangos yn glir mai *capitalist war* yw'r Rhyfel hon.'

' Wyt ti'n siarad yn ddewr iawn, Ianto Powel; ond 'dôs gyda ti ddim digon o blwc i saethu brân.'

Ar hyn fe ddaeth Taliesin Niclas i'w cyfarfod.

' Lle fuest ti, Taliesin?' gofynnodd Cynddylan Hopcin.

' Yn y pentre yn edrych ar y sowldiwrs yn martsho, ac yn canu'r band; ac fe âth y miwsig drwy 'nghorff i yn iasau.'

' Beth yw "iasau"?' gofynnodd Ianto Powel.

' *Thrills* yn dy iaith di. Ma'r Sosialeth 'ma bron â dy droi yn Sais. Ble fuoch chi?'

' Yn codi cangen o Gymdeithas y Cymod,' meddai Cynddylan Hopcin.

' Beth yw honno?'

' Cymdeithas basiffist,' atebodd Ianto Powel.

' Beth? Cymdeithas basiffist? 'Rŷch chi yn ddou

basiffist! Dou gachgi. Dou fradwr. Cerwch i ddiawl
â chi.'

Fe aeth ymaith yn ei ddicter. A dwedodd Ianto Powel
wrth ei gyfaill:

'Meddwl am y mwlsyn twp yn mynd i ymladd *for
God, King and Country.* Pam na fydde'r *"God"* hwn yn
stopo'r Rhyfel, ne'r eglwysi? Wyt ti yn gweld, Cyn-
ddylan, ma'r Parch. Morris Parri yn credu fod Duw o
blaid y Rhyfel am 'i fod *e* o blaid: ac ma'r Parch.
Llechryd Morgan yn credu fod Duw yn erbyn y Rhyfel
am 'i fod *e* yn erbyn. Beth yw Duw? *Bloody illusion!'*

'Wyddost ti, Ianto, pan fo rhai fel ti yn gwadu Duw,
'rŷch chi yn troi ych hunen yn dduwiau. 'Rwyt ti yn
siarad fel duw hollalluog a hollwybodol. Chi'r Sosialwyr
yw'r dynion mwya hunanol a weles i eriôd.'

'Cer i yffarn â ti, y cranc twp,' ebe Ianto.

Nid oedd y tri yn siarad â'i gilydd, ac yn yr Ysgol
Ganol yr oedd Taliesin Niclas a Chynddylan Hopcin
yn cwrdd â'i gilydd ac yn pasio ei gilydd heb ddweud
na bw na be y naill wrth y llall.

Yng nghyfarfod nesaf Cymdeithas y Cymod pedwar
oedd yno. Cynddylan Hopcin oedd y cyntaf i gyrraedd,
a chyn pryd, yn ôl ei arfer; a phan gnociodd ddrws y
ffrynt fe fu'n hir cyn cael ateb; ond dyna lais o ffenestr
y llofft yn dywedyd wrtho am fynd i'r stydi. Yn y stydi
nid oedd neb, ac edrychodd drwy'r ffenestr a gwelodd y
Gweinidog yn sefyll rhwng dwy goeden, ac adar y to
yn sefyll ar ei ysgwyddau, robin goch yn un llaw a
bronfreithen yn y llall; ac ar ei ben yr oedd colomen.
Dyna lle'r oedd yn sefyll fel dewin adar, fel angel Natur
ac fel un o gyfrinwyr y greadigaeth. Ni chlywodd y
Gweinidog yn dweud wrth yr adar: 'Ewch 'nawr,

gyfeillion bach, ma gen i gyfarfod,' ac fe hedodd yr adar i'r coed ac i'r awyr.

Pan ddowd at yr Ohebiaeth yn y cyfarfod fe ddarllenodd Cynddylan Hopcin lythyr oddi wrth Ysgrifennydd y Capel yn dweud fod y Gweinidog a'r blaenoriaid wedi ystyried eu cais, ond ni allent weld eu ffordd yn glir i roi benthyg y festri.

'Pe bydden ni wedi gofyn am y festri,' meddai'r Gweinidog, 'i'r Parch. John Williams, Brynsiencyn, fe fydden wedi ei chael, a byddai'r Parchedig wedi dod yn ei *gahki* ac yn ei anerchiad yn profi nad yw'r Bregeth ar y Mynydd yn ymarferol. Ac y maent yn casglu *War Loan* yn y festri, ond y mae *War Loan* yn bwysicach na Thywysog Tangnefedd.'

Fe ddwedodd y Gweinidog ei fod am ofyn i'w Eglwys roi benthyg y festri, a phasiwyd i ofyn i'r Parch. Wyre Lewis annerch y cyfarfod. Fe gafodd fenthyg y festri am nad oedd gan ei ddiaconiaid ddigon o blwc i'w wrthwynebu. Llond dwrn oedd yn y cyfarfod, a siaradodd y Parch. Wyre Lewis ar achosion y Rhyfel ac egwyddorion Cymdeithas y Cymod. Wrth ddod allan yr oedd twr o bobol yn eu disgwyl ac wrth fynd drwyddynt yr oeddent yn hwtian ac yn galw pob enw ar yr heddychwyr. Wrth gerdded ar y stryd ar ôl hyn fe alwai rhywrai y tu ôl i berth a gwal enwau ar y Parch. Llechryd Morgan; 'Conchie', 'Cachgi', '*Coward*', '*Pro-German*', '*Traitor*', 'Bradwr' a geiriau o'r fath, ond ni throai ef ei ben atynt ond cerdded yn hyderus yn ei flaen gan gofio am y bobol hynny a wawdiodd y Gwaredwr ar y Groes. Ar y stryd fe âi merched ymlaen ato a rhoi iddo bluen wen, ac ar ôl cymryd y bluen fe ddwedai wrth y ferch: 'Plufyn pert, 'merch i; plufyn o aden y glomen.' Ar ddechrau 1917 pan oedd yr

Almaenwyr yn gwthio'r Cynghreiriaid yn ôl ac yn ceisio meddiannu Paris cyn i'r Americanwyr lanio yn Ewrob yn eu nerth, yr oedd y gwrthwynebiad ffyrnicaf yn erbyn y gwrthwynebwyr cydwybodol a'r heddychwyr. 'Roedd y Llywodraeth yn Llundain wedi pasio *Defence of the Realm Act*; D.O.R.A. fel y gelwid hi. Amcan yr Act oedd trefnu adnoddau ar gyfer y Rhyfel a rhoi'r flaenoriaeth i faterion milwrol ar fuddiannau sifil; ond fe afaelwyd ynddi hefyd i fygu barn ac i garcharu heddychwyr. Yn y Swyddfa Gartre yr oedd rhestr o enwau'r bobol beryglus, meddent hwy, ac yn bur uchel ar y rhestr yr oedd enw'r Parch. Llechryd Morgan.

Am fod y Parch. Llechryd Morgan wedi dylanwadu cymaint arno, fe benderfynodd Cynddylan Hopcin fynd i wrando arno yn pregethu yn ei Gapel; fe ddwedodd wrth ei dad ac nid oedd hwnnw yn fodlon iddo fynd, ond mynd a wnaeth er bod gadael ei Gapel ei hun ar nos Sul fel brad iddo. 'Roedd Capel Bethel yn llawer mwy na Chapel Seion, ac yr oedd yno gynulleidfa fawr ar y llawr a'r llofft, canys fe ddôi heddychwyr o gapeli ac eglwysi eraill i wrando arno. Fe welodd aelodau Bethel fod dyn dieithr yn y gynulleidfa, ac fe wyddent nad oedd o'r cylch. Ar ôl eistedd yn ei gadair yn y pulpud fe welodd y Parch. Llechryd Morgan y dyn, ac fe wyddai pwy oedd, sef ditectif y Llywodraeth a oedd wedi dod yno i gopïo nodiadau o'i bregeth yn ei gopi i weld a oedd ynddynt unrhyw deyrnfradwriaeth. Ar ôl darllen pennod, gweddïo a chanu emynau fe gododd ei destun; Ioan XVIII. 36.

Yr Iesu a atebodd, Fy mrenhiniaeth i nid yw o'r byd hwn. Pe o'r byd hwn y byddai fy mrenhiniaeth, fy ngweision i a ym-drechent (neu a ymladdent) fel na'm rhoddid i'r Iddewon: ond yr awr hon nid yw fy mrenhiniaeth i oddi yma.

Ni ellir dangos y grym proffwydol na rhoi syniad cywir o'r bregeth yn yr ychydig ddarnau hyn:

Prif elynion Iesu Grist adeg y Croeshoeliad oedd yr archoffeiriaid. Fe waeddodd y werin hefyd ' Croeshoelier Ef ', ond yn ôl Marc yr archoffeiriaid a anogodd y bobol i weiddi ; ' A'r arch-offeiriaid a gynhyrfasent y bobl, fel y gollyngai efe yn hytrach Barabbas yn rhydd iddynt.' Y rhain oedd y cythreuliaid. 'Roedd Peilat yn ŵr bonheddig yn ymyl y rhain. Yr archoffeiriaid a'r offeiriaid sydd wedi croeshoelio Crist ar hyd y canrifoedd, ac y maent yn Ei groeshoelio heddiw, nid ar Groes bren, ond ar Groes aur, a'i groeshoelio â'i ben i lawr. Maent fel cigfrain â choleri gwyn am eu gyddfau yn crawcian o amgylch y Groes, ac yn byw yn fras a diog ar Ei gnawd. Y rhain sydd wedi bendithio rhyfeloedd yn y gorffennol, ac y maent o hyd. Yn y drydedd demtasiwn yn yr anialwch fe ddangosodd y diafol iddo holl deyrnasoedd y byd a'u gogoniant, ac y gallai eu cael ond ei addoli ef. Gwrthod y demtasiwn a wnaeth Iesu Grist, yn ôl y Testament Newydd, ond derbyn cynnig y diafol a wnaeth Efe, yn ôl yr eglwysi. Helpu cenhedloedd i feddiannu teyrnasoedd a'u gogoniant trwy drais a rhyfel a wnaeth Iesu Grist a thrwy weddïau a bendithion offeiriaid. Teyrnas y diafol yw eu teyrnas hwy. Hi yw'r Anghrist. Hi yw'r bwystfil a'r ddraig a ddisgrifir yn Llyfr y Datguddiad.

Yn adnod y testun, y mae Iesu Grist, ar ôl cael ei gyhuddo o wrthryfela yn erbyn Cesar, yn dangos i Peilat pa fath o frenhiniaeth oedd ei frenhiniaeth Ef ; ac fe welwch ei bod hi yn hollol wahanol i freniniaethau'r byd. Nid yw fy nisgyblion i yn ymladd, meddai. Dod i'r ddaear i sefydlu Teyrnas Dduw a wnaeth yr Iesu. Fe ddangosodd yn y Bregeth ar y Mynydd beth yw egwyddorion y Deyrnas hon. ' Clywsoch ddywedyd, Câr dy gymydog, a chasâ dy elyn. Eithr yr ydwyf i yn dywedyd wrthych chwi, Cerwch eich gelynion, bendithiwch y rhai a'ch melltithiant, gwnewch dda i'r sawl a'ch casânt, a gweddïwch dros y rhai a wnêl niwed i chwi, ac a'ch erlidiant . . .' Mae'r egwyddorion yn ddigon clir, ond ydyn nhw ? Pan dorrodd un o'r rhai oedd gyda'r Iesu glust gwas yr archoffeiriad â'i gleddyf, fe ddywedodd y Meistr wrtho : ' Dychwel dy gleddyf i'w le : canys pawb a'r a gymerant gleddyf, a ddifethir â chleddyf.' Y mae'r Apostol Paul wedi dweud yr un peth : ' Na orchfyger di gan ddrygioni, eithr gorchfyga di ddrygioni trwy ddaioni.' Nid dweud y pethau hyn yn unig a wnaeth Iesu Grist, ond eu byw a marw drostynt. Fe wyddai mai ffordd cariad oedd ffordd Ei Dad, ac fe aberthodd Ei fywyd ar y Groes gan wybod mai'r ffordd hon oedd yn iawn. Fe

goncrodd Ei elynion trwy eu caru. Y mae cyfiawnder yn
bwysig, ond peth oer yw cyfiawnder ar ei ben ei hun : cyfiawn-
der wedi ei lyncu gan gariad yw'r cyfiawnder gorau. Dant
am ddant yw cyfiawnder : cochl a phais am bais a mynd yr
ail filltir yw cariad. Mae rhai yn dweud mai Teyrnas y
cadwedigion a'r etholedigion yw Teyrnas nefoedd : nid yw
Iesu Grist yn dweud hynny. Mae hi yn Deyrnas i bawb sydd
yn fodlon derbyn yr egwyddorion.

A chan godi'r Beibl uwch ei ben, ac edrych ar y
ditectif, fe ddwedodd:

Dyma siarter Teyrnas Tywysog Tangnefedd. Dyma D.O.R.A.
Duw.
    Mae sôn tua Llundain eu bod yn mynd i godi Byddin
Heddwch ; Byddin i sefyll rhwng yr Almaenwyr a'r Prydeinwyr
ar feysydd Ffrainc. Os gwnân nhw fe fydda i yn ymuno â hi.
Hwyrach y cewch chi, meddech, eich saethu gan y gelynion.
Pam lai ? Mae'r milwyr, yn ôl y goleuni sydd gyda nhw, yn
marw. Pam na allwn ni farw fel merthyron, fel deiliaid
Teyrnas yr Oen, Brenhiniaeth y Glomen.
    Pe byddai gan Gymru ei llywodraeth ei hun fe allai fod yn
siampl i bawb. Gwlad heb Fyddin a heb Lynges a heb arfau.
Beth 'se'r gelynion yn ymosod arni ? Fe fyddai'n well i ni
farw yn genedl o ferthyron nag yn genedl o filwyr.

Pan ddaeth i lawr, ar ôl rhoi'r fendith, o'r pulpud i'r
sêt fawr fe ddwedodd y diacon hynaf wrtho eu bod wedi
penderfynu gostwng ei gyflog.
    ' Ai dyna farn yr Eglwys?' gofynnodd y Gweinidog.
    ' Ie,' atebodd y diacon.
    ' 'Rwy'n derbyn barn yr Eglwys,' oedd yr ateb.
    Ni ofynnwyd beth oedd llais yr Eglwys, ond pe
byddent wedi gofyn fe fyddai'r mwyafrif o blaid ei
gostwng. Fe'i gostyngwyd gymaint fel na allai ef a'r
wraig fyw arni, ac amcan ei gostwng oedd cael gwared
arno o'r Capel. Pan ddywedodd wrth ei wraig fe edrych-
odd hi arno yn gasach nag o'r blaen.
    Rhaid oedd iddo gael rhyw waith er na wyddai pa
job y gallai ei wneud; ni fedrai wneud gwaith llaw, ond

hwyrach y gallai gadw cyfrifon o ryw fath. I bwy y gallai ofyn am waith. Fe feddyliodd lawer, a chofiodd fod Telynfab Niclas yn bennaeth ar Gangen y Cwmni Yswiriant, ac fe aeth i'r Swyddfa ato i ofyn am waith. Ar ôl cyfarch ei gilydd fe ofynnodd y Parch. Llechryd Morgan iddo:

'Maddeuwch i mi am ddod i'ch poeni, Mr. Niclas; ond a oes gyda chi ryw waith yn ych Swyddfa y gallwn ei wneud? Fe fyddwn yn ddiolchgar iawn os gwnewch gymwynas â mi?'

'Pe bydde gen i waith 'roddwn i ddim i ryw gachgi a bradwr fel chi. Fe fydde ych presenoldeb yma yn llygru'r awyr.'

'Diolch yn fawr, Mr. Niclas. 'Rwy'n gobeithio yn fawr y daw eich bachgen yn ôl o Ffrainc yn fyw a dianaf. Prynhawn da.'

Wrth feddwl am eraill fe gofiodd fod Gomer Powel yn aelod ar Bwyllgor y Cop. Fe aeth i'w dŷ ac yr oedd yn amlwg fod Gomer Powel yn falch o'i weld ; ac ar ôl cyfarch ei gilydd fe ddwedodd Gomer Powel wrtho:

'W i yn gwbod beth yw'ch neges. Ma'r Capel wedi tocio'ch cyflog; fe ofynsoch i Telynfab Niclas am job, ac fe rôs gic i chi dros y drws, mewn ffordd o siarad. Ŷch chi'n lwcus na chesoch chi job gyda hwnnw; fe fydde'n od i weld Gwinidog yn gwitho dan y sotyn meddw a'r hwrgi yr yffarn.'

'Wel, Mr. Powel, ma 'na ryw ddaioni ym mhob dyn. Fe welodd Iesu Grist fwy o ddeunydd sant yn y public-anod, y pechaduriaid a'r puteiniaid nag yn y Phariseaid a'r Ysgrifenyddion.'

'Ie, ac yn y bl - - - Capel ma'r rhagrithwrs 'na heddi. W i yn falch 'y mod i wedi gadel y Capel, achos 'sen ni wedi aros 'no a gwrando ar y di - - -, y dyn yn recriwto ac yn gweud fod y Rhyfel 'ma yn *right* fe fyddwn wedi 'i fwrw e i go-liw.'

'Fydde'ch dwrn chi, Mr. Powel, ddim yn ddadl dros ych achos. A siarad yn blaen, camgymeriad oedd i chi a'ch mab adel y Capel, canys ein dyletswydd ni i gyd yw ymladd yn y fan a'r lle.'

'I fe 'nawr. A'r Eglwys yn trio'ch bwrw chi mâs drw roi llai o bai i chi. Dyna i chi Eglws, myn yffarn i.'

'Wel, a allwch chi gael rhyw waith i mi yn y Cop, Mr. Powel?'

'Fe ro i'r mater o flaen Pwyllgor y Cop ac fe wnawn ni yn gore drosoch chi, Mr. Morgan. Ond ar un amod.'

'Beth yw honno?'

'Ych bod chi'n folon 'y nghladdu i os bydda i farw.'

'Pam yr ydych yn gofyn i mi eich claddu?'

'Am mai chi yw'r dyn tebyca i Iesu Grist a weles i. Ŷch chi yn sant, Syr.'

'Peidiwch â'm galw yn syr nac yn sant. Creadur annhebyg iawn i'r Meistr ydw i. Ond yn lle yr ydych am ych claddu?'

'Ym mynwent Capel Seion. 'Dôs dim mynwent gyhoeddus yn y pentre.'

'Ond fe fydd yn rhaid cael caniatâd y Gweinidog, y Parch. Morris Parri.'

'O, fe gewch chi 'i ganiatâd e. Gwedwch wrtho 'y mod wedi cyfrannu llawer at y Capel.'

'Prynhawn da, Mr. Powel.'

'Prynhawn da, Mr. Morgan.'

Yng nghyfarfod nesaf Pwyllgor y Cop fe roes Gomer Powel ei gais o flaen yr aelodau, ac yr oedd y mwyafrif ohonynt yn Sosialwyr. 'Roedd pob un o blaid rhoi job iddo, ond y broblem oedd y gyflog er na allent roi cyflog fawr iddo. Nid oedd y Cop yn gwerthu cymaint o nwyddau ag arfer oherwydd y tocynnau bwyd, ac nid oedd, fel siopau eraill, yn gwerthu nwyddau dan y cownter. Ar ôl trin a thrafod fe addawodd hanner dwsin ohonynt, a Gomer Powel yn eu plith, roi chweugain yr wythnos o'u cyflog i'r Gweinidog. Fe ddechreuodd y Parch. Llechryd Morgan ar ei waith fel clerc yn y Cop; ond ni roddwyd ef ar y llawr cyntaf lle'r oedd cwsmeriaid yn mynd a dod; ond ar yr ail lawr fe roddwyd iddo fwrdd a chadair y tu ôl i bentwr o garpedi a rholiau oelcloth.

Rhaid oedd codi yn foreach yn awr: codi am saith; mynd i lawr i'r gegin, codi'r lludw, glanhau'r lle tân, cynnu'r tân, ac fe fyddai'n cynnu tân yn yr haf, yn ôl arfer y De: gwneud brecwast, a mynd â brecwast i'r wraig yn y gwely; dweud 'Bore da' wrthi a gofyn sut yr oedd, ond ni châi ateb; fe edrychai hi arno o'i gŵn nos fel arthes; bwyta brecwast ei hun; golchi'r llestri; ymolch a shafo; a mynd at ei waith yn y Cop erbyn naw. Gweithio tan un; mynd adre ac yr oedd cinio yn barod iddo, ond yr oedd ei wraig wedi mynd â'i chinio gyda hi i'w hystafell wely. Cael cinio; golchi llestri; cael cip ar y *Western Mail* ac yn ôl i'r Cop erbyn dau, a gweithio tan bump. 'Roedd ei de yn barod iddo **ond** fe âi'r wraig â'i the gyda hi i'w hystafell wely. Golchi'r llestri te a rhoi'r nwyddau a brynodd yn eu lle yn y pantri. Da oedd ganddo gael gorffwys, ac yr oedd yn rhy flinedig i ddarllen a llunio pregethau. Fe âi yn gynnar, yn wahanol i'w arfer, i'r gwely, a chysgai ar wahân i'r wraig. Ar brynhawn dydd Iau yr oedd y Cop yn cau, a châi gyfle i ddarllen a llunio pregethau, er y byddai'n well ganddo gael prynhawn dydd Sadwrn yn rhydd. Weithiau ar ôl te fe âi i ben y Graig i gael llond pen o awyr ac ymarfer corff, ac arhosai yno weithiau ar ôl iddi dywyllu a gallai gerdded y llwybrau yn y nos am ei fod mor gyfarwydd â hwy. Fwy nag unwaith fe welai ar ben y Graig gynffon dyn wrth geisio symud o fan i fan a llechu y tu ôl i ddarn craig neu lwyn drain neu dwmpath eithin, ac ni allai ddyfalu pwy ydoedd a beth yr oedd yn ei wneud y fan honno. Ni chafodd ef wybod mai ditectif a oedd yn ei wylio, canys yr oedd si ar led yn y pentre ei fod yn dringo i ben y Graig ac yn aros yno ar ôl iddi dywyllu er mwyn i awyren o'r Almaen gael disgyn ar gae y tu ôl i'r Graig ac iddo ef gael rhoddi cyfrinachau milwrol i'r gelynion. Eu carn dros gredu ei fod yn cyfathrachu â'r Almaenwyr ar ben y Graig oedd iddo fwy nag unwaith gyfeirio yn ei bregethau at ryw Almaenwr o'r enw ' Byme ' ac arfer gair fel ' Weltanschauung '; ac yr oedd Cymdeithas y Cymod, wrth gwrs, yn *pro-German*. Un noson pan ddaeth i lawr o'r Graig a myned at ei dŷ fe welodd fod gwydr ffenestri'r ffrynt wedi ei ddryllio, a'r gwydr uwchben y drws; ac fe ruthrodd i'r tŷ i weld a oedd ei wraig yn iawn am y gallai'r sioc fod yn angau iddi, ond nid oedd hi yno. Wrth holi cymdogion fe glywodd ei bod yn aros gyda chyfeilles mewn stryd arall; ac yno yr aeth, a chael gwybod fod ei wraig yn y gwely pan daflwyd y garreg gyntaf ac iddi ruthro allan o'r tŷ ar ffrwst ac yno yr oedd hi yn ei gwely yn crynu gan y dychryn a'r sioc. Fe ddwedodd wrtho na ddôi hi yn ôl i'r Tŷ Gweinidog am fod byw gydag ef yn berygl bywyd. Wrth fynd yn ôl i'r tŷ fe ddwedodd cymydog wrtho ei fod wedi hysbysu'r Prif-Gwnstabl am y dinistr, ond ni wnaeth ef na'i blismyn unrhyw ymdrech i ddal y troseddwr neu'r troseddwyr. Yn ffodus iddo ef, yn y cefn yr oedd ei stydi a'i ystafell wely. Y bore ar ôl hynny fe gasglodd y gwydr briw a'r cerrig yn yr ystafelloedd ffrynt ac fe aeth at saer coffinau i brynu estyll. Y prynhawn dydd Iau ar ôl hyn fe hoeliodd yr estyll ar y ffenestri gan adael lle ar y top i'r awyr a'r goleuni ddod i mewn. Yn y tŷ tywyll, unig y bu'n byw tan ddiwedd y Rhyfel; ond ni chlywodd neb ef yn achwyn nac yn cwynfan, canys wrth erchwyn ei wely fe ddiolchai i Dduw am gael bod yn aelod annheilwng yng nghymdeithas dioddefiadau'r Gwaredwr, er nad oedd ei ddioddefiadau ef wrth ddioddefiadau Crist ond pelydryn wrth yr haul; ac fe ofynnodd i'r Ysbryd Glân ei arwain ef yn y Côp, y Capel a Chymdeithas y Cymod ac i ddwyn ei wraig yn ôl i'r cartre digymar.

Yn ei dro, fe aeth y Parch. Morris Parri i weld Tomos a Mari Hopcin; ac, fel arfer, fe dynnwyd y dysglau, y soseri, y platiau gorau a'r basn growns te o'r cwpwrdd a'r cyllyll a'r ffyrc gorau o'r drâr, a rhoi digonedd o fwyd ar y ford. Yn ystod y pryd bwyd fe ddwedodd Tomos Hopcin ei fod am gael sgwrs â'r Gweinidog ar ei ben ei hun ar ôl te; ac fe eisteddodd y ddau yn y gadair freichiau godderbyn â'i gilydd; ac wedi sgwrsio am fân bethau, fe ddaeth Tomos Hopcin at ei fater:

'Rŷch chi, Mr. Parri, yn ych pregethe wedi annog y bechgyn i fynd i'r Rhyfel, ac wedi ei gyfiawnhau, a . . .'

'Ydych chi yn heddychwr, Tomos Hopcin?'

'Na, ma'n anodd gyda fi roi barn ar bethe. Dyn cyffredin w i. Dyna ŵr dysgedig fel chi yn cyfiawnhau'r Rhyfel a gŵr dysgedig fel Gweinidog yr Annibynwyr yn ymosod ar y Rhyfel. 'Rŷch chi ill dau yn dyfynnu adnode o'r Testament Newydd i brofi ych barn. Dyna'r Parch. Puleston Jones yn yn Henwad ni yn erbyn y Rhyfel, a'r Parch. John Williams, Brynsiencyn drosto. Sut ma dyn cyffredin fel fi i farnu? 'Nawr, yr hyn sy'n 'y mhoeni i yw fod yr Eglws yn cål 'i rhwygo. Fe ddaw'r Rhyfel hwn i ben, ond fe fydd yr Eglws yn aros.'

' A oes rhywbeth arall yn ych poeni?'

' Ôs. Ma 'y mab i, Cynddylan, wedi dod dan ddylanwad Gweinidog yr Annibynwyr, a ma fe yn mynd i wrando arno yn pregethu. Ma hyn yn lôs fawr i fi, Mr. Parri. 'Rw i wedi breuddwydo lawer gwaith, yn 'i weld e yn bregethwr gyda'r Hen Gorff, ac ma 'na bobol yn y Capel sy'n dishgwl iddo fynd yn bregethwr. Os aiff e at yr Annibynwyr fe fydd 'y mreuddwydion i yn yfflon, a 'mywyd yn fywyd diflas.'

' Mae'n flin gennyf am hyn, Tomos Hopcin. Fe welais ei fod yn absennol nos Sul diwetha. Ond gyda phob dyledus barch i chi a'ch mab, ni ddylai hynny fy rhwystro rhag pregethu cyfiawnder. Y mae pawb yn credu fod y Rhyfel hwn yn gyfiawn; pawb ond dyrnaid bach o heddychwyr.'

' 'Rŷch chi, Mr. Parri, ddim yn gwbod beth ma pobol yn weud tu ôl i'ch cefen yn y tai ac yn y Gwaith. Dyn shengel ŷch chi, 'dôs gyda chi ddim meibon i'w gyrru i'r Rhyfel. 'Rôch chi y Sul o'r blân yn sôn am Abram yn aberthu Isaac: ond 'dôs gyda chi yr un Isaac.'

' Wel pe byddwn yn briod a meibion gennyf fe fyddwn i yn eu hannog hwythe i ymuno â'r Fyddin.'

' Peth rhwydd iawn, Mr. Parri, yw annog meibon nad ydyn nhw ddim yn bod. Ond fy mhwynt i yw hwn. Ma ishe bwrw'r Rhyfel o'r Eglws er mwyn 'i chadw yn gyfan. 'Dôs dim ishe pregethu o blaid y Rhyfel nac yn 'i erbyn; dim ond gweddïo dros y milwyr a'r gwrthwynebwyr cydwybodol. Fe glywes i Twm Llewelyn yn gweud yn y Gwaith y dwrnod o'r blân fod Pryden a Ffrainc wedi addo'r Dardanels a lleodd erill i Rwsia am ddod miwn i'r Rhyfel. 'Nawr, os yw hynny yn wir; os bydd y cenhedlodd yn rhannu'r ysbail rhwng 'i gilydd ar ôl y Rhyfel, fe fydd golwg arall ar bethe; a bydd yr Eglwys wedi rhwygo.'

'Wel, Tomos Hopcin, peidiwch â rhoi coel ar y Sosialwyr 'ma. Maen nhw yn llunio celwydda. 'Rwy'n credu ei bod hi yn well i ni adel y mater yn y fan 'na.'

Fe aeth y Gweinidog o'r tŷ dipyn yn siomedig am fod Cynddylan Hopcin wedi dod dan ddylanwad Gweinidog yr Annibynwyr, ac am fod Tomos Hopcin, y blaenor y meddyliai fwyaf ohono, yn anghytuno ag ef; ac nid aeth i weled y teulu tra parhaodd y Rhyfel.

Fe ddarllenai Cynddylan Hopcin bob rhifyn o'r *Deyrnas* gydag awch; erthyglau y Parch. Thomas Rees a'r Parch. J. Morgan Jones, y ddau Olygydd; erthyglau a cherddi T. Gwynn Jones; cerddi T. H. Parry-Williams fel 'Crist yn Ddeugain Oed'; erthygl a apeliodd ato yn fawr, 'Daeth Tolstoi i'w deyrnas', a'i yrru i ddarllen llyfrau'r Rwsiad hwn; ac erthygl yn profi fod ei Weinidog yn cyfeiliorni, sef 'Y Dr. P. T. Forsyth ar Ryfel' gan J.Puleston Jones. Meddai Puleston Jones:

Addefa'r awdur fod y Bregeth ar y Mynydd yn gondemniad ar ryfel . . . Yr un peth angenrheidiol ydyw, nid caru, na gweld rhagoroldeb cariad, ond y sicrwydd fod y gallu bendigedig yma o'r diwedd i gael y maes. Nid cariad yw dawn fawr yr Efengyl ond arglwyddiaeth cariad yn y diwedd ac am byth. Ond yno ar y groes y mae cariad yn cario'r maes trwy ymladd.

Y cyfieithiadau Saesneg o weithiau Tolstoi a ddarllenodd oedd *The Kingdom of God is Within You, What I Believe* a *What Then Must We Do?*; a'r *Deyrnas* a'r llyfrau hyn a gafodd y dylanwad mwyaf arno. Gan y Parch. Llechryd Morgan fe gafodd fenthyg gweithiau'r cyfrinwyr, gan gynnwys Morgan Llwyd; ond nid oedd cyfriniaeth yn apelio ato, ac yr oedd yn rhy ifanc i'w deall. Gwell oedd ganddo ddarllen llyfrau fel llyfrau Thomas Rees, John Morgan Jones a'r Athro Miall Edwards, a llyfrau Saesneg fel *Jesus of History* gan T. R. Glover. Yr hyn a oedd yn bwysig iddo ef oedd delfrydau, egwyddorion a gwerthoedd. Fe ddotiai ar ymadroddion fel ' *The Friend Beyond Phenomena* ', ' *In tune with the Infinite* ', ' *Hitch Your Waggon To A Star* ', ' *The transvaluation of values* ', ' *Sub specie aeternitatis* ', ' *The one far-off event to which creation moves* '. Wrth ddarllen y llyfrau a myfyrio arnynt fe welodd fod yr hyn a ddysgwyd iddo yn Seion, Capel y Methodistiaid Calfinaidd, yn anghywir. Dyna'r *Hyfforddwr* ac ynddo gredoau fel y Cwymp a'r Ddau Gyfamod a'r Iawn ac Etholedigaeth; hen gredoau a adawyd ar ôl gan lanw cynnydd a datblygiad fel broc môr. 'Roedd gwyddoniaeth wedi dangos nad oedd hanes y creu yn Llyfr Genesis yn wir; yr oedd beirniadaeth Feiblaidd wedi dangos fod dau Eseia ac nad Iesu Grist a ddywedodd bob dim ar Ei enw yn y Testament Newydd. Ni allai neb synhwyrol gredu yn y Geni o Forwyn; ni ddylid rhoi gormod o bwys ar y gwyrthiau; nid oedd yr Atgyfodiad yn ffaith, ond dangos yr oedd ddylanwad yr Iesu ar ôl Ei farw ar ei ddisgyblion a'r Eglwys. Proffwyd oedd yr Iesu; dyn; nid Duw-ddyn, ond y Dyn dwyfol. Efe a gafodd y datguddiad uchaf o Dduw drwy ddilyn Ei egwyddorion, fel egwyddor Cariad. Am fod Duw yn Gariad ni allai oddef gweld dynion yn cael eu cosbi yn dragwyddol yn Uffern. Barbareiddiwch oedd y gred yn Uffern. Nid oedd *Yr Hyfforddwr* yn sôn dim am heddwch a Thywysog Tangnefedd. Fe gafodd siom yn ei dad; dyn yn credu yn yr hen gredoau cyfeiliornus hyn; dyn yn gweithio ar y Sul i wneud tân-belenni. Os oedd hi yn iawn gwneud tân-belenni ar y Sul, yr oedd hi yn iawn rhodianna ar lan y môr. Rhagrith oedd Piwritaniaeth. Wrth gwrs, yr oedd gan y Methodistiaid heddychwyr fel Puleston Jones; ond yr oedd Gweinidog a blaenoriaid Seion wedi gwrthod y festri iddo, ac yr oedd ei dad yn un ohonynt. Gwrthod y festri i'r pregethwr dall, dyn sy'n gweld yn llawer pellach na nhw. Fe fyddent yn rhoi'r festri i'r Parch. John Williams Brynsiencyn i gyfiawnhau'r Rhyfel yn ei *ghaki*; ac y maent yn casglu'r *War Loan* ynddi. ' Pan own i yn gweddïo yn y Cwrdd Gweddi, fe weddïwn dros heddwch; ond 'rwy'n sicr nad ôn nhw ddim yn fodlon; pan anogais wŷr y Seiet i ymuno â Chymdeithas y Cymod, fe ddwedodd y Gweinidog ar y diwedd nad oedd dim hawl gan neb i annog aelodau'r Seiet i ymuno ag unrhyw gymdeithas. Ac ma'r Gweinidog 'ma yn ei bregethau yn gyrru bechgyn i'r Rhyfel ac yn cyfiawnhau'r Rhyfel. Y pagan. Y Jingo. Y Bwtshiwr. Ma gwaed y bechgyn ar ei ddwylo. Na, fe ymuna i â'r Annibynwyr. Ma gan yr Annibynwyr draddodiad heddwch, fel y dwedodd Llechryd Morgan. A phan ddaw f'amser i i ymuno â'r Fyddin, fe safaf fel gwrthwynebwr cydwybodol.'

Er bod ei dad ac ef wedi cael mwy nag un sgwrs fach, pan ddwedodd ei fab wrtho ei fod am ymuno â'r Annibynwyr fe aeth y geiriau fel cleddyf drwy galon y tad ac fe welodd fod breuddwyd fawr ei fywyd yn chwilfriw. Fe fu'n ddistaw am dipyn am na allai gael geiriau i'w ateb:

' Ma hyn yn siom fawr i fi; siom fwya 'mywyd. Pam wyt ti yn gadel yr Hen Gorff; hen Enwad Daniel Rowland, Pantycelyn, Howel Harris, Thomas Charles John Elias, Lewis Edwards, Cynddylan Jones ac eraill; ma hi wedi gneud fwy i efengyleiddio Cymru nag unrhyw Gorff arall. Wyt ti'n meddwl fod yr Annibynwyr 'na yn Gristionogion iawn? 'Dw i ddim yn gweld fawr o wahanieth rhyngtyn nhw a'r Undodied. Ydyn nhw yn credu mewn pechod, dwed?'

'Ydyn, ond dim yn y pechod gwreiddiol. Ma elfen ddwyfol mewn dyn, ac elfen ddynol yn Nuw, a dyna pam yr oedden nhw yn gallu siarad â'i gilydd.'

'Elfen ddwyfol mewn dyn, wir! Dim yn credu yn y pechod gwreiddiol. Dir caton pawb! Os gwnei di roi dyn yn ymyl y Duw cyfiawn a santaidd fe weli 'i fod yn gwbwl lygredig, a heb unrhyw haeddiant ynddo, a thrwy haeddianne Iesu Grist wrth farw ar y Groes y gellir 'i gyfiawnhau gerbron Duw, a'i ddwyn yn ôl i'r hen gymdeithas a'r Drindod. Rhyw ffrit o Efengyl sy gan yr Annibynwyr 'na; 'dôs dim digon o nerth ynddi i achub chwannen.'

'Na, 'nhad; 'dŷn ni ddim yn credu mewn hen gredöe fel yr Iawn, Cyfiawnhad drw Ffydd, Etholedigeth a'r rheina. Ŷch chi yn byw yn ôl yn amser Pantycelyn a'r ganrif ddiwetha. 'Rŷn ni yn byw yn yr ugeinfed ganrif. Ma'r Ysbryd Glân wedi'n harwen ni at wirionedde newydd. Y peth pwysig yn yn cyfnod ni yw datblygiad ysbrydol dyn. Ma gan ddyn ddelfryde, delfryde Iesu Grist y proffwyd; delfryde'r Bregeth ar y Mynydd. Tywysog Tangnefedd odd Iesu Grist, ac ma'n amhosib cysoni Cristionogaeth â'r Rhyfel hwn. Dyna pam nad wy ddim yn cyd-fynd â'n Gwinidog ni.'

'Nid dy syniade di yw'r syniade hyn, ond syniade'r Parch. Llechryd Morgan a'r syniade wyt ti wedi eu gweld yn y llyfre Sysneg 'na. Wyt ti yn darllen llawer mwy o Sysneg nag o Gwmrâg. Nid mantes i gyd yw dysgu Sysneg am fod yn yr iaith honno gyment o sothach a chyment o gyfeiliornade. Wrth gwrs, ŷn ni i gyd yn credu yn y Bregeth ar y Mynydd; ma hi yn rhan o'r Efengyl, a 'rŷn ni i gyd yn credu fod Iesu Grist yn Dywysog Tangnefedd.'

'Os felly, pam y gwrthotsoch chi'r festri i Puleston Jones, a 'rôch chi yn un ohonyn nhw?'

'Ma un peth yn 'y mhoeni i yn fwy na dim. Ma'r Eglws yn câl 'i rhwygo. Fe wedes i hynny wrth yn Gwinidog ni. Ma'r Parch. Llechryd Morgan yn dyfynnu adnode yn erbyn y Rhyfel, a'r Parch. Morris Parri yn dyfynnu adnode o'i blaid, ac ma'r ddou yn towlu adnode at 'i gilydd fel yr ôch chi, grots, yn towlu peli papur at ych gilydd. Ma'n nhw yn darnio'r Beibil. Darne o wirionedd sy gyta ni i gyd. Ac 'rŷch chi yn meddwl fod yr holl wirionedd gyda chi. 'Rŷch chi yn siarad mor anffaeledig, mor anffaeledig â'r Pab. Ma'n rhaid i ni gyd fod yn fwy gostyngedig.'

'Wel, 'rw i yn credu yn y pethe, ta beth. 'Rw i yn fodlon ymladd dros f'egwyddorion; marw dros y weledigeth; a phan ddaw'r amser i fynd i'r Rhyfel fe fydda i yn gwrthod.'

'Beth wyt ti yn mynd i neud wedyn? Wyt ti yn mynd yn bregethwr gyda'r Annibynwyr? Os wyt, pwy sy i dalu am dy Goleg? Wyt ti yn disgwyl i dy dad a dy fam dalu am d'addysg di yng Ngholeg Caerfyrddin ne Goleg Bala-Bangor?'

'Na, os â i yno, fe enilla i arian drw bregethu.'

'Wel, ma dy fam a fi wedi câl siom fawr; ma 'nghalon i bron â thorri weithe; a . . .'

Ac ni allai ddweud rhagor, ac fe aeth i'r gegin i sôn am y peth wrth ei wraig, ac yr oedd hi yn fwy anfodlon nag ef.

'Wyt ti yn ennill cyflog fawr, Tomos. Cadw d'arian i ni gâl prynu tŷ i ni'n hunen. 'Dôs dim y licwn i fwy na châl tŷ i ni'n hunen. 'Rw i wedi blino byw mewn tŷ ar rent. Pida rhoi d'arian i dalu am addysg y bachgen 'na. 'Dôs dim ishe rhoi Coleg i'r bradwr.'

' Wel, ma'n rhaid i ni ystyried y mater, Mari; a gneud yn dyletswydd fel Cristionogion.'

Pan gafodd Taliesin Niclas ei ddeunaw oed yn Ionor 1917 fe'i galwyd i'r Fyddin ac fe aeth i'r *Mainday Barracks* yng Nghaerdydd, ac ymuno â'r *South Wales Borderers.* Pan ddaeth dillad y mab gartre, y papur amdanynt wedi torri a'r cordyn yn rhydd, fe lefodd y tad. Mor unig ydoedd ar ôl colli'r mab. Pe byddai ef yn cael ei ladd yn Ffrainc, ni fyddai ganddo neb. Fe fyddai fel clomen ar ben to heb yr un aden. Ni fyddai ganddo ond dau fedd; bedd ei wraig ym mynwent Capel Seion, a bedd ei fab rywle yn Ffrainc. Pe byddai'r ddau fedd yn ymyl ei gilydd ym mynwent Seion fe fyddai hynny yn rhywbeth; fe allai wedyn roi blodau ar feddau'r ddau. Mor ddistaw oedd y tŷ ar ei ôl. ' Ystafell Gynddylan ys tywyll heno.' Nid oedd sŵn y piano yn y parlwr, na llais melodaidd ei ganeuon ef; ac yn y gornel yr oedd telyn hen Eos y Waun, a'i thannau wedi torri, fel tannau ei galon ef. Yn ei freuddwydion ar hyd y blynyddoedd fe welai ei fab yn canu'r hen delyn, ac yr oedd wedi dysgu canu'r piano er mwyn dysgu canu honno, ond ni chafodd yr un athro hyd yn hyn i'w ddysgu i'w chanu: a phe byddai'r mab yn cael ei ladd, fe fyddai ei freuddwydion yn ofer a'r hen delyn heb delynor. Pan ddôi adre y nos o'r Ceiliog Coch, wedi ei dal hi, ac fe yfai ormod yn awr, yfed i foddi ei bryder a'i hiraeth, nid oedd neb yn y tŷ i siarad ag ef. Fe âi i ystafell wely ei fab gan ddisgwyl ei weled yno, ond gwag oedd y gwely. Yna fe âi i'w ystafell ei hun, a dôi arno weithiau awydd i weddïo a diolch i Dduw am gydymdeimlo ag ef yn ei ofid a'i hiraeth, canys collodd Yntau ei uniganedig Fab pan fu farw ar y Groes, ond yr oedd Duw yn lwcus pan gododd Ei Fab o'r bedd a dod yn ôl i'w fynwes. Nid oedd neb yn codi o'r beddau yn Ffrainc. Gan benlinio wrth erchwyn ei wely, nid gweddïo a wnâi, ond rhoi ei ben ar y dillad, ac wylo dŵr ei galon. Ar ôl llefain yr oedd yn well, ac fe âi i'w wely, ond ni allai, er y cwrw a oedd yn ei fola, gysgu yr un llygedyn am oriau wrth feddwl sut yr oedd hi ar y mab a dychrynu rhag y diwrnod pan gâi fyned i Ffrainc. ' Shwt y galla i fyndopi wedyn; 'fydd bywyd ddim yn werth 'i fyw.' Ond pan gâi lythyron oddi wrth ei fab o'r gwersylloedd yr oedd ei galon yn codi, canys ynddynt fe ddwedai fod y ddisgyblaeth wedi gwneud lles mawr iddo a bod cwmni'r milwyr wedi ei wneud yn ddyn. Nid oedd yn blentyn mwyach. Wrth gwrs, yr oedd yn y Fyddin bethau annymunol fel y rhegfeydd dychrynllyd; ac yr oedd temtasiynau fel y puteiniaid a arhosai amdanynt y tu allan i'r gwersyll; ond yr oedd yn hapus yng nghwmni ei gyfeillion. Fe âi gyda hwy i'r dafarn, ac er nad oedd yn hoffi blas cwrw, fe yfai ambell beint er mwyn y cwmni. ' Pidwch chi ag yfed gormod, 'Nhad. 'Rŷch chi yn tybio y gallwch chi foddi'ch pryder a'ch hireth amdana i yn y cwrw; ond 'allwch chi fyth foddi'r rhain,' meddai mewn un llythyr. Hefyd fe âi i bob gwasanaeth crefyddol yn y gwersyll a thu allan, ac yr oedd y milwyr yn cael gwasanaeth Cymraeg am fod y Caplan yn Gymro; ac mor fendigedig oedd yr hen emynau Cymraeg, emynau fel ' Beth sydd imi yn y byd '; 'roeddent yn swnio'n well yn y gwersyll nag yn y Capel. Yn y gwersyll hefyd fe gaent gyngherddau, ac yr oedd galw mawr arno i ganu, a chanai ymhlith cerddi eraill hoff gân ei dad, ' Dafydd y Garreg Wen '. Cysur mawr i'w dad oedd fod y mab yn hapus; ac fe welodd ei fod wedi ei godlo gormod a'i faldodi. Ychydig gyngherddau a gynhelid yn y pentre yn ystod y Rhyfel, ac ambell ddrama a chwaraeid, a'r rheini i gasglu cysuron i'r milwyr a'u derbyn adre ar eu seibiau. Ymhlith y rhai a ganai ynddynt, fe ganai tri ym mhob cyngerdd—Telynfab Niclas, Myfanwy Hopcin ac Elsie Davies. Canu emynau'r Diwygiad a wnâi'r Llinos, ac yr oedd mwy o afael arnynt nag yn y blynyddoedd ar ôl y Diwygiad. Ni chanai Telynfab Niclas ei hoff gerdd, ' Dafydd y Garreg Wen ', am ei bod yn ei atgoffa o farwolaeth y telynor; ei brif gân oedd ' I Blas Gogerddan ', a'i chanu gydag arddeliad, ac yn enwedig y pennill olaf:

> Daeth ef yn ôl i dŷ ei fam,
>   Ond nid, ond nid yn fyw :
> Medd hithau, "O fy mab ! fy mab !
>   O maddau im, O Dduw !"
> Ar hyn atebai llais o'r mur :
>   "Trwy Gymru tra rhed dwfr,
> Mil gwell yw marw'n fachgen dewr
>   Na byw yn fachgen llwfr !"

Yn y ddwy linell olaf fe fynegai ei falchder yn ei fab a gorfoledd aberth tad.

Ei Weinidog, y Parch. Morris Parri, a ymwelai yn amlach â Thelynfab Niclas, ar ôl i'w fab fynd i'r Fyddin, i'w gysuro yn ei ofid a'i chwithdod; ac yn ei sgwrs fe awgrymai'r Gweinidog y dylai droi yn ddirwestwr, neu o leiaf yfed llai, a dod i wasanaethau'r Capel yn gyson; ond ni chafodd yr awgrymiadau fwy o effaith arno na dŵr ar gefn hwyaden. Fe ysgrifennai'r Gweinidog yn aml at ei fab, ac yn amlach nag at filwyr eraill o'r Capel am fod ganddo fwy i'w ddweud wrtho: yn wir, yr oedd gan y mab feddwl mawr o'r Gweinidog, a'r Gweinidog feddwl mawr o'r mab. Fe ofynnai'r mab hefyd i'r

Gweinidog am gael benthyg llyfrau, a llyfrau crefyddol; a danfonai iddo ymhlith llyfrau eraill lyfrau P. T. Forsyth, *The Cruciality of the Cross*, *The Person and Work of Christ* a *The Justification of God*. Pan oedd y mab ar saib o'r gwersylloedd, yr oeddent lawer yng nghwmni ei gilydd, gormod, yn ôl barn y tad, am ei fod am gael ei gwmni i gyd. Balch ydoedd ohono yn ei wisg filwrol: yr oedd yn un o arwyr Prydain Fawr.

Fe'i cymhellodd i dynnu ei lun gan dynnwr lluniau yn Abertawe; llun yn ei wisg filwrol; a gosodwyd ei lun mewn lle anrhydeddus ar y piano, rhwng ei lun ef a llun ei wraig. Wrth y llun ac wrth edrych ar Daliesin Niclas fe edrychai o hyd yn ferchetaidd, ond yn osgo ei gorff yr oedd penderfyniad, ac yn ei gerddediad hyder. Mor llawen oedd y tad ac mor sydyn fyw oedd y parlwr pan ganai'r mab y piano, a chanu yn fwy meistrolgar ei ganeuon ac adrodd ei adroddiadau, ac yr oedd gobaith eto i'r hen delyn yn y gornel ei gael ef yn delynor. Hefyd fe yfai ei dad lai o gwrw yn Y Ceiliog Coch er mwyn cael sgwrsio â'i fab cyn myned i'r gwely.

Yn ystod y saib fe gerddai Taliesin Niclas yr hen lwybrau; fe ddringai i ben y Graig i gael golwg ar y pentre oddi tanodd, ac yn awr, er gwaethaf ei fwg a'i fwrllwch a'i hagrwch yr oedd yn yr hen bentre rywbeth annwyl. Wedi'r cwbwl, trigfan cymdeithas o ddynion oedd y pentre, ac yr oedd dyn wedi gosod ei ddelw hyd yn oed ar y tipiau, y domen sgrap, y staciau a gwelydd sinc y Gweithiau. Wrth ddod i lawr o'r Graig un diwrnod fe gwrddodd â'r Parch. Llechryd Morgan wrth fynd lan; dwedodd y Gweinidog 'Prynhawn da' wrtho, a dwedodd yntau 'Prynhawn da' wrtho, ond brysiodd i lawr am nad oedd am dynnu sgwrs â'r hedd-ychwr. Myned hefyd i Gilybebyll, a phwy oedd o flaen clwyd y Plasty ond y gŵr bonheddig, a gofynnodd iddo am gael mynd i weld y coed a'r lawnt; ac wedi dweud, ar ôl ei holi, ei fod yn filwr, fe gafodd ganiatâd yn rhwydd, a chroeso. Fe gofiodd amdano'i hun, yn fachgen ysgol, yn aros ar y llwybr wedi ei bensyfrdanu gan y coed rhododendron a chan y lawnt a'r paun arno; ac yn awr, yr oeddent, yn wir, yn brydferthach na chynt. Fe aeth hefyd i ben Gellionnen a'r bryniau eraill. Pan welai Gynddylan Hopcin neu Ianto Powel ar yr hewl fe âi heibio iddynt heb wneud sylw ohonynt. Rhaid oedd mynd i'r Neuadd i chware biliards a snwcer, ac yn awr fe gurai'r rhai a oedd yn ei guro gynt am iddo ymarfer chware yn y dre lle'r oedd y gwersyll ac am nad oedd yn ei ddwylo a'i gorff nerfusrwydd.

Am fod y clercod a'r pennaeth wedi ymuno â'r Fyddin, fe wnaed Telynfab Niclas yn bennaeth ar Gangen y Cwmni Yswiriant yn y pentre. Nid oedd yn hoffi'r gwaith am y byddai wrth bensynnu a meddwl am y mab yn gwneud camgymeriadau wrth gadw cyfrifon. Gwell oedd ganddo ef gasglu yswiriant o dŷ i dŷ am y câi awyr iach ac ymarfer corff a sgwrsio â'r gwragedd. Wrth eistedd ar ei ben-ôl drwy'r dydd, ac yfed gormod, yr oedd wedi magu bola; yr oedd ei wyneb yn afiach o dew; dwy dagell dan ei ên, ac yr oedd blaen ei drwyn yn dechrau cochi. Pan oedd yn dringo tyle, yr oedd yn fuan allan o bwff: fe chwythai fel hen geffyl wedi torri ei wynt. Nid yn y nos yn unig yr âi i'r dafarn ond yn ystod y dydd hefyd, er eu bod wedi cwtogi ar yr oriau agor. Ym mar Y Ceiliog Coch yr oedd y Sosialwyr fel arfer, wrth y bwrdd yn y naill ben iddo, ac yr oeddent yn fwy o nifer, a Ianto Powel yn eu plith: ac wrth y bwrdd yn y pen arall yr oedd Telynfab Niclas a thri o'i gwmni: yr oedd yr Hebog a dau eraill wedi eu claddu;

ond yr oedd y Dryw yno, ei ffefryn ef. Wrth gydio yn y peint cyntaf fe ddwedai Telynfab ' Pob o fochyn ' neu ' Iechyd da i bob Cymro; twll din pob Sais '; ac wedi yfed dracht fe wnai ' gleme ' â'i wyneb:

' Diawl, bois, ma'r cwrw 'ma wedi mynd yn wael, wedi mynd yn wan. Ma fe mor wan â llysi cornicyll. 'Dyw e ddim yn werth 'i yfed, ond ma fe yn well na dim. Meddyliwch o ddifri am Ferched y De a'r dirwestwyr 'na yn ciso cau'r tafarne ac yn gweiddi ' *Bread or Beer* '. Ma bwyd yn bwysicach, medden nhw. Ond, Iesu gwyn, 'dŷn ni ddim yn câl hanner dicon o fwyd, a phe bydden nhw yn stopo'r cwrw fe fydde pob un ohonon ni yn mynd mor dene â latsen. Be sy ar y diawled, gwedwch.'

Nid oedd hwyl ar y sgwrs am fod meddwl Telynfab yn crwydro at ei fab, a phan ofynnai'r Dryw iddo am ddarllen englynion a cherddi o'i gasgliad ohonynt yn ei gopi, nid oedd eneiniad ar y darllen, hyd yn oed ddarllen y cerddi ' coch '. Cyn *stop-tap*, pan fyddai ei fola yn llawn, fe godai Telynfab i ganu ' I Blas Gogerddan ', a byddai'r Sosialwyr yn gwgu arno am ganu y fath gân jingoaidd. Fe siaradai yn rhwyddach hefyd, ond ymosod a bygwth a bytheirio y byddai:

' Dyna chi'r Parch. Llechryd Morgan, y diawl 'na. Ma'n bryd i rywun 'i saethu fe, ond 'allwch chi ddim, achos nid yw'r diawl yn ddyn. 'Dyw'r cythrel ddim yn gwpod y ffordd i garu gwraig. Ma fe yn dishgwl fel eunuch, fel angel wedi câl strôc, myn yffarn i. 'Se *German* yn dod i'i dŷ ac yn trio rhibo'i wraig, fe fydde'r cachgi yn gatel iddo ac yn gweud, "Cerwch eich gelynion". Crist o'r nef, dyna i chi Gristionogeth. Dyna'r Gwyddelod 'na wetyn. Meddyliwch am y diawled yn codi mewn gwrthryfel pan odd y wlad 'ma mewn

272

cyfyngder. Tro da odd saethu'r Casement, y Pearce, y
Con . . . beth bynnag odd 'u henwe; ac ma ishe saethu'r
lot. Diolch yn bod ni, y Cymry, yn gallach na'r bratwyr
'na. Dyna chi Ramsay Macdonald a Phillip Snowden,
dou ddiawl arall. A'r rhai sy'n 'u dilyn nhw. Myn
Dafydd, pe byswn i yn câl gafel ar y rhain fe'u torrwn
nhw yn bishis. Y diawled. Y cachgwn. Y Bratwyr.
Y-y-y- 'dôs gyta fi ddim dicon o eirie i'w disgrifio nhw.'
    Fe glywodd y Sosialwyr ef yn ymosod ar y ddau
Sosialydd, ond ni wnaethant sylw ohono am fod ganddo
fab yn y Fyddin. I'r cownter yr aeth Taliesin i ordro
peint, ac ar ôl ei gael, fe aeth at y Sosialwyr, a chan
edrych ym myw llygaid Ianto Powel fe ddwedodd
wrtho:
    ' Ma gormod o gachu yn dy din di i ymladd, y bredych
bach.'
    ' Nac ôs, Mr. Niclas, fe fyswn i yn fodlon ymladd dros
Socialism, ond 'chodwn i ddim bys bach i helpu'r Rhyfel
hon. Mwlsyn twp yw pob un sy'n joino'r Armi.'
    ' Be wedest ti, yr horswn bach . . .' ac fe gaeodd ei
ddwrn ac yr oedd ar roi clatshen iddo pan ddaeth y
tafarnwr rhyngddynt:
    ' 'Nawr 'dôs dim ymladd i fod yn y dafarn 'ma. Os
ŷch chi ishe ymladd ewch tu allan.'
    ' Fe fwrwn y diawl i ganol bore 'fory,' meddai
Telynfab Niclas.
    ' Fe ddâth aton ni i gecran ac i'n profocio ni. 'Wedodd
neb ddim byd wrtho fe. Halwch y diawl mâs.'
    Fe aeth Telynfab at ei fwrdd â'i beint ganddo; a
llwyddodd y Dryw i'w berswadio i fynd adre gydag ef
cyn *stop-tap*, oherwydd pe byddai yn cwrdd â Ianto
Powel y tu allan fe fyddai yn ei ddarn-ladd.
    Fe ddaeth Taliesin Niclas adre ar ei saib olaf cyn

myned i Ffrainc ac fe gynhaliwyd cyngerdd iddo yn festri Capel Seion; ac ymhlith y rhai a ganodd oedd Myfanwy Hopcin, ' Llam y Cariadau '; Elsie Davies, ' Mi glywa'th dyner lais '; ac adroddodd y Dryw gyfres o benillion iddo, a dyma bedair llinell:

> Fe fydd Taliesin cyn bo hir
> Yn cerdded i Berlin,
> Ac yn crogi'r Kaiser wrth ei gern
> Fel bwgan brain ar fryn.

Yn ei anerchiad fe ddwedodd y Gweinidog fod y Capel yn falch ohono, ac mai efe oedd y gŵr ifanc mwyaf addawol a godwyd ynddo; ei fod yn arwr ac yn mynd i ganol y tân i ymladd yn erbyn yr *Huns* a thros Dduw, brenin a gwlad; a rhoddodd Feibil iddo yn anrheg dros y Capel, a swm o arian; a rhoes gwraig dros wragedd y Capel iddo 'sanau a gwasgod weu. Am ei dad, ni allai ef ganu; ac yn ystod y cyngerdd yr oedd ei galon fel pluen ac fel plwm bob yn ail. Yn y gynulleidfa yr oedd Cynddylan Hopcin a Ianto Powel. Wedi i Daliesin Niclas gyrraedd Ffrainc, fe gafodd ei dad y cerdyn swyddogol, a phob brawddeg wedi ei chroesi arno ond y ddwy hon: ' *I am quite well. Letter follows at first opportunity* ', ac ymhen ychydig fe gafodd lythyr oddi wrtho mewn amlen werdd. Fe atebodd y tad y llythyr, a danfon iddo barsel o fwyd a chopïau o *Llais Rhyddid*. Ymhlith y llythyron a gafodd y tad oddi wrtho oedd hwn:

Annwyl 'Nhad,
  'Rwy i yn hollol hapus yma. Er imi fod mewn peryglon mawr, fe ddes allan ohonyn nhw hyd yn hyn yn ddianaf. Y mae llawer o'r milwyr yma wedi blino ar y Rhyfel ac yn gobeithio y daw hi i ben yn fuan. Cofiwch beidio â phryderu gormod amdana i : fe fydda i adre cyn hir.
  Fe ges brofiad od y dwrnod o'r blaen. 'Roeddwn yn gwylio

yn y ffos, ac y mae gwylio yn y nos yn yr unigrwydd diffaith yn waeth nag ymladd, fe welais ar ochor y ffos godderbyn â fi liw pinc. 'Doeddwn i ddim yn siŵr a oedd lliw pinc yno neu mai fi oedd yn gweld y lliw ; ond, yn sydyn, fel fflach, fe gofies am y coed rhododendron ar y llwybyr i Blasty Cil-ybebyll. Fe ddaeth y pentre yn fyw o flaen fy llyged, a'r peth mwya byw ynddo oedd y Capel. Fe ddaeth y Gweinidog, y blaenoried a'r Capel ei hun yn real iawn o fy mlaen, a hefyd fe glywes y gynulleidfa yn canu emyne. Fe weles hefyd o fy mlaen gopi o'r *Rhodd Mam* a'r *Hyfforddwr*. Mae rhai yn dweud fod y Rhyfel hon yn mynd i ladd Cristionogeth, ond 'dw i ddim yn cytuno. Ychydig yn ôl 'roedden ni yn martsho drwy bentre tu ôl i'r llinell, ac fe weles fod yr Eglwys yn y pentre wedi ei chwilfriwo ond un talcen, ac ar ben hwnnw yr oedd y Crist ar Ei Groes; ac 'roedd Ef yn edrych ar y dinistr ac arnon ni yn Ei dristwch, Ei dosturi a'i faddeuant. Fe fues i yn llawdrwm iawn ar bechaduried, ac yn edrych arna i fy hun fel creadur moesol iawn a pherffeth, ond wedi gweld y pethe dychrynllyd yma, cwrdd â phob math o ddynion a gweld pechode na fydde Gwaun-côd yn breuddwydio amdanyn nhw, y mae'n haws o lawer gydymdeimlo â phechaduried. Hefyd wrth weled y pentre pinc fe weles Gymru. 'Dôs yr un wlad yn debyg iddi. Gorau Cymro, Cymro alltud, medden nhw. Beth bynnag am hynny, yr wy i yn caru Cymru, ac ar ôl y Rhyfel 'ma fe fydd yn rhaid ymladd drosti hithau.

Pwy a gwrddes dro yn ôl mewn caffe yma ond Lifftenant Stanley Harper. 'Roedd wrth ei fodd yn y Fyddin ac yn mwynhau'r gwin a'r merched. Fe ddwedodd beth hollol dwp—'roedd am i'r Rhyfel barhau am flynydde. Sinic mawr yw e. Nid yw am ddod yn ôl i Waun-côd ; y mae'n gas ganddo'r lle, ac yn enwedig ' *those bloody Welsh chapels* ' a daflodd ei dad i'r afon, medde fe; ond fe ddwedes wrtho nad oedd hyn ddim yn wir.

Wel, fe obeithiaf eich bod yn cadw yn iawn. 'Rwy'n meddwl llawer amdanoch yn y tŷ unig. Ond pidwch yfed gormod 'nawr achos yr wy am i chi fyw am flynydde lawer, a chael eich cwmni. Diolch yn fawr am eich llythyrau, y parseli bwyd a *Llais Rhyddid*.

Gyda chofion annwyl iawn,

Tal.

' Be odd yn 'i feddwl,' meddai'r tad, ar ôl darllen y llythyr, ' wrth weud 'i fod e yn cydymdimlo â phech-aduried ? 'Rodd e wedi clywed, sbo, am 'y mywyd i;

wedi clywed 'y mod i yn dipyn o dderyn. Ai dyna'r rheswm am yr oerni tuag ata i? Ma'r diawl bach wedi câl ryw fath o dröedigeth. Ma fe yn siarad yn grefyddol iawn. Tad pert w i i fod yn dad mab crefyddol.'

Fe aeth y misoedd heibio, ac yr oedd y llythyrau yn dal i ddod o Ffrainc a dechreuwyd sôn yn 1918 am amcanion y Rhyfel, a lluniodd yr Arlywydd Wilson ei Bedwar Pwynt ar Ddeg fel amodau heddwch, ond a wnâi'r Almaenwyr dderbyn y rhain? 'Roedd Telynfab Niclas yn llawen wrth glywed y sôn am heddwch am y gallai'r Rhyfel ddod i ben, ac yr oedd y llythyrau yn dal i ddod o Ffrainc; ond tua diwedd Awst 1918 dyma'r cerdyn swyddogol yn dod, a phob brawddeg arno wedi eu dileu ond hon: ' *I have been admitted at hospital* '. Fe grynai drwyddo, ond fe wyddai fod ei fab yn fyw hyd yn hyn. Ymhen tipyn fe gafodd lythyr o Ysbyty Dorchester yn dweud iddo ef gydag eraill fynd dros y top yn dair rhes, ac yntau yn yr ail; fe symudent yn araf â'u dryllau yn eu dwylo, ac fe ddaeth bwledi o rywle atynt: fe syrthiodd milwyr bob tu iddo; a phan ddaeth ato ei hun yr oedd mewn twll a wnaed gan un o belenni'r gynnau mawr. Peidiodd y tanio, a daeth milwyr allan i nôl y clwyfedigion. Pan aed ag ef i'r *dressing station* fe welwyd fod bwled yn ei fraich ac un arall yn ei goes. Oddi yno fe aed ag ef i Le Havre, ac oddi yno i Southampton, ac oddi yno i Dorchester lle'r oedd yr ysbyty, sef rhes o bebyll mawr ar gwr y dre. Yn yr Ysbyty yr oedd ar wella pan ddaeth y Cadoediad.

Er bod gan weithwyr yn yr oed, a chodwyd yr oed ymuno i bump a deugain, hawl i aros yn y Gwaith Dur am fod eu gwaith yn genedlaethol bwysig, eto yr oedd y gaffer, Henry Harper, yn cymell ac yn gorfodi rhai o'r gweithwyr i ymuno â'r Fyddin a'r Llynges am fod ei fab ef yn y Fyddin. Am i'r rhain fyned i'r Fyddin yr oedd yn rhaid iddo godi Gomer Powel o'r pwll i staeds y ffwrnais; ond tri diwrnod cyn iddo fynd yn ffwrneisiwr fe'i lladdwyd ef. 'Roedd y ladl wedi ei llanw â'r metel tawdd, ac yntau y tu ôl iddi, ac yn sydyn dyma'r metel yn tasgu dros ymyl y ladl ac yn disgyn ar ei ben ef yn gawod, ac nid oedd ganddo le i ddianc. Cyn hir fe redodd ar draws y pwll, ac nid oedd dim amdano ond ei felt a'i 'sgidiau; ac fe orweddodd ar yr ochor yn ymyl y lein: fe ruthrodd gweithwyr ato a rhoi eu cotiau drosto, ac fe redodd un i nôl y doctor. Y peth olaf a ddwedodd Gomer Powel oedd: ' Beth w i wedi neud i haeddu hyn?' Fe ddaeth y Doctor yno, ac am ei fod wedi llosgi mor ddrwg, fe aed ag ef yn yr ambiwlans i Ysbyty Abertawe. Fe aeth un gweithiwr i dŷ Gomer Powel, ac, yn ôl yr arfer, fe ddechreuodd dorri'r garw yn raddol wrth Hanna Powel a Ianto Powel: ' Ma'ch gŵr chi wedi câl drwg yn y Gwaith . . .' ond cyn iddo fynd ymhellach fe ddwedodd Ianto Powel: ' Gwedwch y gwir; ma e wedi câl 'i ladd.' Gyda'r bws cyntaf y rhuthrodd Ianto Powel i Ysbyty Abertawe, ac yno yr oedd ei dad yn gorwedd ar wely yn y Ward; y dillad drosto a rhwymynnau ar ei wyneb, a dim ond lle i'w drwyn. Fe wyddai Ianto Powel fod ei wyneb wedi ei losgi ac nad oedd ei lygaid ond tyllau coch; ac ymhen pum munud fe fu farw o'r llosgfeydd a'r sioc. Yn y Cwest fe dystiodd Ianto Powel mai corff ei dad ydoedd; a thystiodd Henry Harper mai cael ei ladd gan y metel tawdd a wnaeth, ond ni wyddai paham y ffrwydrodd y metel dros y ladl; ac ychwanegodd fod Mr. Gilbert Parsons a'r swyddogion yn cydymdeimlo

â'r teulu yn eu colled. Ar ei holi fe ddwedodd y Crwner
y dylai fod, ar bob cyfri, le i weithiwr ddianc yn y fath
sefyllfa; ac y byddai yn danfon awgrym o'r fath i'r
awdurdodau. Ysgrifennydd yr Undeb hefyd a roes ei
dystiolaeth ond ni wyddai yntau achos y ddamwain; ac
ychwanegodd fod yr Undeb yn cydymdeimlo â'r teulu
yn eu galar. Y ddedfryd oedd: ' Marwolaeth drwy
ddamwain '. Ar ôl y Cwest fe aeth Ianto Powel at
Ysgrifennydd yr Undeb a'i gyhuddo o ddweud celwydd;
ei fod yn gwybod yn iawn fod lleithder yn y ladl, ac mai
ar y bricwyr yr oedd y bai am iddynt fricio'r ladl ar
frys: yr oedd y ffwrneisiau yn cael eu tapo ar frys a
phopeth yn y Gwaith yn cael ei wneud yn frysiog am
fod eisiau dur i wneud tân-belenni ac awyrlongau; ac
yr oedd llawer o'r dur hefyd yn wael.

' *But steel is more important than men. My father has been
killed because of this bloody War. But the Trade Unions and
a bugger like you are for the War. But after it has come to an
end we'll kick you out. The only solution is Socialism. Only
Socialism will make the lives of the workers safe. I'll fight
against this bloody capitalist system over the dead body of my
dad.*'

Ni ddwedodd yr Ysgrifennydd ddim wrtho.

Y cymdogion, yn ôl eu harfer, a wnâi'r gwaith tŷ—
tannu gwely, golchi'r llawr, golchi'r llestri a gwneud
bwyd—ac fe eisteddai Hanna Powel yn ei chadair drist,
gan syllu i'r tân. Rhywun arall yn ei lle a oedd yn
dwyn babanod i'r byd ac yn cau llygaid y meirwon. Ni
wyddai hi na allai neb gau llygaid ei gŵr am nad oedd
ganddo lygaid.

' Do, fe fu Gomer ni yn ŵr da i fi, ac yn dad da i'r
plant. Trueni 'i fod e wedi mela â'r hen bolitics 'na.'

Crio ei llygaid yn goch a wnâi Tabitha Powel, canys

fe gofiai mai hi oedd ffefryn ei thad, a chofio am ei
garedigrwydd a'i gynghorion, ac yn enwedig y cyngor
i briodi rhywun a allai ei chadw hi fel ladi. Arfer y
cymdogion a'r perthnasau, a'r plant a'r weddw yn olaf,
oedd mynd i'r parlwr i edrych ar y marw yn ei arch,
ond pan ddaeth arch Gomer Powel i'r parlwr yr oedd
y clawr wedi ei gau arni rhag i'r edrych arno godi
arswyd. Hir oedd yr amser i aros hyd yr angladd, ac
i'w ladd fe geisiai Ianto Powel feddwl am hyn a'r llall.
Peth twp oedd i'w fam a'i chwaer ac yntau brynu dillad
du. Pam du mewn angladd? Nid oedd ei dad wedi
marw. Gwastraff oedd prynu blodau. Oni ddwedodd
Niclas y Glais yn un o'i ganeuon mai gwell oedd rhoi
blodau ar fywyd y byw ac nid ar fedd y marw? Pam yr
oedd yn rhaid ei gladdu ym mynwent y blydi Capel?
Pam na allen nhw ei gladdu ar ben Gellionnen neu ar
ben y Graig neu ar dop yr ardd? Fe fyddai'n well
llosgi ei gorff a gwasgar y llwch i'r gwynt. ' Ond ma'n
dda gyda fi ma Llechryd Morgan sy'n 'i gladdu, ac nid
y diawl 'na, Morris Parri. Pe bydde fe yn 'i gladdu fe
fwrwn i e i ganol y bedd.' Fe benderfynodd hefyd beidio
ag wylo yn yr angladd, oherwydd ni fyddai ei dad yn
hoffi ei weld yn llefain. Nid oedd am gael dagrau na
blodau na ffys.

Ar flaen yr angladd y cerddai'r ddau Weinidog, y
Parch. Llechryd Morgan a'r Parch. Morris Parri; ac
yr oedd pobol yn sylwi ar y gwahaniaeth rhyngddynt wrth
gerdded yn ymyl ei gilydd: yr Annibynnwr yn ei goler
gyffredin a'r Methodist yn ei goler gron: yr heddychwr
a'r rhyfelwr; y cyfrinydd a'r Calfinydd; y proffwyd a'r
offeiriad; pregethwyr dwy agwedd ar Gristionogaeth.
Nid oedd llawer o weithwyr yn yr angladd am na chaent
amser yn rhydd i fynd i angladd: yr oedd yn rhaid

gweithio bob munud i gynhyrchu dur. Yn y distawrwydd y dirwynai'r angladd trwy'r pentre, ac yr oedd sŵn y crân, pwffian y peiriannau a chloncan y tryciau yn swnio fel taranau; a gwelodd Ianto Powel, wrth gerdded gyda'i fam y tu ôl i'r arch, gochni tân y ffwrnais yn yr awyr, ond nid cochni'r ffwrnais ydoedd iddo ef, eithr cochni'r wawr Sosialaidd a gododd yn Rwsia. Meddai y tu mewn iddo ei hun:

'Dim ond llwch 'nhad sy'n y coffin 'na: ma 'i ysbryd e yn rhan o fartsh y werin i'w theyrnas. Dyna pam mae yn *immortal*.'

Yn ei anerchiad byr yn y festri fe ddwedodd y Parch. Llechryd Morgan fod ym mhob dyn ddaioni, er cynddrwg oedd. 'Er nad yw pawb yn cytuno â phob peth a wnaeth ein hannwyl frawd, Gomer Powel, rhaid dweud iddo fwy nag unwaith fod yn Samaritan trugarog wrth helpu'r dyn ar lawr pan oedd y Lefiad a'r offeiriad yn mynd y ffordd arall heibio. Fe safodd yn ddewr dros ei egwyddorion, ac aberthu hefyd; ac fe fydd y rhain fyw ar ei ôl.' Wrth sôn am y daioni ym mhob dyn fe wgodd y Parch. Morris Parri. Ar ôl y gwasanaeth ar lan y bedd fe ganwyd yr emyn 'Bydd myrdd o ryfeddodau', ac wrth glywed y canu fe wylodd Ianto Powel, beichio wylo; a chydiodd dyn yn ei fraich i'w arwain ef a'i fam oddi wrth y bedd. Ni wylodd Tabitha Powel gymaint ag ef. Ar ôl mynd adre yr oedd Ianto Powel o'i go am lefain fel babi wrth y bedd ac o flaen llygaid y rhai a oedd yno, ac fe roes y bai ar yr emyn. '*Those f - - - - - g Welsh hymns.*'

Diferyn yn y môr marwolaethau oedd marw Gomer Powel, ac oherwydd hyn ni chafodd gymaint o effaith ar y pentre a'r gymdogaeth. Ni fu erioed gymaint o ladd, ac yn enwedig ar y Somme ac o flaen Verdun:

cymaint o ddinistr ar dir a môr, ac ar adeiladau ac eiddo. Yn y ffwrneisiau hyn y toddwyd yr hen Ewrob freniniaethus; a daeth ohoni Ewrob newydd; ond fe aeth cenhedlaeth ifanc ar goll yn y fflamau. Am bedair blynedd y parhaodd y Rhyfel: ac am eu bod yn flynyddoedd y dinistr, y lladd, yr aberth, y dioddefaint a'r prinder bwyd, fe edrychai'r blynyddoedd cyn 1914 yn flynyddoedd pell. Ar ôl y Rhyfel yr oedd haneswyr a phobol yn gyffredin yn eu rhamanteiddio: edrych arnynt fel blynyddoedd cynnydd, datblygiad, llawenydd, sicrwydd a sefydlogrwydd, ac yr oedd llawer o wir yn hyn; ond fe anghofiwyd mai yn y blynyddoedd hyn yr heuwyd hadau'r Rhyfel. Yn y blynyddoedd ym Mhrydain yr oedd bron yr holl gyfoeth yn nwylo ychydig gyfoethogion; ac yr oedd masnach yn rhydd, ie, yn rhydd i gyfalafwyr werthu eu nwyddau yn y marchnadoedd tramor, (a phan oedd gwledydd yn gwrthod fel yr Aifft a Tseina, eu gorfodi i dderbyn y nwyddau). Wrth gofio am y rhialtwch a'r arddangosfeydd Edwardaidd, fe anghofiwyd am anniddigrwydd y gweithwyr yn y diwydiannau, gan hawlio llai o oriau gwaith a mwy o gyflog, fel y dangosodd y streiciau.

VIII

Ar drai yr oedd Rhyddfrydiaeth yng Ngwaun-coed a'r cylch er Etholiad 1906, ac yr oedd y Blaid Lafur ar gynnydd, ac oherwydd hyn fe newidiwyd teitl y papur lleol o *Llais Rhyddid* i *Llais y Werin*. Hefyd, tua dechrau'r ganrif yr oedd tri chwarter ohono yn Gymraeg, a chwarter yn Saesneg, ond erbyn diwedd yr ugeiniau a dechrau'r tridegau yr oedd tri chwarter ohono yn Saesneg a chwarter yn Gymraeg.

Yn 1828 yr oedd tymor y Cynghorwr Sir, Mr. Gilbert Parsons, ar ben, a phenderfynodd geisio am y tro olaf, gan dybio na fyddai neb yn ei wrthwynebu. Yn y *Llais* y cyhoeddodd ei Anerchiad. Ynddo fe ddiolchodd i'r etholwyr am ei ddewis trwy'r blynyddoedd, ac yr oedd ef wedi amddiffyn a hyrwyddo eu buddiannau orau y gallai tra fu yn y Cyngor Sir. Am ychydig flynyddoedd ar ôl y Rhyfel yr oedd y fasnach ddur yn ffynnu, ond o 1921 tan heddiw ysbeidiol oedd y gweithio: trai a llanw oedd ei hanes, a mwy o drai nag o lanw. Y rheswm am hyn oedd fod America wedi cipio marchnadoedd Prydain yn ystod y Rhyfel: hi a gynhyrchai fwyaf o ddur ac alcan yn y byd: ac ar ôl yr heddwch 'roedd America wedi rhoi benthyg arian i'r Almaen i'w chodi ar ei thraed: ac yr oedd honno erbyn hyn yn cynhyrchu mwy o ddur na ni. Yn wir, yr oedd barrau dur yn dod i Ddeheudir Cymru o wledydd tramor, am fod eu pris yn is na phris ein barrau dur ni. Pam? Wel, yr oedd costau cynhyrchu dur ym Mhrydain yn rhy uchel. Am ei Waith Dur a'i Waith Alcan ef yng Ngwaun-coed, fel llawer o Weithiau yng Ngorllewin Cymru, yr oedd y trethi lleol wedi cynyddu: yr oedd costau cludo yn llawer mwy, ac ni ellid ehangu'r Gweithiau am nad oedd ganddynt le i ehangu rhwng afon a mynydd ac am nad oedd gan ddiwydianwyr bychain fel efe ddigon o gyfalaf i brynu peiriannau newydd a thalu am ddulliau modern o gynhyrchu dur. Unig obaith y diwydiant dur yng Ngorllewin Cymru oedd cael Gweithiau mawr fel Gwaith Dur Margam. 'Roedd y Gweithiau Dur yn ormod o unedau bychain, ac fe fyddai'n rhaid eu clymu yn unedau llawer mwy. Felly, fe fyddai ei Waith Dur ef cyn bo hir, yn ôl pob tebyg, yn rhan o Gwmni Richard Thomas & Baldwin, ond nid oedd eisiau i'r gweithwyr ofni: fe fyddai gwaith iddynt hwy. Y perygl mawr oedd Sosialaeth. Os llwyddai'r Sosialwyr i wladoli diwyd-iannau mawr gan gynnwys y diwydiant dur, ni welai ef ddim gobaith iddo, oherwydd dynion busnes yn unig a allai drafod diwydiant mawr a chael cyflog i weithiwr ac elw i berchennog. Annoethineb oedd cymysgu gwleidyddiaeth â busnes. Y prif angen mewn diwydiant oedd cydweithrediad rhwng meistr a gweithiwr. Fe gafwyd y cydweithrediad hwn yn ystod y Rhyfel. Pam na ellid ei gael mewn heddwch? (Ni ddywedodd Mr. Parsons yn ei Anerchiad ei fod yn ofni nad oedd dyfodol hir i Weithiau Dur bychain fel ei Waith ef rhag digalonni trigolion y pentre a'r ardal: fe fyddai ef, yn ôl pob tebyg, wedi marw cyn cau ei Waith.)

Creadur od ac unig oedd y Sosialydd cyn y Rhyfel. 'Roedd llaw pawb yn ei erbyn. Fe allai dyn ddeall Tori fel Mr. Gilbert Parsons: 'roedd hwnnw yn amddiffyn buddiannau ei ddosbarth: ond am y Rhyddfrydwyr, nid oedd y rhain nac yma nac acw. 'Roeddent yn Sioni pob ochor. Ar ôl y Rhyfel fe fu ychydig gynnydd yn yr aelodau Llafur yn y Senedd yn Etholiad 1919, yr Etholiad Cowpon, Etholiad a fu debyg i'r Etholiad Khaki yn

1900 ar ôl y Rhyfel â'r Böeriaid), ac fe holltwyd y Blaid Ryddfrydol: ac yn Etholiad 1924 fe ostyngwyd y Rhyddfrydwyr i 42, a chafodd Llafur 151, a dod yn Wrthblaid. Yn y Blaid Lafur ei hun, aelodau'r Blaid Lafur Annibynnol oedd yr asgwrn cefn: hwynt-hwy a weithiai galetaf. Yng nghangen y Blaid Lafur Annibynnol yng Ngwaun-coed, Ianto Powel a weithiai galetaf, gan drefnu dawnsiau i'r bobol ifainc, cynnal cyngherddau, areithio a chanfasio; ac o'r gweithgareddau hyn rhannu llenyddiaeth a chasglu arian oedd bwysicaf. Y ffordd orau i gasglu arian oedd cynnal cyngerdd. 'Roedd Ianto Powel erbyn hyn wedi priodi Myfanwy Hopcin yn Seion, Capel y Methodistiaid Calfinaidd, er nad oedd ei rhieni yn fodlon ar y briodas am nad oedd Ianto Powel yn mynychu'r Capel; ac nid oedd y priodfab yn fodlon priodi yn y Capel, ond fe ddaeth allan o'r anhawster trwy ddal mai gan y ferch oedd y dewis. Ar ôl priodi fe fynnai Ianto Powel gael help gan ei wraig yn y gwaith, a'r ffordd orau y gallai hi ei helpu oedd canu yn y cyngherddau. Fe roes gopi iddi, y geiriau a'r miwsig, o'r ' *Red Flag* ':

> *The people's flag is deepest red,*
> *It shrouded oft our martyr'd dead ;*
> *And ere their limbs grow stiff and cold,*
> *Their life-blood dy'd its every fold.*
> *Then raise the scarlet standard high,*
> *Beneath its shade we'll live or die ;*
> *Tho' cowards flinch and traitors sneer,*
> *We'll keep the red flag flying here,*

a'r penillion eraill. Er mwyn cael un gân Gymraeg, er nad oedd ef yn credu ei bod hi'n werth cadw'r iaith o gwbwl, fe ofynnodd iddi ddysgu emyn, er nad oedd ef yn ystyried ei fod yn emyn, ond cân Sosialaidd, sef hen emyn ei dad:

Pa bryd y cedwi'r bobol
  Drugarog Dduw, pa bryd ?
Y bobol, Dduw, y bobol ;
  Nid bendithion aur y byd.
Blodau dy galon yw'r rhai hyn ;
A gânt hwy ddiflannu megis chwyn
Heb weled gwawr o obaith gwyn.

'Roedd y neuadd yn llawn, a gellid disgwyl i Daliesin Niclas fod yno, ac yr oedd, a Miss Sara Gibbs hefyd. Ar ôl i Mrs. Ianto Powel ganu ' *The Red Flag* ' a'i chanu yn ddieneiniad am na ddeallai hi'r gerdd, cododd Telynfab Niclas ar ei draed a dweud : ' Beth yw'r hen ganu Saesneg 'ma ? Gadewch inni gâl cân Gymrâg.'

 ' Fe fydde'n beth da,' meddai Ianto Powel o'r gadair, ' pe byddech yn mindio'ch busnes ych hun. Ma hi yn mynd i ganu Cymrâg yn awr.'

 Ac fe ganodd ' Pa bryd y cedwi'r bobol ?' a'i chanu gydag arddeliad. ' Beth am gân gyta Telynfab Niclas ?' gwaeddodd rhywun o'r llawr. ' Ie'n wir,' meddai pawb. Fe welodd Ianto nad doeth oedd gwrthwynebu'r holl gynulleidfa, ac fe ofynnodd i Delynfab ganu, a phan oedd yn cerdded o'r llawr i'r llwyfan fe sisialodd Ianto yng nghlust yr Ysgrifennydd, ' *I hate this bugger!*' Fe ganodd Telynfab ' Yr Hen Wyddeles ' ac ' Ym Mhont-ypridd Mae 'Nghariad ', y caneuon a ddysgodd yn Llanwrtyd ; ac wedi cael encôr, ' Dafydd y Garreg Wen '. Ar ganol y cyngerdd fe gafwyd anerchiad byr gan y Cadeirydd, Ianto Powel : ychydig frawddegau i gychwyn yn Gymraeg, a throi at y Saesneg wedyn : ac yr oedd y rhan fwyaf o'r gynulleidfa yn synnu at ei Saesneg :

 ' *We believe in the public control of the means of production, distribution and exchange. If Mr. Telynfab Niclas can translate this into Welsh I shall be obliged to him.*'

 Brawddeg arall a gaed yn y papurau Sosialaidd ac ym mhob araith bron oedd hon :

' *The workers having been crucified on a cross of gold.*'
Diweddodd gyda'r perorasiwn arferol:

' *Workers of the world, unite. You have nothing to lose but your chains, and a world to win.*'

Yn ei eiriau, ei lygaid a'i ddwylo fe ellid gweled y byd gwyn yn gwawrio, byd cyfiawn, dedwydd a pherffaith y breuddwydion Sosialaidd, er bod yn rhaid cyfaddef na ddaeth y byd newydd hwn yn nes ar ôl i Ramsay Macdonald gael ei wneud yn Brifweinidog y Llywodraeth Lafur yn 1924. Yn y distawrwydd ar ôl yr anerchiad dyna Delynfab Niclas yn gweiddi: ' Beth am gân gan Eos y Graig?' ' Ie,' gwaeddai pawb. A dyna Sara Gibbs i'r llwyfan, a chanu:

O na bawn yn fwy tebyg
I Iesu Grist yn byw . . .

a'r gynulleidfa yn uno yn y gytgan, ' O na bawn i fel efe '. Fe drodd Ianto Powel at yr Ysgrifennydd a sisial yn ei glust, ' *These f - - - - - g Welsh hymns* ', ac ar ôl i'r gynulleidfa orffen canu fe gododd ar ei draed, a dweud fod y cyngerdd ar ben. Wrth fynd adre gyda'i gilydd fe ddwedodd Cynddylan Hopcin wrth Daliesin Niclas:

' Dyna yw Cymru heddiw. Diwygiad a diwydiant a streic. Y Groes ar Galfaria a'r groes aur. Baner yr Oen a "*The Red Flag*".'

' Ie,' atebodd Taliesin Niclas. ' Ianto Powel a Myfanwy Hopcin.'

Fe benderfynodd y Blaid Lafur yn y pentre wrthwynebu Mr. Gilbert Parsons yn yr etholiad am y Cyngor Sir, a dewis ymgeisydd; ac wrth geisio dewis fe rwygwyd y gangen. 'Roedd rhai o blaid Dai Llewelyn am ei fod yn hŷn na Ianto Powel, a hefyd yr oedd yn fwy galluog ac wedi bod am ddwy flynedd yng Ngholeg Ruskin, Rhydychen. 'Roedd eraill o blaid Ianto Powel, canys er ei fod yn iau, yr oedd wedi gweithio yn galetach dros y Blaid: ac am Dai Llewelyn, yr oedd wedi ymfalchïo ei fod wedi bod yng Ngholeg Ruskin, ac arwydd o'r balchder oedd gwisgo sbats. Yn y cyfarfod dewis fe gafodd Ianto Powel ddwy bleidlais yn fwy na Dai Llewelyn, ac ar ôl y dewis nid oedd y ddwy garfan yn fodlon cytuno â'i gilydd, ac ni siaradodd Dai Llewelyn â Ianto Powel ar ôl hyn. Y clic bach o aelodau a gyfarfyddai yn Y Ceiliog Coch, ac yr oedd Ianto Powel yn un ohonynt, a luniodd yr Anerchiad Etholiad a gyhoeddwyd yn *Llais y Werin*; dyma grynodeb ohono:

Nid oedd y Blaid Lafur am ymosod ar Mr. Gilbert Parsons fel person, canys gwyddent oll am ei gymwynasau i'r ardal. Ymosod arno fel un o feistri diwydiant a wnâi'r Blaid Lafur. Fe ddwedodd ef yn ei Anerchiad fod costau cynhyrchu dur yn uchel, ond y peth cyntaf a wnaeth y meistri i ostwng y costau oedd gostwng y gyflog. Dyna a wnaed ar ôl streic 1926 : gostwng y gyflog a chynyddu'r oriau. Nid oeddent wedi gostwng yr elw. Yr hyn y dylid ei wneud yw gwladoli'r diwydiant dur, y diwydiant glo a'r diwydiannau mawr i gyd. Fe benododd y Llywodraeth yn 1921 Gomisiwn Sankey i roi barn ar y diwydiant glo, ac yn ôl Adroddiad y mwyafrif fe argymhellwyd gwladoli'r diwydiant ; fe addawodd Lloyd George dderbyn ei farn, ond nis gwnaeth. Fe dwyllodd y glowyr. Ni ellir ymddiried yn y Rhyddfrydwyr fwy na'r Torïaid. Adar o'r un lliw ydynt. Peth arall a wnaeth y Llywodraeth oedd arfer y Safon Aur gan ddilyn barn y Banc, a gorbrisio'r bunt. Mr. Norman Montague yw unben y wlad, nid y Llywodraeth. Hwyrach fod Mr. Parsons yn credu na wyddom ni ddim am y diwydiant dur, ond 'rydym wedi darllen llyfrau'r arbenigwyr fel llyfr H. N. Brailsford, *The War of Steel and Gold*. Y mae Mr. Parsons yn dal mai dynion busnes a all redeg y diwyd-iannau, ac y mae'n cyfaddef yr un pryd fod y gweithwyr yn ei Waith ef wedi gweithio yn ysbeidiol ar ôl 1921, ac y mae yn ymyl Gwaun-coed lowyr sydd wedi bod yn segur yn hir, ac a fu byw ar y dôl : Cardod yw dôl :

> Nid cardod i ddyn—ond gwaith ;
> Mae dyn yn rhy fawr i gardod.
> Mae cardod yn gadael craith,
> Mae'r graith yn magu nychdod.

Rhoddwch eich pleidlais i Mr. Evan Mabon Powel yn y r
Etholiad : pleidlais tros weithwyr : pleidlais tros gyfiawnder a
dedwyddyd.

Noson y pleidleisio fe ddatganwyd mai Mr. Evan
Mabon Powel a ddewiswyd yn Gynghorwr Sir; fe
gafodd fwyafrif o ugain pleidlais. Fe synnodd pawb,
ond yr aelodau Llafur. Fe gafodd Mr. Parsons sioc a
siom, ac yntau yn ceisio am y tro olaf. Meistr yn cael ei
guro gan un o'i weithwyr ef ei hun! O ystyried, yr oedd
llawer ar wahân i'r Torïaid a'r hen Ryddfrydwyr, yn
credu fod Anerchiad y Cynghorwr Evan Powel yn well
nag Anerchiad Mr. Parsons: cyn hir yr oedd llawer o'r
Rhyddfrydwyr ifainc wedi ymuno â'r Blaid Lafur: a
hefyd yr oedd aelodau'r Blaid Lafur wedi cyhoeddi
llythyr at yr etholwyr, a'i wasgaru o dŷ i dŷ. Y gwragedd
a gydymdeimlai fwyaf â Mr. Parsons, a phan glywsant
y ddedfryd torrodd rhai ohonynt i lefain. Yn ei lythyr
yn *Llais y Werin* fe ddiolchodd y Cynghorwr Evan Powel
i'r etholwyr am ei ddewis yn Gynghorwr drostynt ar y
Cyngor Sir, a dywedwyd fod ei fuddugoliaeth yn
fuddugoliaeth Sosialaeth ac yn hoelen yng nghoffin cyf-
alafiaeth. Ymhen dwy flynedd ar ôl hyn fe fu farw
Mr. Parsons: ac ymhen dwy flynedd ar ôl ei farwolaeth
fe roddwyd Gwaith Dur ac Alcan Gwaun-coed tan
gwmni Richard Thomas & Baldwin. Fe ddarfu'r hen
gyfundrefn ddiwydiannol dadol.

Ymhen ychydig ar ôl hyn yr oedd Tomos Hopcin
yn sefyll yn ymyl y ffwrnais, ac fe aeth Stanley Harper
heibio iddo, ac yr oedd golwg od arno, ond fe dybiai'r
ffwrneisiwr mai gwneud ei waith yr oedd fel clerc. Fe
safai ar ymyl y staers y tu ôl i'r ffwrnais uwchben y ladl;
ac yr oedd y ffwrnais wedi ei thapo, a'r metel tawdd
wedi dechrau llifo o'r ladl i'r moldiau. Fe welodd ef y

clerc yn tynnu potel o'i boced, a chymryd dwy dabled; ac ar amrantiad fe neidiodd o ymyl y staers i ganol y metel tawdd yn y ladl. Fe gafodd Tomos Hopcin fraw, ac fe waeddodd nerth ei geg, a rhedodd dynion o'r ffwrneisiau a'r pwll at y ladl. Y peth cyntaf a wnawd oedd cau'r ladl a gadael i'r metel tawdd oeri. Fe safodd pob un ohonynt yno fel delwau. Yn ffodus, nid oedd ei dad, Henry Harper, yn ymyl a chlywyd ei fod yn Swyddfa'r Gwaith. Fe aeth Tomos Hopcin yno yn drwm ei droed, ac yn ôl y dull arferol o dorri'r garw, fe ddwedodd fod ei fab wedi cael anap, ond, nid oedd yn ddrwg: yna ei fod yn wael iawn: yna ei fod wedi cael ei ladd: ac yn olaf ei fod wedi neidio i ganol y metel tawdd yn y ladl. Fe aeth wyneb Henry Harper mor wyn â'r galchen ac yr oedd ei gorff yn crynu fel deilen: ac yn sydyn fe redodd â'i anadl yn ei ddwrn adre i ddweud wrth ei wraig. Fe aeth y newydd trwy'r pentre a'r ardal fel taran ddistaw. Y fath farwolaeth! Y fwyaf erchyll o'r marwolaethau. Nid oedd dim o'r corff ar ôl. Dim asgwrn. Yr un aelod. Fe fentrodd un ddweud ei bod yn farwolaeth odidog, hunanladdiad. Y noson honno a'r nosweithiau ar ôl hyn fe fethodd y rhai mwyaf nerfus gysgu wrth ddychmygu ei weled yn neidio i ganol y metel tawdd; ac ni chysgodd neb ar ei union. Fe aeth si ar led fod Stanley Harper wedi cymysgu'r llyfrau, a dwyn arian o'r swyddfa i'w roi ar geffylau. Esboniad eraill oedd bod y Rhyfel wedi andwyo'r dyn ifanc—ei fod wedi cael *shell shock;* ac yr oedd pobol Y Ceiliog Coch wedi clywed ei chwerwder a'i gab-leddau. Fe soniai Taliesin Niclas ei fod wedi cwrdd â Llyfftenant Stanley Harper yn Ffrainc, a'i farn ef oedd mai Cymro ydoedd wedi ei ddiwreiddio o'r bywyd Cymreig gan snobeiddiwch ei dad a'i fam.

Snobiaid neu beidio, yr oedd gwragedd y gweithwyr yn dyheu i helpu Mrs. Harper, yn ôl eu harfer, sef golchi'r llawr a'r llestri, tannu'r gwely a gwneud bwyd; a'r gweithwyr yn dymuno helpu Mr. Harper, yn ôl eu harfer hwythau, sef torri coed tân, cario glo a gwneud y gwaith trwm, ond ni fyddai'r un ohonynt yn mentro i dŷ yn *High Street.* 'Roedd Mr. a Mrs. Harper yn perthyn i ddosbarth a oedd yn uwch na dosbarth y gweithwyr. Yn y Cwest nid oedd corff, er i amryw dystio yno fod rhai esgyrn ar ôl, ond ni allai fod esgyrn o fetel tawdd mewn ladl. Yr unig beth a welwyd yn y ladl, ar ôl symud y metel oer, oedd ôl asgwrn y benglog ar y slagen ar y gwaelod. Peth naturiol, er hynny, oedd mynnu cael rhyw weddillion fel esgyrn, er nad oeddent yn weddillion iawn. Brynhawn yr angladd yr oedd yr heol i Eglwys y Drindod yn ddu gan bobol: yr Eglwys tan ei sang; a gwŷr a gwragedd yn y fynwent fel morgrug. Pan roddwyd yr arch yn yr hêrs yr oedd wedi ei chuddio â blodau, a blodau ar ben yr hêrs: ac ymhlith y blodau yr oedd y dorch ddrutaf gan Mr. Parsons a'i deulu, torch gan Undeb y Gweithwyr, torch gan glercod y Swyddfa a thorch hyd yn oed gan y Blaid Lafur. Arch od oedd honno, arch heb gorff. 'Roedd eirch wedi dal pethau trist o'r blaen: glowyr wedi boddi ac wedi llosgi mewn pyllau glo: cyrff wedi eu darnio gan beiriannau yn y Gwaith Dur a'r Gwaith Alcan: penglogau wedi eu hollti gan bethau yn syrthio uwchben: cyrff wedi eu llosgi gan asid ond dyma arch heb gorff. Mor eironig chwerw oedd geiriau'r Iesu yn y Gwasanaeth Claddu ar lan y bedd: ' pridd i'r pridd ', a'r torrwr beddau yn lluchio pridd ar yr arch, ond nid oedd pridd yno. ' Lludw i'r lludw ', ond yr oedd y lludw ar goll yn y telpyn metel ar ben y tip. Sut y gellid cael atgyfodiad y corff heb gorff? Y nos Sadwrn ar ôl hyn, yr oedd ei gadair yn wag yn ystafell breifet Y Ceiliog Coch, a siaradai ei gymdeithion yn isel ac ni feddyliodd neb am ganu. Yn un pen i'r bar yr oedd yr hanner dwsin o Sosialwyr yn siarad yn is, er i'r siarad fod yn ddigon rhydd a rhugl. Yn y pen arall yr oedd Telynfab Niclas a'i gyfaill, Sioni, a'r ddau yn yfed yn araf, a methu siarad. O'r diwedd fe gafodd Telynfab hyd i eiriau bratiog:

' Ie, 'does dim cymdeithas fel cymdeithas Gwaun-coed ar wyneb y ddaear. Ma cerddoriaeth wedi 'i chlymu, a llenyddiaeth . . . Ma, ma chwerthin a llawenydd wedi 'i chlymu. Ond yr hyn sydd wedi'i chlymu ddyfna yw'r ange . . . dychryn . . . braw . . . Ma Gwaun-coed yn gwpod ystyr ymadroddion fel Glyn Cysgod Ange . . . Hen le hyll . . . Ma 'na ofon marw arna i. Ond 'fydda i ddim byw yn hir eto. Ma'r gwâd yn dechre gwasgu ar y pen . . . Ie, Glyn Cysgod Ange . . . Beth odd yn bod ar y bachgen Harper 'na? . . . Pŵr dab . . . Marw yn ifanc yw'r marw gwaetha . . . A'r blote ar 'i goffin. Blote gan Mr. Parsons, y gwithwrs, y Blaid Lafur a'r lleill. Ma'r ange yn dangos fod 'na ddynolieth o dan y gyfraith a'r tlodi, o dan bob Plaid, o dan bob Enwad, o dan y rhaniade i gyd . . . yr hen natur ddynol. 'Dôs dim yn debyg iddi—gwell i fi bido siarad rhacor . . .'

Yn yr eglwysi a'r capeli fe godai gweddïau y Sul ar ôl hynny dros y teulu; ac yng Nghapel Seion yr oedd y gynulleidfa yn cofio fod Mr. a Mrs. Harper wedi bod yn aelodau ynddo, ac yn cofio fod Mr. Harper wedi eistedd yn y sêt fawr, a'i fod wedi gadael ar ôl y Streic. Wrth weddïo fe fyddai rhai gwragedd yn snwffian crio yn y seti. Yna fe ganwyd Anthem:

Dyddiau dyn sydd fel glaswelltyn ; megis blodeuyn y maes, felly y blodeua efe. Canys y gwynt a â drosto, ac ni bydd mwy ohono ; a'i le nid edwyn ddim ohono ef mwy. Ond trugaredd yr Arglwydd a bery yn dragywydd,

ac emyn David Charles Caerfyrddin :

Rhagluniaeth fawr y nef,
   Mor rhyfedd yw
Esboniad helaeth hon
   O arfaeth Duw . . .

Hi ddaw â'i throeon maith
   Yn fuan oll i ben,
Bydd synnu wrth olrhain rhain
   Tu draw i'r llen,

ac emyn arall gan yr un emynydd :

O fryniau Caersalem ceir gweled
   Holl daith yr anialwch i gyd ;
Pryd hyn y daw troeon yr yrfa
   Yn felys i lanw ein bryd ;
Cawn edrych ar stormydd ac ofnau
   Ac angau dychrynllyd a'r bedd,
(Ac angau dychrynllyd oedd angau Stanley Harper)
   A ninnau'n ddihangol o'u cyrraedd
   Yn nofio mewn cariad a hedd.

Testun pregeth y Parch. Morris Parri oedd :

' Pwy yw y rhai hyn sydd wedi eu gwisgo mewn gynau gwynion? ac o ble y daethant? Y rhai hyn yw y rhai a ddaethant allan o'r cystudd mawr, ac a olchasant eu gynau ac a'u canasant yng ngwaed yr Oen . . . Duw a sych ymaith bob deigryn oddi wrth eu llygaid hwynt.'

Wrth wrando ar y bregeth yr oedd y Capel a'r pentre, a oedd wedi eu tywyllu gan yr angau, yn llawn lliw gwyn; yr oedd lliw aur gorsedd-fainc, a sŵn ffynhonnau bywiol o ddyfroedd yn tarddu; nid oedd yno na newyn na syched; ac yr oedd yn dda gan ffwrneisiwr fel Tomos Hopcin glywed na fydd yno ddim gwres. Wrth fyned i'r Capel yr oedd yr aelodau yn drist-drwm. Wrth ddyfod oddi yno yr oedd y dagrau wedi eu sychu, a hwythau yn gweled fod gan Dduw Ei drefn, yr oedd y ffwrneisiau dur—y tipiau a rholiau'r Gwaith Alcan tan y drefn hon; ni allent ddeall marwolaeth Stanley Harper a marwolaethau annaturiol eraill, ond credent fod gan Dduw Ei fwriadau:

> Trwy ddirgel ffyrdd mae'r uchel Iôr
> Yn dwyn Ei waith i ben ;
> Ei ystafelloedd sy'n y môr ;
> Mae'n marchog gwynt y nen.

Ond fe gaent hwy esboniad arnynt yr ochr draw. Fe fyddai'r gweithwyr ar amgylchiadau fel hyn, ac yn enwedig y gwragedd a adewid yn weddwon, yn yswatio tan y Groes; a byddai ambell wraig weddw yn cydio yn llaw waedlyd y Crist rhag colli ei ffydd. Ni fyddai cysur a pharchusrwydd y dosbarth canol yn cymylu llygaid y rhain. Yn y marwolaethau dychrynllyd y Capel oedd y noddfa, a'r Efengyl oedd y graig tan eu traed.

Ymhen blwyddyn neu ddwy fe fu farw Mrs. Harper o dorcalon: ac ar ôl marwolaeth ei fab nid aeth Mr. Harper yn ôl at ei swydd fel gaffer, canys ni allai oddef y gwaith; ac yr oedd ganddo ddigon o fodd i fyw arno. Yna fe gynigiodd Mr. Parsons y swydd i Domos Hopcin am fod ganddo fwy o feddwl o hwn na'r un gweithiwr arall: yr oedd yn weithiwr gonest, a'i ddylanwad ar ei gydweithwyr yn ddylanwad dyrchafol. Fe ofynnodd Tomos Hopcin am dridiau i ystyried; ac yn ôl ei arfer, fe aeth i ben y Graig i gael golwg glir a chytbwys ar bethau. Fe dderbyniodd y swydd ar amodau. Nid oedd yn mynd i regi a blagardian fel gafferiaid yn gyffredin: nid oedd am gario clecs i'r meistr: pan oedd gweithiwr ar yr iawn yr oedd am ochri gyda'r gweithiwr. Fe dderbyniodd Mr. Parsons yr amodau. 'Roedd y gweithwyr i gyd yn falch fod Tomos Hopcin wedi cymryd y swydd : pawb ond y segurwyr. Ni fu Tomos Hopcin yn hir yn ei swydd.

'Roedd Cynddylan Hopcin a Taliesin Niclas wedi gorffen eu haddysg. Fe gafodd Taliesin Niclas ei radd yng Ngholeg Aberystwyth gydag anrhydedd yn yr ail ddosbarth yn Gymraeg ac ar ôl cael ei radd fe fu am flwyddyn yn yr Adran Addysg a chael ei dystysgrif athro : a chael swydd athro Cymraeg yng Nghaernarfon, a dewis Caernarfon am fod y ferch yr oedd ef yn mynd gyda hi, Miss Nest Jones, yn athrawes ym Mangor. Fe gafodd Cynddylan Hopcin ei radd gydag Anrhydedd yn yr ail ddosbarth yn Athroniaeth : ac ar ôl hyn fe aeth am dair blynedd i Goleg Bala-Bangor : a myned yno oherwydd ei edmygedd o'r Prifathro John Morgan Jones, canys yr oedd wedi darllen ei lyfrau a'i erthyglau gynt yn *Y Deyrnas*. 'Roedd y Prifathro yn heddychwr ac yn ddiwinydd modern. Ym Mangor hefyd yr oedd yn cael cwmni ei gyfaill, Taliesin Niclas, pan alwai amdano yn y coleg wrth fyned i weled ei gariadferch. Pan ddaeth Cynddylan Hopcin adre ar ei wyliau i Waun-coed un Nadolig fe welodd ar y stryd ferch nad oedd wedi ei gweled o'r blaen ; ac wedi holi fe gafodd wybod mai Saesnes oedd hi, Miss Doris Heywood, merch o Fryste, ac yr oedd yn glerc yn swyddfa'r Gwaith Dur, ac fe ddywedid ei bod yn perthyn o bell i Mr. Parsons. 'Roedd Cynddylan yn hoffi'r ferch a llwyddodd i gael ei gyflwyno iddi, a chafodd fynd am dro gyda hi ; ac ar ôl hyn fe fuont yn caru yn dynn â'i gilydd. Fe glywodd ei dad a'i fam am y garwriaeth a chael siom ; fe geisiasant ei berswadio i adael y Saesnes, am na fyddai Saesnes o unrhyw help iddo fel Gweinidog ar Gapel Cymraeg: hefyd nid oedd wedi gorffen ei gwrs yng Ngholeg Bala-Bangor, a phe byddai yn priodi yn union ar ôl gadael y Coleg, ni chaent ddim arian ganddo, yr arian yr oedd wedi addo ei dalu pan roddwyd addysg iddo yn lle prynu tŷ. Ei fam a oedd yn disgwyl cael yr arian hyn. Fe welai Cynddylan fod llawer iawn o wir yn yr hyn a ddywedai ei rieni: fe fyddai'n well ganddo gael Cymraes na Saesnes, ond yr oedd yn hoffi'r ferch hon am ei bod yn ferch dal denau a hefyd yn ferch ymarferol a hunan-feddiannol. Pan oedd ef yn clebran yn rhamantus am ddelfrydau a bywyd fe fyddai hon ag un frawddeg yn rhoi pin yn y balŵn. Iddo ef, a oedd yn byw ym myd haniaethau, fe fyddai hon o help i'w amddiffyn ei hun ac i sefyll ar ei sodlau. I un â'i ben yn y cymylau yr oedd traed y ferch hon yn drwm ar y ddaear. Pan wahoddwyd hi i'w gartref ni chafodd groeso fel y dymunai, a hynny yn bennaf am nad oedd gan Domos Hopcin lawer o Saesneg, ac nid oedd gan Fari Hopcin ddim. Ynddi hi ei hun fe gasâi Miss Heywood y Gymraeg am fod yr iaith yn agendor rhyngddi hi a'i chariad. Yn union ar ôl gadael Coleg Bala-Bangor fe gafodd Cynddylan Hopcin fwy nag un alwad, canys yr oedd yn bregethwr cymeradwy iawn o ŵr ifanc, ac fe dderbyniodd alwad Eglwys Annibynnol yng Nghwm Rhondda: a chyn ei sefydlu fe briododd. Ymhen blwyddyn fe welodd na allai ei fywyd priodasol ef fod yn fywyd hapus er na ddywedodd wrth neb. Pan aeth ei gyfaill Taliesin Niclas i'w weld, a phan oeddent yn sgwrsio â'i gilydd yn y stydi, dyma'r wraig i mewn fel taran, a gweiddi: ' *Come on and wash the dishes instead of sitting there on your behind all day.*' 'Roedd tŷ'r Gweinidog wrth y Capel, a phan oedd yn pregethu un bore Sul yn y Capel, fe edrychodd trwy'r ffenestr a gweled ei wraig yn rhoi'r dillad ar y lein. Nid oedd hi yn cymdeithasu â neb o aelodau'r Capel am na wyddai hi, pan oedd yn byw ym Mryste, pwy oedd yn byw y drws nesaf iddi. Yr hyn yr oedd y Cymry yn ei alw yn gymdeithasu yr oedd hi yn ei alw yn fusnesu. Ni welodd hi erioed y fath bobol fusneslyd â'r Cymry: 'roedd pob un eisiau gweld lliw perfedd ei gymydog. 'Roedd yn casáu'r Cymry â'i holl galon. Fe geisiai berswadio ei gŵr i adael Cymru, a chymryd Eglwys yn Lloegr. Pan ddaeth ei dad a'i fam i'w gweld ychydig ar ôl priodi, ni chawsant fawr o groeso ganddi hi. Pan oedd hi â'i gŵr yn cael bwyd yn y *dining room*, fe gâi Mr. a Mrs. Hopcin eu bwyd yn y gegin ar eu pennau eu hunain. Fe aeth y ddau oddi yno cyn pryd, a'r ddau wedi eu clwyfo. Nid oedd Mari Hopcin yn beio'r Saesnes gymaint: 'roedd llawer iawn mwy o fai ar ei mab am adael i'r greadures ffit ei sangu tan ei thraed. 'Roedd ei mab yn rhyw glwtyn llestri o ŵr. Nid oedd yn hanner cymaint o ddyn â'i dad. Yn eu profedigaeth nid oedd gan y ddau ddim i'w wneud ond gofyn i Dduw eu dal. Eithr fe âi Tomos Hopcin i ben y Graig yn ôl ei arfer, i gael esboniad ar bethau dyrys bywyd. Methodist cadarn oedd ef, ond pam oedd ei fab yn Weinidog ar Eglwys yr Annibynwyr a pham yr oedd wedi priodi rhyw sgriw o Saesnes? 'Roedd ei ferch, Myfanwy, wedi priodi anffyddiwr, y Cynghorwr Evan Powel: ond, er ei bod hi a'i gŵr yn byw gyda Mrs. Hanna Powel yn ei thŷ, 'roedd hi yn dod bob dydd yn gyson i helpu ei mam. Ar y llaw arall, yr oedd Taliesin Niclas wedi cael tröedigaeth, ac yn dod yn gyson i'r Capel, ac yn cymryd rhan. Pam yr oedd y gŵr ifanc hwn wedi newid, ac yntau yn fab i botiwr a hwrgi? Am ei fod yn fab potiwr a hwrgi yr oedd wedi troi. Nid oedd ond un esboniad.

Arno ef yr oedd y bai. 'Roedd ei broffes fel Cristion mor wael: ei esiampl fel Methodist mor wan: ei fyw mor aneffeithiol. Efe oedd y pennaf o bechaduriaid. Er hyn oll yr oedd yn gwybod fod Duw wrth Ei waith yn trefnu pob dim, ac y dôi Ei fwriadau a'i addewidion i ben. Y Groes yw Gorsedd y byd.

Fe gydiodd rhyw adwyth yn Tomos Hopcin: 'roedd ei wyneb wedi cibio; y cnawd o dan ei ên yn hongian, a'r corff tan ei ddillad ond esgyrn. Fe aeth gwaith gaffer yn rhy drwm iddo: a rhoes Mr. Parsons waith ysgafnach iddo, sef cadw'r manylion ar gardiau y tryciau yn ymyl y Gwaith fel nad arhosai tryc yn rhy hir cyn ei lanw. Ni fu'n hir wrth y gwaith hwn, ac fe aeth i gadw gwely. Yn ei gystudd olaf yr oedd dau beth yn ei boeni: nid oedd gan ei wraig ddigon o arian yn gefn iddi; ac yr oedd yn ofni na wnâi'r Arglwydd Iesu Grist ei dderbyn am fod ei fywyd mor bechadurus. Y peth olaf a wnaeth cyn marw oedd gofyn i Dduw am faddeuant. Angladd anghyffredin oedd ei angladd ef. Yn yr angladd fe gerddai perthnasau o Lansadwrn a Llandeilo yn eu dillad gwledig: ac am y tro cyntaf fe adawodd gweithwyr y Gwaith a cherdded yn eu dillad gwaith. Yn araf ddistaw y cerddai'r angladd trwy'r stryd ar y ffordd i'r Capel, ac yr oedd sŵn y fintai fel taran; a phobol yn codi cap a het pan basiai'r arch. Yn ei angladd fe ddywedodd y Parch. Morris Parri na chafodd erioed waith mor rhwydd â llunio pregeth angladd i Domos Hopcin: ac ni allai gael gwell testun na'r adnod: ' Wele Israeliad yn wir, yn yr hwn ni chafwyd twyll.'

Un o Sir Gaerfyrddin, sir yr emynwyr, oedd Tomos Hopcin yn wreiddiol a daeth â diwinyddiaeth y sir honno gydag ef i bentre diwydiannol fel Gwaun-coed. Nid diwinyddiaeth y sir honno yw'r ddiwinyddiaeth, ond diwinyddiaeth Cymru gyfan. 'Roedd Tomos Hopcin yn credu yn yr hen athrawiaethau Beiblaidd fel cyfiawnhad trwy ffydd, etholedigaeth sancteiddhad, yr arfaeth, a'r ddau Gyfamod, Cyfamod Gweithredoedd a Chyfamod gras. Y rhain yn unig a all gadw Cymru yn genedl Gristionogol. Nid oedd, wrth gwrs, yn honni ei fod yn deall y rhain : ni all rheswm dyn esbonio dirgeledigaethau'r Efengyl: ond o weithiwr syml heb gael fawr o ysgol yr oedd yn ŵr deallus. Nid oedd yn rhuthro i roi ei farn. 'Roedd yn rhaid iddo fesur a phwyso cyn rhoi barn, ac fe âi i ben y Graig i feddwl a myfyrio. Dyn araf, cytbwys ydoedd ef: neu fel y byddwch chi yn deud yn y De, dyn sownd. Fe all dyn deallus fod yn oer a digydymdeimlad. Nid felly Tomos Hopcin. O dan y deall 'roedd nwyd a chydymdeimlad. Fe wnaeth lawer o gymwynasau : cymwynasau nad oes neb yn gwybod amdanynt ond myfi. Pan oeddwn i yn mynd i weled f'aelodau fe glywais am rai ohonynt. 'Rydan ni yn claddu heddiw un o'r colofnau : un o golofnau Capel Seion, y golofn gadarnaf : un o golofnau Cristionogaeth yn y Gwaith Dur. Rhodded yr Arglwydd Ei nerth a'i gysur i'r weddw a'r mab a'r ferch.

Wrth edrych ar y blodau ar y bedd, ar ôl yr angladd, fe welwyd yn eu plith dorch ddrud gan Mr. a Mrs. Parsons, yr unig dro iddo roddi torch ar fedd un o'i weithwyr.

Fe briododd Ciwrat y pentref, y Parch. Aubrey Harris, y ferch brydferth Tabitha Powel, ac yr oedd ei brawd, y Cynghorwr Evan Powel, o'i go am iddi briodi yn yr Eglwys ac am fod y Gwasanaeth priodas yn Saesneg er nad oedd ef yn poeni am Eglwys na Chapel na Chymraeg. Ar ôl y mis mêl, fe aeth y ddau i fyw i dŷ yn *High Street*, ac yr oedd Tabitha wrth ei bodd am ei bod wedi codi uwchlaw'r gweithwyr a'u bywyd digysur. 'Roedd gwynt chwys a drewdod tŷ bach y tu allan i'r tŷ wedi mynd ar ei nerfau.

Mrs. Myfanwy Powel a ofalai am y ddwy hen wraig, ei mam a Mrs. Hanna Powel. Cenhedlaeth o wragedd gweddwon oedd yr hen genhedlaeth erbyn hyn. Ar wahân i ychydig eithriadau, yr oedd y gweithwyr yn marw o flaen eu gwragedd. Anodd iawn i Fari Hopcin oedd eistedd yn segur am fod arni ormod o awch i wneud rhywbeth—gwnïo neu lanhau neu wneud bwyd, ond yr oedd yr awydd yn fwy na'r nerth. 'Roedd ganddi ddigon o ddillad ar y llofft, a rhai ohonynt mor hen nes eu bod yn pryfedu. 'Roedd wrthi yn gwneud blows iddi hi ei hun, ond fe fu fisoedd lawer cyn ei gorffen. Am Hanna Powel fe gymerodd merch ifanc ei lle hi fel gwidwiff ar ôl y Rhyfel, merch wedi cymryd cyrsiau mewn ysbyty ar fydwreigiaeth. Ond ar ôl iddi ddechrau ar ei gwaith fe gafodd Hanna Powel fynd gyda hi rhag iddi orffen ei gwaith yn rhy sydyn. Ar ôl i'r babi ddod i'r byd, fe fyddai'r nyrs ifanc yn ei roi i Hanna Powel, ac fe fyddai yn crio wrth ddal y babi ac yn dweud yn ei dagrau: Onid yw e yn bert? Yn wir, yr oedd yr hen wraig wedi mynd yn wirion feddal, ac yr oedd yn dipyn o boendod. Fe gafodd orffen cyn hir. Dwy hen wraig benwyn yn eistedd wrth y tân, a'r tebot ar y pentan. 'Roedd Hanna Powel wedi claddu ei gŵr ers blynyddoedd, a byddai yn meddwl yn amal amdano, ond meddwl ychydig ar y tro. Yr hyn a welai hi gliriaf oedd y llygaid wedi eu llosgi. Am Fari Hopcin, nid oedd hi yn credu fod ei gŵr wedi marw: 'roedd yn disgwyl clywed sŵn ei esgidiau hoelion am hanner awr wedi chwech y bore, hanner awr wedi dau y prynhawn a hanner awr wedi deg y nos. Pan glywai sŵn yr hwter fe fyddai'n crio, a dywedai wrthi hi ei hun nad oedd am fyw yn hir ar ôl ei gŵr. Dwy hen wraig benwyn wedi codi teulu, ac wedi cadw deupen y llinyn ynghyd trwy'r blynyddoedd, er i Fari Hopcin lwyddo yn llawer gwell na Hanna Powel. Dwy o famau gweithgar Gwaun-coed oedd y rhain: breninesau dewr y pentrefi diwydiannol.

Fe gafodd y ddau Weinidog, y Parch. Morris Parri a'r Parch. Llechryd Morgan alwad tua'r un pryd. Ar ôl ei chael, tuedd y Parch. Llechryd Morgan oedd ei derbyn am nad oedd yn gymeradwy gan bobol y pentre a chan aelodau ei Gapel. Yr oedd wedi cael ei erlid a'i gam-drin. 'Roedd ei wraig yn bendant y dylai ef ei chymryd gan ei bod hi wedi blino ar yr hen le. Ni fedrai hi fyth faddau i'r bobol am ei dychryn pan dorrwyd ffenestri'r tŷ. Er hyn, fe welai'r Gweinidog mai ei ddyletswydd ef oedd gofyn am arweiniad yr Ysbryd Glân. Fe ddwedodd wrth y diaconiaid ei fod wedi cael yr alwad, a'i fod yn ei hystyried hi, a chlywodd yr holl aelodau ei fod ef yn eu gadael hwy ac yn symud i Gapel arall. Fe ddwedodd dau aelod ifanc wrth y diaconiaid eu bod hwy am godi'r mater ar ôl y bregeth y nos Sul gyntaf pan oedd y Gweinidog i ffwrdd, ac ar y nos Sul honno fe ddywedwyd wrth y Gweinidog dierth am fynd ar ôl canu emyn ar ôl y bregeth, a dywedwyd wrth Mrs. Llechryd Morgan eu bod am iddi hithau fynd hefyd. Yna fe gododd Mr. Eseia Thomas ar ei draed:

' 'Rydyn ni i gyd wedi clywed fod yn Gweinidog wedi câl galwad, ond 'rwy i am gynnig ein bod ni yn gofyn iddo am aros 'ma. Pan own i yn filwr ym Mharis fe glywes i sut y triniwyd yn Gweinidog: 'i erlid, 'i gam-drin a gostwng 'i gyflog. 'Dwy i ddim yn basiffist, ond fe ymladdson ni dros ddemocratiaeth a rhyddid, a dyna chi yn cosbi dyn am ddweud ei farn. 'Doedd fy rhieni i ddim yn gallu sgrifennu, ond fe sgrifennws y Gweinidog lythyr bob wsnoth drostyn nhw. Ac fe gefes i lythyr ganddo bob mis, a phob aelod yn y Capel hwn. Fe weithodd y Gweinidog yn galed, a hynny ar gyflog bach, pan oedd rhai ohonoch chi yn gneud arian mawr wrth werthu nwydde tan y cownter. 'Rydych chi wedi trin job gweinidog yn gywilyddus: y mae'n warth i Gristnogaeth. Felly, 'rwy i yn cynnig yn bod ni yn gofyn iddo aros, a mwy na hynny, yn bod ni yn rhoi *bonus* ar ben 'i gyflog. Ma cyfloge gweithwyr wedi codi yn ystod y Rhyfel, ac ar ôl hynny, ac fe ddylen ni gynnal yn gweinidogion yn anrhydeddus.'

'Roedd y distawrwydd yn y Capel yn llethol: fe allech glywed pin yn cwympo. Yna fe gododd Mr. Simon Davies ar ei draed:

' 'Rwy'n eilio yr hyn a ddywedodd Mr. Thomas. Yn y Dwyren Canol y bues i yn ymladd, ac fe ges y fraint o aros mewn gwersyll yn ymyl Jerwsalem. Fe fues yn yr Eglwys lle mae Calfaria, a phan glywes i mewn llythyr sut yr ôch chi wedi ymddwyn at y Gweinidog, fe feddylies i mor annheilwng ôch chi o'r Gŵr a fu'n hongian ar y Grôs. 'Dwy inne ddim yn basiffist, er 'y mod yn ame yn fawr a awn i ymladd eto wrth weled y *politicians* yn llunio'r Heddwch yn Versailles. Ond y mae gan yn Henwad ni draddodiad heddychol: rhai fel S.R., Henry Richard a Gwilym Hiraethog: hen Radicalied a hen heddychwyr. Ma'r Parch. Llechryd Morgan yn y traddodiad hwn, ac y mae trefn y traddodiad yn adeg Rhyfel yn golygu aberth, a gwawd a dirmyg. Wel, mae'n Gweinidog ni wedi cadw'r traddodiad yn yn dyddie ni. I ddangos yn bod ni yn gwerthfawrogi ac yn edmygu 'i ymdrech a'i aberth 'rwy'n eilio'r cynnig i ofyn iddo aros yma ac i godi 'i gyflog.'

Fe gododd y prif ddiacon i ofyn a oedd gan rywun arall rywbeth i'w ddweud neu a oedd gan rywun welliant i'w gynnig. Ni chododd neb. Fe roes y cynnig gerbron, a chododd pawb ei law drosto. Pan ddywedodd y prif ddiacon wrtho yn gwta am farn unfrydol yr Eglwys, (canys y diacon hwn, Mr. Lewis Powel, oedd y cyntaf i awgrymu y dylid gostwng cyflog y Gweinidog yn ystod y Rhyfel am ei fod yn heddychwr, ac ato ef, fel groser y cyfeiriwyd pan ddywedwyd fod rhai pobol yn gwneud arian mawr wrth werthu nwyddau o dan y cownter) yr oedd y Gweinidog yn fud gan lawenydd, ac ymhen ysbaid fe gasglodd eiriau ynghyd i ddiolch iddo. Pan ddywedodd wrth ei wraig, nid oedd hi am dderbyn cynnig yr Eglwys am eu bod yn rhagrithwyr. Ei erlid yn ystod y Rhyfel a gostwng ei gyflog, ac yn awr gofyn iddo aros. 'Roedd y cynnig yn dwyll ac yn anonestrwydd.

' Wraig fach, 'rwy i wedi gweddïo ar yr Ysbryd Glân am arweiniad, a dyma'r Ysbryd Glân yn f'arwain drwy farn yr Eglwys.'

Ni allodd y wraig rwgnachus wrthwynebu arweiniad yr Ysbryd Glân. Ar ôl hyn fe fu'r Gweinidog yn pendroni, ac fe welodd nad oedd y bobol ifainc yn cael digon o le yn yr Eglwys. Yn y dosbarth llenyddol, ef a darlithwyr eraill o'r tu allan a fyddai yn darlithio, pobol mewn oedran: ni fyddai pobol ifainc yn annerch ac fe ofynnodd i bobol ifainc ei Eglwys ddarllen yn eu tro bapurau ar S.R., Henry Richard, Gwilym Hiraethog ac Annibynwyr eraill: a gofyn i bobol ifainc o'r tu allan, ac fe roes y Parch. Cynddylan Hopcin ddarlith ar Tolstoy a Thaliesin Niclas bapur ar Emrys ap Iwan. Fe gawsant fwy o le yng ngwasanaethau'r Sul: y Gweinidog yn gofyn iddynt bob un yn ei dro ddarllen pennod o flaen y bregeth, darllen yr emynau, a gweddïo yn gyhoeddus, ac oni allent weddïo o'r frest, llunio gweddi a'i dysgu ar gof, a darllen gweddi hefyd os byddai raid.

Pan gafodd y Parch. Morris Parri yr alwad, ei duedd yntau oedd ei derbyn a hynny am amryw resymau, ac un ohonynt oedd marwolaeth Tomos Hopcin. Fe welai'r golled ar ôl y blaenor hwn, gŵr y gallai ddal pen rheswm ag ef am ei fod yn ymddiddori mewn diwinyddiaeth. Hefyd yr oedd yn rhyw dueddu i gredu fod rhagfarn yn ei erbyn fel Gogleddwr yng Ngwaun-coed. Pan ddywedodd y diweddar Gomer Powel wrtho mewn sgwrs yn ei dŷ:

'Mae'n well gita fi witho gyta blydi *Chinaman* na gyta Northyn y diawl,'

fe arhosodd y peth yn ei lasog. Nid oedd am fynd o'r De am ei fod yn Ogleddwr, ond yr oedd yn synio ei fod tan anfantais wrth bregethu'r Efengyl fel Gogleddwr yn y De. 'Roedd y rhagfarn hon yn ei boeni. Fe gofiodd am Daliesin Niclas, a phenderfynodd ofyn barn y gŵr ifanc dysgedig a diwylliedig hwn; a phan oedd adre ar ei wyliau, fe aeth i'w weld.

'A oes rhagfarn, Mr. Niclas, yn erbyn y Gogleddwyr yn y pentre hwn, ac os oes, beth ydyw'r rheswm?'

'Wel, 'rwy i yn credu fod y Gogleddwr yn y De a'r Deheuwr yn y Gogledd yn wŷr o'u cynefin, ac y mae gŵr o'i gynefin yn ddyn dieithr ac od. Y mae eich tafodieth yn od. 'Rwy'n cofio pan odd bechgyn fel Cynddylan Hopcin, Ianto Powel a fi, ac eraill yn eistedd ar y galeri yn y Capel, 'rown ni'n gwneud sbort am ben ych iaith chi; ar eire fel "rŵan" ac "efo". 'Roedden ni yn ych galw chi yn Mr. Rŵan a'r Parch. Efo: ond sbort diniwed oedd e! Erbyn hyn mae rhai o'm cenhedlaeth i wedi cael cymysgu â'r Gogleddwyr yn y Coleg, Urdd Gobaith Cymru a'r Eisteddfod Genedlaethol: ond nid oedd yr hen weithwyr wedi cymysgu gyda nhw o gwbwl. Ond 'rodd 'y nhad yn eithriad. 'Does gydag e ddim rhagfarn o gwbwl am fod gydag e fodd i fynd i'r Eisteddfod Genedlaethol bob blwyddyn.'

' Y mae'r rhagfarn hon yn poeni dipyn arna i, Mr. Niclas.'

' 'Dwy i ddim yn gweld pam y mae'n rhaid i'r rhagfarn ych poeni, Mr. Parri. Yn un peth, y mae llawer o'r hen weithwyr wedi marw erbyn hyn, rhai fel Gomer Powel ac eraill. A pheth arall, Cymro yw Gogleddwr a Deheuwr. 'Rŷn ni yn perthyn i'r un genedl. Nid peth Cymreig yn unig yw'r gwahaniaeth rhwng De a Gogledd. Ma gwahaniaeth rhwng De a Gogledd yn Lloegr: rhwng De a Gogledd yn yr Almaen, rhwng y Prwsiaid a'r Bafariaid: gwahaniaethe rhwng De a Gogledd Ffrainc, yr Eidal a gwledydd eraill. Ond nid yw'r gwahaniaeth rhwng De a Gogledd ym mhob un o'r gwledydd hyn yn ei chadw rhag bod yn un genedl. Y mae'n rhaid i ni edrych ar Gymru, Mr. Parri, yn genedlaethol. A phan fydda i yn priodi'r ferch o Bwllheli fe fydd yn briodas Gogledd a De, Mr. Parri: ac fe fyddwn yn eich gwahodd chi i'r briodas, a gobeithiaf yn fawr y gellwch ddod.'

' Diolch yn fawr am eich gwahoddiad Mr. Niclas, ac mi ddof o ba le bynnag y byddaf. A diolch hefyd am eich barn a'ch cyngor.'

Fe ofynnai'r Parch. Morris Parri yntau am arweiniad yr Ysbryd Glân ar yr alwad, ac ar ôl ystyried a gweddïo, derbyn yr alwad a wnaeth, a mynd yn weinidog ar Gapel yn ymyl Bangor.

Fe ddaeth breuddwyd Telynfab Niclas i ben. Fe gyrhaeddodd ei uchelgais fel bardd. Fe gafodd o'r diwedd farddoniaeth Gymraeg wrth ei fodd sef Pryddest Goronog Cynan yn Eisteddfod Genedlaethol Caernarfon yn 1921, ' Mab y Bwthyn '. Fe'i darllenodd hi lawer gwaith, a medrai adrodd darnau ohoni ar gof. Ei fab ef, Taliesin Niclas, oedd Mab y Bwthyn, a phrofiadau ei fab yn y Rhyfel oedd profiadau hwn. Testun y Bryddest yn Eisteddfod Castell-nedd yn 1926 oedd ' Aberth ', y math o destun a oedd yn boblogaidd; ac fe aeth ati i lunio Pryddest, a Phryddest yn disgrifio aberth tad y milwr, ac nid aberth y milwr. Fe gafodd lythyr oddi wrth ysgrifennydd yr Eisteddfod fore dydd Gwener yn gofyn iddo ddod i'r Eisteddfod ac y byddai'r cadeirio tuag wyth nos Sadwrn. Fe ddwedodd wrth ei bartner Sioni yn gyfrinachol, a phenderfynodd y ddau fynd i Gastell-nedd ar ôl te. Ar ôl cyrraedd fe aeth y ddau i dafarn yn ymyl neuadd yr Eisteddfod, ac yr oedd Telynfab wedi penderfynu nad yfai fwy na dau beint: fe fyddai dau beint yn llonyddu ei nerfau cyn y cadeirio, ond fe fyddai mwy na dau yn beryglus. Ond yr oedd hanner dwsin o feirdd yn y bar, a rhai ohonynt wedi ceisio am y gadair, ac fe ddwedodd Sioni wrthynt mai Telynfab a oedd yn mynd i ennill; a rhaid oedd llon-gyfarch y bardd buddugol trwy dalu am gwrw iddo. Pan aeth Telynfab a'i gyfaill i'r neuadd, eisteddasant yn y pen-ôl, yn ôl arfer y beirdd a enillai gadair; ac wrth edrych ar y llwyfan a'r gadair arni fe welai ychydig niwl arnynt. Pan ddaeth y cadeirio, fe safai'r beirdd yn hanner cylch oddeutu'r gadair ac fe ddaeth y Parch. Cynlais Williams, Gweinidog gyda'r Annibynwyr, i draddodi ei feirniadaeth. Derbyniwyd deg o bryddestau, ac ar ôl beirniadu naw ohonynt, fe ddaeth at y Bryddest orau, Pryddest gan Eos y Waun (ffugenw a roes Telynfab Niclas ar ei bryddest o barch i'r hen delynor). 'Roedd y naw wedi canu i aberth y milwr, ond yr oedd hwn wedi canu i aberth tad y milwr. 'Roedd hwn wedi torri llinell newydd. Ni ellid cytuno â rhai pethau yn ei bryddest, fel:

Y tad yn llyncu peintiau ar y fainc
I foddi'r pryder am ei fab yn Ffrainc.

Arwydd o wendid oedd hyn, ac ni allai dirwestwyr gytuno mai doeth oedd boddi pryder mewn cwrw. Yn ôl y bardd hwn fe fu farw'r fam ar enedigaeth ei phlentyn a phe byddai'r unig fab hwn yn cael ei ladd yn Ffrainc ni fyddai ganddo neb.

Daeth bywyd a marwolaeth yr un pryd,
Angladd a bedydd, a choffin a chrud :
Nid oedd ganddo fam i'w fagu yn ei chôl,
Fe'i magwyd ef mewn rhyw ddieithr siôl :
Pe collwn y mab hwn yn y frwydr yn Ffrainc,
Fe fyddwn fel eos yn y nos heb gainc :
Neu fel colomen unig, colomen frith,
Heb aden a heb gymar a heb nyth.

Wedyn y mae yn cymharu aberth Duw ag aberth y tad hwn, ac y mae'n tueddu i gablu wrth gymharu aberth Duw ag aberth dyn:

Mor unig oedd y nef pan anfonodd Duw
Ei Unig-anedig i'r byd i fyw :
Mor wag y nef a'r Orsedd mor arw
Pan oedd yn hongian ar Ei Groes yn farw :
Ond fe gododd o'r bedd i'w orsedd-fainc ;
Ond ni ddaw'r bechgyn o'r beddau yn Ffrainc.

Er hyn oll, y mae hon yn Bryddest arbennig iawn. Y mae ei gwaeth wedi ei choroni yn yr Eisteddfod Genedlaethol. Y mae'n wir fod dylanwad Pryddest Cynan, ' Mab y Bwthyn ', arni; ond y mae ei thema yn wahanol. Heb os nac oni bai, hon yw'r Bryddest orau, ac y mae yn wir deilwng o'r Gadair a phob anrhydedd. Ar ôl i'r Arweinydd alw ar ' Eos y Waun '

306

i sefyll ar ei draed, fe safodd Telynfab Niclas ym mhen ôl y neuadd, ac fe aeth dau fardd i'w gyrchu; ac yn wir 'roedd yn dda gan y bardd buddugol gerdded ym mreichiau'r ddeufardd. Fe safodd yn sigledig o flaen ei gadair, ac wedi dadweinio a gweinio'r cledd ac i'r beirniad weiddi:

Gwaedd uwch adwaedd; a oes Heddwch?
Heddwch!
Sŵn uwch atswn; a oes heddwch?
Heddwch!
Sgrech uwch atsgrech! a oes Heddwch?
Heddwch!

Yr oedd yn ollyngdod i Delynfab gael eistedd yn y gadair a gwrando ar gyfarchion y beirdd. Y gystadleuaeth nesaf oedd y prif adroddiad, 'Ymson y Llofrudd', ond nid oedd gan Delynfab lawer o ddiddordeb yn yr adrodd, ac yn enwedig yn y dull dramatig o adrodd a oedd yn boblogaidd ar y pryd, sef gosod un droed o flaen y llall, gosod llaw ar y fron, codi a gostwng y llais, a hwnnw yn llais gwneud,—llefaru yn felodramatig. Fe edrychodd Telynfab i'w ochor dde, ac yno yr oedd yr ysgrifenyddes yn eistedd wrth y bwrdd: merch dal, denau; daliodd ei llygad a rhoes winc iddi. 'Iesu gwyn,' meddai wrtho ei hun, 'dyna bishyn handi mewn gwely. Ffein art, myn yffarn i.' Pan roes y beirniad ei feirniadaeth ar y prif adroddiad beiodd y Pwyllgor am ddewis hen ddarnau fel 'Ymson y Llofrudd'; a dyma Delynfab heb yn wybod iddo yn ategu'r sylw. 'Mae'n hen bryd crogi'r diawl.' Dyna'r gynulleidfa yn chwerthin, ac wrth edrych arni yn y niwl, fe welodd ef fod rhai yn gwgu arno am ddweud 'diawl', ac yr oedd yn amlwg fod yr arweinydd yn cilwgu arno o ymyl y llwyfan. 'Gobeithio nad ydyn nhw ddim yn gweld 'y mod i wedi 'i dal hi.' Fe aeth y beirniad ymlaen a dweud ei fod yn falch fod y bardd cadeiriol yn cytuno ag ef, a'i fod wedi mynegi'r peth mewn dull na allai neb ond bardd ei fynegi. Y gystadleuaeth nesaf oedd unawd soprano, 'Y Golomen Wen'. Dewiswyd tair yn y rhagbraw i ganu ar y llwyfan, a daeth y tair yn eu tro, a phob un yn sefyll o flaen Telynfab a eisteddai yn ei gadair. Syllodd yn fanwl ar du ôl pob un ohonynt: y gwallt, y gwddwg, y canol, y pen-ôl a'r coesau; ac yr oedd wedi sylwi ar fronnau pob un ohonynt wrth gerdded i'r llwyfan. Beiodd y beirniad cerdd hefyd y Pwyllgor am ddewis hen gân fel 'Y Golomen Wen': a dyna Delynfab yn gweiddi:

'Ma'n hen bryd inni sgriwo gwddwg y 'deryn 'ma,' a dyna chwerthin eto, a'r beirniad cerdd yn dal fod y bardd cadeiriol wedi mynegi'r peth yn well nag ef. Ar ôl y feirniadaeth dyna'r Arweinydd yn mynd at Delynfab a dweud wrtho fod rhywun am ei weld ym mhen ôl y neuadd, ac fe aeth yr Arweinydd gydag ef. Pan aethant yno nid oedd neb yno, a dwedodd yr Arweinydd wrth Delynfab ei fod am ei gael o'r llwyfan am ei fod wedi yfed gormod.

'Pryd ca i 'nghader?' gofynnodd Telynfab.

'Yr arfer,' atebodd yr Arweinydd, 'yw 'i gadel hi tan ddiwedd yr Eisteddfod.'

'Ond,' ebe Telynfab, 'ma'r bws ola o Gastell-nedd yn mynd am un-ar-ddeg.'

'O, dewch i nôl hi tua chwarter i un-ar-ddeg,' oedd ateb yr Arweinydd.

'Roedd Telynfab yn falch ei fod yn ddyn rhydd, ac fe aeth ar ei ben i'r un dafarn. Fe gafodd longyfarchiadau gan yr yfwyr, a chwrw am ddim tan *stop-tap*, a than ddylanwad y cwrw a'r Gadair nid oedd goll ar ei barabl.

' 'Rwy'n falch, bois, 'y mod i wedi ennill y Gader yn onest.'

' O,' meddai bardd o Gwm-twrch, ' ôs 'na rhai yn 'i hennill yn anonest?'

Yna fe adroddodd Telynfab hanes y bardd hwnnw yn Llanwrtyd a dalodd am ei bryddestau.

' 'Rwy'n falch ed o'r feirniadeth. Y ma gwâth hwn wedi ennill yn yr Eisteddfod Genedlaethol. Dyna i chi ganmolieth, bois. 'Dyw beirdd fel T. Gwynn Jones, W. J. Gruffydd, Robert Williams Parry a T. H. Parry-Williams yn ddim ond sbarbils.'

' 'Nawr, 'nawr,' meddai bardd o Resolfen, ' 'dwyt ti ddim yn rhoi dy hun yn well na'r rhain.'

' Otw,' atebodd Telynfab. ' Ydy'r werin ddim yn deall barddoniaeth y rhain: dim ond ysgolheigion. Bwyd i jiraffs yw 'u barddoniaeth nhw. 'Rwy'n falch 'y mod i wedi ennill Cater cyn marw: fydda i ddim byw yn hir eto.'

Wrth siarad â'i gilydd ar ôl cau'r dafarn, dyma Delynfab yn cofio am y bws olaf: a rhuthrodd ef a'i gyfaill i'r neuadd i nôl y Gadair, ond ni allent ei chael ar y pryd am fod un o'r cystadleuwyr ar yr her-unawd yn canu. Ar ôl i hwnnw orffen, fe gafwyd y Gadair, a'i chludo ar ruthr i gwrdd â'r bws, ond yr oedd y bws olaf wedi mynd. Nid oedd dim amdani ond cario'r Gadair bob cam o Gastell-nedd i Waun-coed gan obeithio y byddai modur neu lori yn eu pasio. Fe gariodd y ddau y Gadair bob yn ail ar eu cefnau: ac wedyn, fel newid, gario'r Gadair rhyngddynt. Ni ddaeth yr un modur na'r un lori heibio iddynt.

' Trueni na fydde rhyw ddiawl wedi marw,' meddai Telynfab.

' Pam?' gofynnodd ei gyfaill.

' I ni gâl cario'r Gater 'ma yn yr hêrs.'

Pan oeddent rhwng Bryn-coch a'r Rhos, yr oedd y ddau wedi blino.

' Gad inni gâl sbel fach,' meddai Telynfab.

Fe roes y Gadair ar ochor yr heol, eistedd ynddi a chyn hir yr oedd yn cysgu fel twrch. Pan welodd ei gyfaill fod Telynfab yn cysgu, fe orweddodd yntau yn ymyl y Gadair ar y glaswellt, a chysgu fel craig. Rywbryd yn ystod y nos fe ddihunodd Telynfab yn wyllt; ac ni wyddai lle yr oedd, ond fe glywodd y Gadair otano, ac fe gofiodd. Fe ddihunodd ei gyfaill trwy ei shifflad: ac fe gariodd y ddau y Gadair bob yn ail ar eu cefnau. Wrth ddod i ben y bryn uwch Gwaun-coed, fe welsant olau:

' Telynfab, ma'n nhw'n tapo ffwrnes.'

' Pwy dapo ffwrnes ar fore Sul, y mwlsyn. Na, wir ma hi yn gwawrio.'

'Roedd y ddau yn ffodus fod y trigolion yn eu gwelyau pan oeddent yn cario'r Gadair trwy'r strydoedd. Fe aeth y ddau i'r gwely a chysgu tan ginio.

Yn ôl ei arfer, fe aeth Telynfab i'r Ceiliog Coch nos Lun ar ôl ennill y Gadair, a nos Iau a nos Sadwrn, ac fe gafodd longyfarchiadau gan y tafarnwr a phawb yn y dafarn: a chan yr holl Sosialwyr yno, ond un, y Cynghorwr Evan Powel. Fe welodd Telynfab hi'n chwith am na chafodd ei longyfarch gan hwn, ac yntau yr unig un. Fe gafodd gwrw am ddim hefyd y nosweithiau hyn. Ar ôl clywed mai efe a oedd i gael y Gadair fe ddanfonodd deligram at ei fab, Taliesin Niclas, a chafodd deligram yn ôl, a llythyr wedyn yn ei longyfarch ar ei fuddugoliaeth. Nid oedd wedi dangos ei Bryddest i'w fab rhag i ŵr gradd fel efe ei beirniadu yn drwm, a hefyd am ei fod yn sôn am ei fab yn y

Bryddest. Fe gafodd lythyr yn ei longyfarch gan y Parch. Cynddylan Hopcin o Gwm Rhondda. Fe alwodd y Parch. Morris Parri yn ei dŷ i'w longyfarch a gofyn am gopi o'r Bryddest i'w darllen, a dywedodd Telynfab wrtho ei fod yn bwriadu ei chyhoeddi yn ' Y Golofn Farddol ' yn *Llais y Werin*. Y Parch. Llechryd Morgan a alwodd hefyd i'w longyfarch a gofyn am gopi o'r Bryddest, ac yr oedd Telynfab Niclas yn edifarhau am iddo fod mor frwnt wrth y Gweinidog yn ystod y Rhyfel. Ar y stryd yr oedd gwŷr a gwragedd yn ei longyfarch ac yn enwedig y rhai a helpodd yn eu cyfyngderau. Fe'i llongyfarchwyd gan y clercod yn y Swyddfa Yswiriant, a chan bennaeth y Cwmni. Fe gafodd lythyr yn ei longyfarch gan Gadeirydd Cymdeithas Telyn Tawe a Thwrch, a dywedwyd yn y llythyr mai Telynfab ei hun a gychwynnodd y Gymdeithas yn uniongyrchol. Pan wrthododd Telynfab ganu yng nghôr y Capel am nad oedd telyn yn y gerddorfa, fe sgrifennwyd llythyr i *Llais y Werin* yn gofyn i'r rhai a ymddiddorai yng Ngherdd Dant gyfarfod â'i gilydd ac felly y cychwynnwyd y Gymdeithas i brynu telynau, dysgu eu canu a chanu penillion gyda'r delyn. Am fis yr oedd ' Y Golofn Farddol ' yn llawn o gerddi llongyfarch beirdd y Cwm. Oedd, yr oedd yr hen Delynfab Niclas ar gefn ei geffyl. Yr oedd yn arwr. Yr oedd yn fardd yn ôl Braint a Defod Beirdd Ynys Prydain. Yr oedd yn fardd yn llinach beirdd Morgannwg. Fe âi yn aml i'r parlwr i weld y Gadair, a gosodwyd hi yn ymyl telyn Eos y Waun, a honno wedi ei haildantio erbyn hyn, a'r mab yn ei chanu yn ystod y gwyliau. Er hyn, nid yn ennill y Gadair yr ymfalchïai Telynfab fwyaf, ond yn y Bryddest, y Bryddest y mynegodd ef ei brofiadau fel tad yn ystod y Rhyfel orau y gallai. Nid oedd dim mewn bywyd fel barddoniaeth.

Ymhen rhyw dri mis ar ôl hyn, fe aeth Telynfab ar nos Sadwrn, yn ôl ei arfer, i'r Ceiliog Coch, ac ar ôl eistedd wrth y bwrdd yn y gornel fe welodd Sioni fod golwg wael arno.

'Sut mae'r hwyl, Telynfab?' gofynnodd.

'Gweddol, fachan. Ma'r hen bletren 'ma wedi mynd mor wan fel 'y mod i yn gorffod cwnnu yn amal yn y nos. Ma hi wedi bod yn hen bletren dda; mae hi wedi dal morodd o gwrw. A ma'r hen gorff ed yn rhwymo. Wyt ti'n cofio'r hen bennill, Sioni?

> Yr iach a gach y bore,
> A'r afiach a gach yr hwyr ;
> Yr afiach a gach bob yn dipyn bach,
> Ond yr iach a gach yn llwyr.

Ie, yr afiach a gach bob yn dipyn bach. Ma cachfa dda yn fendith. Yn yn oedran i, Sioni, ma cachfa dda yn well na chnwch. Ma'r hen dwll tin bach yn bwysig. Ma diwinyddieth, athronieth, barddonieth a bywyd i gyd yn dibynnu ar dwll tin. Pan ma'r hen dwll bach yn caead, ma hi yn ddominô ar ddyn. Ma arna i ofan marw, Sioni: ofan gatel yr hen fyd 'ma. 'Rw i wedi câl tipyn o sbort yn ystod y blynydde: wedi mwynhau barddonieth, cerddorieth, cwrw a menŵod. 'Rwy wedi rhoi cyfrinache mwya 'mywyd i ferched. 'Rodd merch, Sioni, yn rhyddhau 'nhafod i, ac yn y nos i arllwys iddi gyfrinache 'y mola a 'mherfedd. Peint bach arall.'

Fe aeth Telynfab at y cownter i ordro dau beint a phwy oedd yno yn ordro peintiau yr un pryd ond y Cynghorwr Evan Powel. Ac meddai Telynfab wrtho:

'Ti, Ianto Powel, odd yr unig un na rows longyfarchiade i fi. Pam, dwed?'

'Pam odd yn rhaid i fi roi congrats i hen Dori fel chi. 'Rŷch chi ishe catw yr hen fywyd, catw'r Gwmrâg a chatw'r . . .'

Ar hyn fe glywodd Telynfab boen yn ei ben ac am fod ei bledren yn llawn fe aeth i'r lle dynion. Fe fu yn hir cyn dod yn ôl, ac fe aeth Sioni i edrych amdano: a dyna lle'r oedd wedi cwympo ar lawr y lle dynion, a gwaed yn rhedeg o'i enau i'r dŵr yn y cafn concrit. Rhuthrodd Sioni yn ôl i'r dafarn, a gweiddi fod Telynfab wedi cwympo. Cariwyd Telynfab i gegin y dafarn, a'i roi i orwedd ar y cowtsh; galwyd y doctor, ond yr oedd wedi marw cyn ei ddod. ' Strôc,' meddai'r doctor. Danfonodd Sioni deligram at ei fab, Taliesin Niclas. Am nad oedd Gweinidog ar Gapel Seion, fe ofynnodd Taliesin Niclas i Weinidog yr Annibynwyr, y Parch. Llechryd Morgan, gladdu ei dad, ond nad oedd eisiau iddo roi pregeth angladdol: dyna oedd dymuniad ei dad: dim ond gwasanaeth claddu uwchben y bedd. Ar ddiwrnod braf ym mis Mai y claddwyd Telynfab Niclas, pan oedd y coed a'r blodau yn y gerddi a'r lawntiau yn eu gogoniant; y berth o amgylch y fynwent yn fyw gan gân adar, a'r wybren yn llawn clomennod. Wrth i'r angladd ddringo trwy'r heol, meddwl am ei ddaioni a wnaeth pobol, talu yswiriant pobol dlawd yn ystod streic ac yswiriant gwragedd a adawyd yn weddwon gan ddamwain sydyn. Daioni dyn sydd yn byw ar ei ôl: y mae ei ddrygioni yn cael ei gladdu gydag ef. Yn yr angladd fe gofiai'r Parch. Cynddylan Hopcin a'r Cynghorwr Evan Powel am ei haelioni iddynt yn y ffair a'r syrcas, pan oeddent yn blant. Y tu ôl i'r arch fe gerddai'r mab a'r ferch o Bwllheli, ac yr oedd Taliesin Niclas yn falch fod ei ddyweddi yn gefn iddo yn ei alar a'i hiraeth. Wrth y bedd yr oedd hi yn od gweled y

Parch. Llechryd Morgan yn claddu Telynfab Niclas: gweled heddychwr yn claddu rhyfelwr, dirwestwr yn claddu potiwr, bwytawr llysiau yn claddu bolgi a phregethwr yn claddu pagan. Ar ôl canu 'O fryniau Caersalem ceir gweled', fe ddowd â thelyn y tu ôl i garreg bedd i ymyl y bedd agored, ac eisteddodd telynores o'r Cwm ar stôl a chanu 'Dafydd y Garreg Wen'. Fe synnodd pawb at hyn gan mai dyma'r tro cyntaf i delyn gael ei chanu ar lan bedd, ond ni ellid cael dim mwy priodol na chanu ei hoff gainc ar delyn Eos y Waun yn angladd Telynfab Niclas.

'Roedd 'Y Golofn Farddol' yn *Llais y Werin* yn llawn cerddi coffa iddo, ac yn eu plith yr oedd cerdd goffa Telynfab, bardd olaf Y Ceiliog Coch. Yn ei gerdd fe ddywedodd na ellid claddu Telynfab Niclas ond yn nhymor yr haf: plentyn yr haf ydoedd: bardd yr heulwen: a phan gladdwyd ef yr oedd y coed, y blodau a'r adar i gyd yn canu o lawenydd; ac yr oedd yr hen fam ddaear yn falch o dderbyn ei phlentyn yn ei chôl eilwaith. Pan aeth Sioni i'r Ceiliog Coch y nos Sadwrn ar ôl yr angladd, fe eisteddai fel pelican wrtho'i hun wrth y ford yn y gornel—ac, yn ôl yr arfer, fe gadwyd cadair Telynfab Niclas yn wag am wythnosau. Ar draws y casgenni llestri a'r poteli ar y silffoedd y tu ôl i'r cownter yr oedd crêp du, fel pe byddai'r gwirodydd a'r cwrw yn galaru ar ei ôl. Unig oedd y bar ar ei ôl: difywyd oedd y dafarn. Fe gladdwyd brenin y beirdd gwlad yng Ngwaun-coed: y brenin olaf. Ac ymhen ychydig fisoedd ar ei ôl fe gladdwyd 'Y Golofn Farddol' yn *Llais y Werin*.

IX

'Pam yr oedd yn rhaid iddi fod yn nos?' oedd teitl y
llith olygyddol yn *Llais y Werin*. Yn ei araith yn Eistedd-
fod Genedlaethol Treorci, 1928, yr oedd Mr. Lloyd
George wedi sôn am y dirwasgiad yng Nghwm Rhondda,
ond er eu cyni a'u tlodi yr oedd pobol y Rhondda wedi
derbyn yr Eisteddfod ac yr oeddent yn canu ynddi.
'Mae adar bach y Rhondda,' meddai, 'yn gallu canu
yn y nos.' Gofyn pam yr oedd yn rhaid iddynt ganu yn
y nos a wnaeth y Golygydd; a'r ateb oedd ei bod hi yn
nos ar gyfalafiaeth, a chan Sosialaeth yn unig yr oedd
gwawr y byd newydd, byd cyfiawnder a chware teg,
byd lle y byddai gwaith i bawb a lle y câi pob plentyn
yr un cyfleusterau. Fe ysgrifennodd brodor o Waun-
coed a aeth i America, lith yn weddol reolaidd i *Lais y
Werin*, 'Llith o'r Amerig', ac yn un o'i lithiau fe
soniodd am y Cwymp Ariannol yn 1929 yn y Gyf-
newidfa Stociau yn Wall Street, canolfan ariannol y
byd: ac yr oedd y banciau ar hyd y wlad yn cau. Fe
gollodd gwŷr busnes ffortiwn mewn noson, ac fe'u
lladdodd rhai eu hunain. Yn ôl gwŷr busnes America
Iesu Grist oedd y Gwerthwr nwyddau gorau a fu ar y
ddaear erioed, ond yn awr yr oedd y Gwerthwr holl-
alluog hwn wedi methu fel hwythau. Nid oedd gan
bobol mwyach gred yng ngonestrwydd a didwylledd
yr arianwyr Cristionogol. 'Roedd pobol gyffredin wedi
colli eu cyfalaf: ym mhob tref yr oedd teuluoedd wedi
syrthio o gyfoeth i ddyled. 'Roedd rhwng deuddeg a
phedwar miliwn ar ddeg heb waith. Yn Oklahoma yr
oedd tractorau yn dymchwelyd anheddau'r gwladwyr
am na fedrent dalu'r rhent: ac fe aethant o'r dalaith
hon a thaleithiau eraill yn ecsodus i Galiffornia i chwilio

am waith, ond ar ôl cyrraedd yno yr oedd y dolerwyr yn berchen ar y gwinllannoedd, a dyn â gwn y tu ôl i bob gwinwydden. Grawnwin dicter oedd grawnwin Califfornia. Fe ddiffoddwyd y freuddwyd Americanaidd: breuddwyd am gael strydoedd yn llawn moduron: yr wybrennau yn ddu gan awyrennau: y peilonau'n cario pŵer o fryncyn i fryncyn i yrru'r peiriannau: peiriannau o bob math a fyddai'n arbed gwaith i ddyn a gwraig: a chael gwyliau i folaheulo ar Palm Beach. 'Roedd America wedi tynnu ei benthyciadau byr o'r Almaen, ac yr oedd yno laweroedd yn ddi-waith: ac yr oedd hi'n gwasgu ar Ffrainc a Phrydain i dalu eu dyledion rhyfel. Ym Mhrydain yr oedd dros dair miliwn o bobol yn ddi-waith, ac yr oedd yn flin gan y llithiwr o'r Amerig glywed am y dirwasgiad yn Neheudir Cymru, ac yn enwedig yng Nghwm Tawe, ac yn fwyaf arbennig yng Ngwaun-coed, ei bentre genedigol.

Yn y tri-degau fe gyhoeddwyd llawer o lythyrau yn *Llais y Werin*, yn ceisio esbonio'r dirwasgiad ac yn cynnig meddyginiaeth. Yn ôl llythyr un Tori, yr oedd bai ar yr Undebau Llafur am fod y gweithwyr a oedd yn gweithio, yn gwrthod rhannu'r gwaith â'r di-waith am y byddai eu cyflog yn llai. Nid oedd eisiau ymosod ar gyfalafwyr: 'roedd y gweithwyr yr un mor hunanol. Mewn llythyr gan Ryddfrydwr fe gondemniodd y Blaid Lafur—Ramsay Macdonald, Phillip Snowden a Jimmy Thomas—am ostwng tâl y di-waith. Meddylier o ddifri am y Sosialwyr yn gwneud yr anfadwaith. Nid oedd y Blaid Lafur, beth bynnag, yn gallu setlo problem y di-waith. Atebwyd ef gan y Cynghorwr Evan Powel gan ddal fod y Rhyddfrydwr yn iawn wrth ymosod ar y tri bradwr, ond nid Sosialwyr mohonynt ond hanner Rhydd-frydwyr a hanner Sosialwyr, fel ei dad: ond yr oedd y

Sosialwyr ifainc yn wir Sosialwyr fel A. J. Cook ac eraill, ac yr oedd un ohonynt wedi mynd i'r Senedd, Aneurin Bevan. Fe'i hatebwyd yntau gan Gomiwnydd, a gytunai â'r Rhyddfrydwr nad oedd unrhyw obaith i weithwyr yn y Blaid Lafur. 'Roedd Karl Marx wedi dadansoddi'r sefyllfa i'r dim, ac wedi proffwydo cwymp cyfalafiaeth. Comiwnyddiaeth oedd yr unig obaith. Nid oedd dirwasgiad yn Rwsia. 'Roedd y Cynghorwr Evan Powel yn siarad trwy ei het. Yn ei lythyr fe ddywedodd Taliesin Niclas mai 'polisi' Llywodraeth Lloeger a oedd yn gyfrifol am y dirwasgiad. 'Roedd Lloeger yn byw yn y ganrif ddiwethaf pan oedd hi'r pŵer cryfaf yn y byd, a Llundain yn ganolfan ariannol, ac yr oedd hi am aros felly o hyd. Pan aed yn ôl at y Safon Aur cadw *prestige* Banc Lloeger oedd yr amcan, a dyna ei hamcan o hyd. 'Roedd *prestige* y Banc yn bwysicach na dynion. Yn Ffrainc cymharol ychydig a oedd yn ddi-waith am fod yn y wlad honno gydbwysedd rhwng amaethyddiaeth a diwydiant, ac am fod ei llywodraeth yn amddiffyn y gwan a'r tlawd. 'Roedd hi yn llywodraeth ddynol. Mewn gwlad fach fel Sweden 'roedd y llywodraeth wedi rhoi gwaith fel gwneud heolydd i'r di-waith, ac nid eu taflu ar y clwt i bydru. Pe byddai gan Gymru ymreolaeth fe allai hi lunio polisi i genedl, rhoi gwaith i weithwyr a chadw tros chwarter miliwn rhag gorfod ymfudo ohoni. Fe ddywedodd y Parch. Cynddylan Hopcin mai materoliaeth oedd gwraidd y drwg. Fe ddangoswyd yn 'Llith o'r Amerig' fateroliaeth America; y bobol yn blysio am bob math o hawddfyd, esmwythyd a moethau. Ym Mhrydain 'roedd pobol wedi gwario yn yr ugeiniau eu harian ar bob math o bethau ofer gan godi prisiau pob dim, ac wedi hau'r gwynt, yr oeddynt yn medi'r corwynt. Y corwynt oedd y dirwasgiad. Yr

317

unig obaith oedd arfer safonau ysbrydol. Cariad oedd Cristnogaeth! Cariad Duw at ddyn, a chariad dyn at ei gymydog. 'Roedd pobol allan o waith am nad oedd cariad at gymdogion. Y Bregeth ar y Mynydd yw'r unig wleidyddiaeth ymarferol.

Ar ôl i'r Gwaith Dur ac Alcan gau, a'r pyllau glo yn ymyl y pentre, yr oedd Gwaun-coed yn ddiffeithwch, yn rhan o ddiffeithwch y byd. Distaw oedd y pentre ar ôl i'r hwter, y cloc diwydiannol, dewi; ac ni chlywid cloc larwm traed y gweithwyr a âi i'r gwaith erbyn chwech yn y bore. Ar y llwybyr troed a âi i'r Gwaith yr oedd mwswg yn tyfu, dant-y-llew a thwffynnau o laswellt cras. Ar ben to'r Gwaith Dur yr oedd brain yn sefyll, ac ar ben y staciau glomennod. Ni ddôi y mwg ohonynt i ddangos cyfeiriad y gwynt. Yn y ffwrneisiau llwydwyn yr oedd cols ar eu gwaelod: y crân a'r gantri yn llonydd fel drychiolaethau melyn: y ladl a'i moldiau yn rhydu. Yn y gwaith yr oedd gan y llygod ffreinig fwy o ryddid i redeg, ond yr oedd yn anodd hel tamaid am nad oedd yno yr un gweithiwr i daflu gweddill y bwyd o'i focs. Yn y Gwaith Alcan yr oedd ar y muriau lwydni gwyrdd. Nid oedd yr un enjin yn pwff-pwffian na'r tryciau yn clonc-cloncian, ac fe ddiflannodd yr arian o'r rhwydwaith rheiliau. 'Roedd ychydig sgrap yn ymyl y Gwaith yn felynach. Fe beidiodd y *feeder* â llifo o'r Gwaith i'r afon, ac ar ei gwaelod yr oedd ôl traed llygod. Ar y llaw arall, yr oedd yr awyr yn ymburo a'r afon yn ymloywi, a dywedid fod ynddi rai brithyllod fel y buont yno gynt.

Am y bobol ddi-waith yr oedd rhai yn clebran ar y Sgwâr ac ar gonglau strydoedd: rhai yn mynd i'r llyfrgell gyhoeddus i ddarllen papurau a llyfrau, ac eraill yn chware biliards a chwaraewyr yn well eu byd na hwy yn talu am y gêm. Fe fyddai rhai yn mynd i'r sinema yn y nos am ei bod hi yn gynnes yno, ac un o'r lluniau a ddangoswyd oedd ' The Sheik ' a Rudolph Valentino yn brif gymeriad ynddo, ond ni wnaeth neb ei fwynhau. 'Roedd rhamant yr ugeiniau wedi diflannu ym mhrofiad y tri-degau. Arwr y tri-degau yn y sinema oedd Charlie Chaplin. Fe drowyd festri Capel y Methodistiaid, Seion, a festri Capel yr Annibynwyr, Bethel, yn geginau bwyd i'r plant tlotaf. Fe fynnodd y Parch. Llechryd Morgan ostwng ei gyflog am fod llawer o'i aelodau ar y dôl, ac fe wnaeth hyn yn groes i farn yr Eglwys. Fe gaeodd rhai siopau yn y pentre, a rhai ohonynt yn siopau Iddewon, am na allent dalu rhagor o hen gownt, ond yr oedd yr hen gownt yn y Cop yn drwm. Fe âi'r Cynghorwr Evan Powel i'r Ceiliog Coch a thalu am gwrw i'w gyd-Sosialwyr, canys er ei fod yn ddi-waith fe fedrai arbed arian ar ei dreuliau fel Cynghorwr Sir: fe dalai'r Cyngor am ei drên o Waun-coed i Gaerdydd a thalu am ei ginio, ond fe âi ef yng nghar Cynghorwr arall, a mynd â bara a chig ganddo yn lle talu am ginio:

' Shwt ma'r fusnes?' gofynnodd ef i'r tafarnwr un noson.

' O, gwael iawn. Oni bai am y bobol acw,' (gan gyfeirio at swyddogion a chlercod yn y ddwy ystafell breifet) ' fe fydde'n rhaid i fi gau'r siop. Ma dou beth yn gallu sychu tafarn: diwygiad a dirwasgiad. 'Drychwch ar y slaten 'na,' (gan gyfeirio at slaten, ac enwau arni mewn sialc, a maint yr hen gownt gogyfer â phob un). 'Ond y peth sy'n poeni fwya arna i yw nad yw tîm Rygbi Gwaun-coed yn gallu mynd i ffwrdd i whare am nad oes dim arian gyta ni i dalu'r coste. Ma rhai ohonon nhw mâs o waith a ma sôn fod un neu ddou yn mynd i ffwrdd.'

' 'Dôs gyda fi ddim diddordeb mewn Rygbi. 'Rwy'n credu fod Rygbi a phethe o'r fath yn tynnu sylw'r gweithiwr rhag 'i gyflwr a'i brobleme.'

' Na, ma'n rhaid câl tipyn o whare mewn bywyd a thipyn o sbort a sbri. Ma 'na golled ar ôl y beirdd, ac ma'r ola ohonyn nhw weti marw erbyn hyn. 'Rôn ni yn 'u lico nhw am 'u bod nhw yn enjoio yfed cwrw. Wrth gwrs, 'rôn nhw yn gweud pethe carlamus weithe, ac yn amal yn mynd dros ben llestri, ond 'rôn nhw yn mwynhau bywyd. Dyna gymeriad oedd Telynfab. 'Deryn mawr—ond ŷch chi'n gwpod beth wy i yn gofio ore?'

' Na wn i,' meddai'r Cynghorwr yn swrth.

' 'I gofio fe yn coti bob nos 'rodd e yma ffon fagel y dyn naill gôs.'

Fe aeth y Cynghorwr â'r peintiau i'w gyd-Sosialwyr am na allai oddef clywed mwy am Delynfab Niclas. Fe ymfudodd dros chwarter miliwn o weithwyr heb gyfri eu teuluoedd o Gymru i wahanol ranbarthau o Loegr, a thros ddwy fil o'r rhain a'u teuluoedd o Waun-coed. Fe ymunodd cwmni o'r di-waith yn y pentre â'r orymdaith newyn i Lundain, a bu rhai yn canu emynau Pantycelyn ar y strydoedd am geiniogau. Ychydig iawn o gyngherddau a gynhelid yn awr a'r rheini i gasglu arian at y ceginau bwyd ac i gronfa'r di-waith.

Praw melltigedig oedd y Praw Morrison. 'Roedd y llywodraeth yn mynnu cael cyfrinachau teuluoedd. Pan oedd gweithiwr yn berchen ar ei dŷ, fel yr oedd llawer, fe dynnid rhent y tŷ o'r tâl: pan oedd mewn teulu fam-gu neu dad-cu neu hen berthynas fe dynnid ei bensiwn, ond ni chlywyd am unrhyw hen bobol yn myned i lety neu y wyrcws. Rhaid oedd rhoi gwybod am bob cynilion fel y difidend yn y Cop. Ond yr oedd teuluoedd Deheudir Cymru yn gyfarwydd â chyni. Fe aeth rhai gwŷr i glirio'r tipiau glo am gnapiau, fel y gwnaethant yn ystod y streic, a phan geid llawer o lo fe fuont yn ei werthu, ac fe fu eraill yn tynnu glo o hen siafftau a lefelau. Aeth eraill i drin lotments fel y gwnaethant yn ystod y Rhyfel, a gwerthu eu cynnyrch. Fe fyddai rhai a oedd yn smocio pib, yn smocio dail troed-yr-ebol wedi eu sychu yn lle tobaco, a chynnu'r bib â sbils ac nid â matshen. Fe fyddai pobol yn rholio sigaréts yn lle prynu rhai parod. Am y gwragedd, a'r gwragedd ifainc a ddysgodd oddi wrth eu mamau, fe fyddent yn prynu esgyrn a gwneud cawl ohonynt, ac yr oedd digon o amser yn awr i drin gardd, a chodi pob math o lysiau a ffrwythau, a byddai'r gwragedd yn gwneud pob math o jeli a jam ohonynt. Y bechgyn a ddaeth o'r ysgol a heb waith iddynt oedd y gofid mwyaf: i'r rhain nid oedd unrhyw le mewn cymdeithas nac unrhyw ystyr mewn bywyd.

Fe ddaeth Taliesin Niclas adre ar wyliau'r Pasg, ac yr oedd wedi trefnu gosod tŷ ei dad: nid oedd am ei werthu am y carai hwyrach ar ôl ymddeol fel athro ddod yn ôl i fyw yn ei gynefin. Ni fyddai'r celfi o unrhyw ddefnydd iddo ef ar ôl priodi'r ferch o Bwllheli, am eu bod mor hen-ffasiwn ac wedi treulio, ac yr oedd wedi addo eu rhoi i'r cymdogion tlotaf. Nid oedd am fyned â'r delyn ychwaith; addawodd ei rhoi yn rhodd er cof am ei dad i Gymdeithas Gerdd Cwmtawe. Ni fyddai telyn hen Eos y Waun yn mynd allan o'r Cwm wedyn. 'Roedd am gadw llyfrau ei dad: llyfrau barddoniaeth a'r llyfrau cerddorol fel *Gems of Welsh Melody* gan Owain Alaw, *Ancient Airs of Gwent and Morganwg* gan Maria Jane Williams ac *Alawon fy Ngwlad* gan Nicholas Bennett, ac yr oedd y llyfrau cerddorol hyn yn brin iawn. Fe fyddent o ddefnydd mawr hefyd i'r delynores o Bwllheli. 'Roedd Ianto Powel a Chynddylan Hopcin wedi addo galw i'w weld: a dyma Cynddylan yn cyrraedd a Ianto ychydig ar ei ôl.

'Llongyfarchiadau,' meddai Taliesin wrth Ianto Powel, 'ar y babi. 'Rwyt ti'n falch iawn o fod yn dad.'

'Ie, llongyfarchiadau,' ychwanegodd Cynddylan Hopcin, er nad oeddent mor gywir, am nad oedd yn fodlon fod Ianto Powel wedi priodi ei chwaer.

'Diolch, gyfeillion,' atebodd Ianto Powel. ''Dyw hi ddim yn adeg dda i eni plentyn a'r holl bobol allan o waith. Dyma fi wedi dod â llyfr Kate Roberts *O Gors y Bryniau* yn ôl i ti, Tal, ac ma'n ddrwg genni 'i gadw mor hir.'

'Beth oet ti yn feddwl ohono?' gofynnodd Taliesin.

'Ma hi yn anodd iawn deall iaith y North. Fe fydde'n well iddi sgrifennu'r llyfr yn Sysneg. Ond fe lices rai storis, y storis sydd yn dangos y bobol yn ymladd yn erbyn tlodi. 'Dw i ddim yn gwbod a yw Kate Roberts yn *Socialist*, ond ma hi wedi gwneud tro da â *Socialism* trwy ddangos y bobol 'ma yn ymladd yn erbyn tlodi.'

'Na, 'dw i ddim yn credu fod Kate Roberts yn Sosialydd. Y mae hi yn aelod o'r Blaid Genedlaethol: a pheth arall, llenor yw hi: llunio llenyddiaeth y mae hi ac nid propaganda. Beth pe bydden ni yn mynd am dro?'

''Rwy'n cynnig,' meddai Cynddylan Hopcin, 'yn bod ni yn mynd am dro i ben y Graig.'

''Rwy'n eilio,' meddai Ianto Powel.

''Rwy'n cytuno,' atebodd Taliesin Niclas, 'ond 'rwy'n awgrymu yn bod ni yn galw yn y fynwent ar y ffordd.'

' Galw yn y fynwent?' meddai Ianto. ' Beth wyt ti ishe mynd i blith y meirw? "Gadewch i'r meirw gladdu eu meirw".'

' Wyt ti'n gweld, Ianto,' atebodd Taliesin, ' mae Cynddylan a fi am dro yma, a dyma'r tro ola y cawn ni gwrdd â'n gilydd am amser hir, falle, ac y mae'n rhaid inni dalu parch i'n tadau.'

Symud o'r tŷ a cherdded at fynwent Seion, Capel y Methodistiaid Calfinaidd: mynd heibio i ochor y Capel a phan ddaethant i olwg y fynwent fe welsant yn y pen isaf ddau blisman yn edrych ar rywbeth. Mynd yno, a dyna lle'r oedd hanner dwsin o gerrig beddau wedi eu dryllio: gwydr y torchau ar y beddau wedi ei chwilfriwio, a'r blodau a oedd wedi eu gosod yno ar Sul y Blodau wedi eu lluchio i bobman.

' Dyna fandaliaeth,' meddai Taliesin Niclas. ' Amharchu'r meirw o bawb. Gobeithio y caiff y troseddwyr 'u dal a'u cosbi.'

' Mae safonau moesol y lle hwn yn dirywio,' meddai Cynddylan Hopcin.

' *Hold on*,' atebodd Ianto Powel, ' 'dyw hi ddim yn deg i dduo'r holl drigolion â'r un brwsh.'

Symud oddi yno at feddau'r tadau ac nid oeddent nepell oddi wrth ei gilydd. Edrych ar garreg fedd Telynfab Niclas a'i wraig, ac yr oedd briallu a chennin Pedr ar y bedd.

Er Cof Annwyl
am
LETITIA NICHOLAS
Ganed Mawrth 23, 1855
Bu farw Ebrill 15, 1899
' Yr hyn a allodd hon, hi a'i gwnaeth.'

Hefyd

DAFYDD TELYNFAB NICHOLAS
Bardd, Canwr, Golygydd
Ganed Mai 15, 1867
Bu farw Mai 27, 1926
' Carodd gerdd yn angerddol,
Dyma ei lwch—a dim lol.'

Fe safai'r tri yn fud o flaen y bedd. Y geiriau a ddaeth i ben ei fab, Taliesin Niclas, oedd ' Ceidwad y diwylliant gwerin ' yn y cylch: y geiriau i ben Ianto Powel, ' Blydi Tori '.

'Wyt ti'n cofio, Ianto,' meddai Cynddylan Hopcin gan dorri y distawrwydd, ' am Delynfab yn mynd â ni'n dou i'r ffair a'r syrcas pan oen ni yn grots? Dyn caredig oedd Telynfab.'

Symud at garreg fedd Gomer Powel, ac yr oedd yr hanner isaf ohoni yn wag i goffáu ei wraig pan fyddai hi farw. Gwraig Ianto, Myfanwy Powel, a oedd wedi gosod y blodau ar y bedd. Nid oedd Ianto yn credu yn y fath baganiaeth.

Er Cof Annwyl
am
GOMER POWELL
Ganed Tachwedd 5, 1860
Bu farw trwy ddamwain yn y gwaith
Awst 6, 1917
' Nid cardod i ddyn—ond gwaith.'

' Fi rows y llinell 'na ar y garreg,' meddai Ianto Powel, ' y pennill gore yn Gymraeg. Ma e wedi cân 'i adrodd lawer gwaith yng nghyfarfodydd y *Socialists*:

Nid cardod i ddyn—ond gwaith ;
Mae dyn yn rhy fawr i gardod.
Mae cardod yn gadael craith,
Mae'r graith yn magu nychdod.

324

Mae hwnna yn fwy gwir 'nawr nag yr oedd e. Cardod yw'r dôl, ac y mae yn magu nychdod.'

Y geiriau cyntaf a ddaeth i ben Taliesin Niclas wrth edrych ar y garreg fedd oedd: ' Trueni mawr 'i fod e wedi gadel y Capel.' I ben Cynddylan Hopcin: ' Fe oedd yr unig un a helpodd Llechryd Morgan yn adeg y Rhyfel.' Ac i ben ei fab, Ianto Powel, yn y distaw-rwydd ar ôl iddo siarad: ' Hanner *Liberal* a hanner *Socialist*, ond ma 'nhad yn anfarwol am 'i fod e yn rhan o fudiad y werin.' Symud at fedd Tomos Hopcin, ac yr oedd hanner isaf y garreg yn wag i goffáu ei wraig pan fyddai hi farw, ac ar y bedd yr oedd tuswâu o flodau, ac yr oedd rhywun neu rywrai wedi rhoi cennin Pedr heblaw blodau'r perthnasau.

Er Cof Annwyl
am
THOMAS HOPCIN
Ganed Medi 5, 1860
Bu farw Chwefror 16, 1925
' Wele Israeliad yn wir yn yr hwn nid
oes dwyll.'

Y geiriau cyntaf a ddaeth i ben ei fab, Cynddylan Hopcin, oedd, ' Cristion hen-ffasiwn ': i ben Taliesin Niclas, ' Un o'r saint ': ac i ben Ianto Powel, ' Blydi *superstition* '.

Wrth fynd allan o'r fynwent a cherdded ar yr heol a godai at y Graig, fe ofynnodd Taliesin Niclas i'w ddau gyfaill, gwestiwn:

' Beth yw y gwahaniaeth mwya rhwng cenhedleth yn tade a'n cenhedleth ni?'

' O,' atebodd Ianto Powel, ' y gwahaniaeth mwya yw *progress*, *science* a *socialism*.'

' Y ddiwinyddieth newydd,' atebodd Cynddylan Hopcin, ' yw'r prif wahaniaeth. 'Rŷn ni 'nawr yn rhoi'r pwyslais ar Iesu y proffwyd, ac ar 'i ddysgeidiaeth E, ac yn enwedig ar y Bregeth ar y Mynydd. Beth yw dy farn di, Tal?'

'Y gwahaniaeth mwya o ddigon yw Deddf Addysg 1870. 'Rodd yn tade ni yn Gymry uniaith. 'Rŷn ni wedi câl addysg, ac amcan yr Ysgolion Elfennol ac yn enwedig yr Ysgolion Canol a Gramadeg oedd lladd yr iaith Gymraeg a mwrdro'r genedl.'

'Twt, lol!' meddai Ianto Powel.

Fe fuont fwy nag unwaith ar fin ffraeo, ond yr oedd cofio eu bod gyda'i gilydd am y tro olaf hwyrach yn ffrwyn ar eu tymer. Cyn troi o'r ffordd fawr i'r llwybr troed a oedd yn dirwyn i ben y Graig, fe sylwodd Taliesin Niclas ar rywbeth yn y gwter, a phan aeth i edrych dyma lle'r oedd pedair colomen wedi eu lladd, ac yn gorwedd yn llonydd yn eu lliwiau gwyn, llwyd a glas. 'Roedd rhywun wedi sgriwio eu gyddfau.

'Dyma fandaliaeth eto,' meddai Taliesin Niclas. 'Dim ond dihiryn a all ladd clomennod diniwed fel y rhain.'

'Y mae safon bywyd y pentre yn gostwng,' meddai Cynddylan Hopcin, 'ac ma 'na ryw ysbryd drwg yn dod i mewn iddo.'

'Sa bach,' atebodd Ianto Powel, 'rhaid i ti beidio duo pawb â'r un brwsh.'

Wrth ddringo'r llwybr troed pwy a gwrddodd â hwynt ar ei ffordd i lawr o ben y Graig ond y Parch. Llechryd Morgan.

'Mae'n dda genni ych gweld chi, fechgyn. Peth braf yw bod yn ifanc. 'Rwy i yn mynd yn hen ŵr ac yn byw ar atgofion. Pan own i ar ben y Graig 'na, fe ddaeth atgofion i mi am fywyd y pentre 'ma. 'Roedd yr atgofion yn swnio fel oratorio, ac yr oedd côr mawr yn ei chanu. Cofio am y casineb a'r cymwynasau: y seiat a'r streic: y chwerthin a'r damweiniau yn y Gwaith: y daioni a'r drygioni: crefydd ac anffyddiaeth: tlodi a'r breuddwyd am y byd gwyn: y capel a'r dafarn: ac yr oedd y cwbwl yn un oratorio. 'Roedd nodau trist iawn yn y canu, ond yr oedd yr anghytgord yn mynd ar goll yn y gorfoledd am y corws olaf. Miwsig y Sowth, fechgyn.'

Fe edrychodd Ianto Powel yn hurt arno gan gredu fod rhyw sgriw yn llac yn ei ben a dywedodd:

' 'Dyw ych oratorio chi, Mr. Morgan, ddim yn mynd i ddod â gwaith i'r bobol sy mâs o waith.'

' 'Machgen i,' atebodd y Gweinidog, ' fe fydd yr oratorio yn sicr o droi'r diffeithwch yn ardd flodau.'

' Mae 'na nodau ar goll yn ych oratorio, Mr. Morgan,' atebodd Taliesin Niclas. ' Nodau iach. Mae gennych chi ormod o feddwl o'r natur ddynol. 'Roeddech chi yn heddychwr yn ystod y Rhyfel, ac y mae genni barch i'ch barn, ond yn y natur ddynol yr oedd y Rhyfel. Pechod dyn. Fe weles i yn Ffrainc, Mr. Morgan, bethe na fyddech chi ddim yn breuddwydio amdanyn nhw. Ma 'na ddyfnderoedd o drueni a drygioni mewn dyn. Nid y diffeithwch hwn yw'r peth gwaetha, ond y bwystfilod a'r angenfilod sy'n crwydro drwyddo, ac 'rwy'n clywed ar fy ngruddie wres y ffwrneisie a fydd yn toddi dynion. Yr unig beth a all achub dyn yw madd-euant, trugaredd a chariad Duw, a chael Gras Iesu Grist yn eu calonnau. Calfaria sydd wedi llunio'r Sowth, Mr. Morgan. Gwaed y Groes yw'r nodau coch.'

Fe edrychodd y Gweinidog yn syn arno. Nid oedd wedi ei weled ers blynyddoedd, a chofiai amdano fel bachgen a golwg ferchetaidd arno, ond wrth ei glywed

yn traethu fe welodd angerdd yn ei wyneb ac argyhoedd-
iad yn ei lygaid.

' 'Rŷch chi'n sôn am ddiffeithwch,' meddai Cyn-
ddylan Hopcin. ' Mae diffeithwch wedi bod yn y byd
er y dechrau. Mae proffwydi fel Eseia a Jeremeia a'r
lleill yn disgrifio'r diffeithwch. Gwrthod gwrando ar
Air yr Arglwydd yw diffeithwch. Pe byddai gennym
broffwydi heddiw yn y capeli, yn datgan Gair yr
Arglwydd i'r tri-degau, yn fflangellu gwendidau'r oes
ac ymosod ar gyfoeth a rhagrith, ni fyddai gennym
ddiffeithwch. Gyda llaw, Mr. Morgan, a gaf i alw i'ch
gweld chi. Fe fydda i yn mynd yn ôl i'r Rhondda ymhen
deuddydd, ac yn paratoi wedyn i fynd i'r Eglwys yn
Birmingham.'

' Dere di pryd y mynnot,' atebodd y Gweinidog. ' Un
o 'mhlant i yw hwn, Mr. Niclas.'

' Ie, Mr. Morgan. Plentyn siawns.'

Fe aeth y Gweinidog i'w ffordd, a dringodd y tri i
ben y Graig, ac oddi yno yr oedd y diffeithwch o bentre
yn edrych yn llai am ei fod yn y pant is-law'r mynydd-
oedd, a gwlad o bob ochor iddo.

' Gan ych bod chi'ch dou wedi bod yn clebran, a
chlebran dwli, ma'n bryd i fi roi fy marn. Yr unig beth
sy'n cyfri yw pwy fydd yn berchennog ar y Gwaith
Stîl 'na. *The economic factor is the only factor in life.* Pe
bydde'r gweithiwr yn berchen ar y gwaith 'na ni fydde
fe ddim wedi cau. Fe weles i mewn papur y diwrnod
o'r blân 'i bod hi yn rhatach rhedeg gwaith stîl ar oel
nag ar lo, ond 'dyw'r *capitalist* ddim ishe oel am fod
ganddyn nhw *shares* mewn pylle glo. Y rhain sy'n
rhwystro *progress.* Pe bydden ni yn câl y diwydianne a'r
llywodreth yn ein dwylo, fe fydde hi yn fyd gwyn.
Science bia'r dyfodol. Ma *Socialism* yn mynd i ennill y

byd ac yn mynd i ddodi'r *Red Flag* ar y sêr ac ar y planets. Ma Rwsia wedi dangos y ffordd. Fe licwn i fod yn fardd. Fe fyddwn i yn canu awdl i'r eroplên, yn canu pryddest i'r *technical devices*, a thelyneg i'r gantri. Ond ma beirdd Cymru yn canu i'r wlad o hyd—i gaee, i ŵyn bach ac i'r blydi blode. 'Rŷch chi fel pe basech chi'n byw yn y wlad lle'r odd y pentre hwn cyn codi'r Gweithe.'

' 'Dŷn ni ddim yn credu,' atebodd Cynddylan Hopcin, ' y gall Deheudir Cymru godi arweinwyr mawr. Ma profiade yn y pentre diwydiannol wedi 'u clwyfo nhw. Dyna ti, Ianto; fe losgwyd dy dad i farwolaeth. Mae hwn yn brofiad dychrynllyd. Mae yn clwyfo, yn suro ac yn chwerwi arweinwyr. Pan fydda i'n gweld rhyw graith chwyrn gan Sosialydd yng Nghymru neu Gomiwnydd yn Rwsia, fe fydda i yn credu fod rhyw brofiad chwerw y tu ôl iddi. Dyna pam yr wyt ti yn rhegi cyment. Pe byddet ti yn byw yn y byd gwyn fe'i gwelet hi yn od heb regi. Dyna pam na ellwch chi lynu at egwyddorion moesol a delfrydau ysbrydol.'

' Eitha gwir, Cynddylan,' ebe Taliesin Niclas, ' ond y mae yn ddyfnach na rhegi. Mae gan y Sosialwyr 'ma eiddigedd at gyfoethogion a gwŷr anrhydeddus. Ma'n nhw'n ymosod ar y Frenhiniaeth, ond y nhw fyddai'r cyntaf i fynd i'r Plas i gael anrhydeddau. Ma'n nhw yn ymosod ar Dŷ'r Arglwyddi, ond y nhw fyddai'r cyntaf i fod yn Arglwyddi Llafur. Awydd sydd arnyn nhw am reoli a llywodraethu pawb. Pan gân nhw allu fe fydd hwnnw yn 'u llygru fel y mae yn llygru'r Comiwnyddion yn Rwsia. 'Dyw Ianto a'i siort ddim yn credu mewn Duw, a dyna pam y ma'n nhw yn dduwiau bach sydd yn ceisio llunio byd iddyn nhw 'u hunain.'

' Ydych chi'r *Nationalists* yn well na ni? 'Dyw

Saunders Lewis, D. J. Williams ac Ambrose Bebb a'r lleill erioed wedi bod yn gweithio mewn pwll glo nac o flân y ffwrnes. Beirdd a llenorion ydyn nhw. A 'dŷn nhw ddim yn gwypod mwy am *economics* na'r dyn yn y lleuad.'

'Beirdd a llenorion sydd wedi cychwyn y mudiad cenedlaethol ym mhob gwlad, ac y maent wedi llwyddo hefyd. 'Dyw beirdd a llenorion ddim yn faterolwyr, yn credu mai'r ffactor economaidd yw'r unig ffactor. Pe byddai gan Gymru 'i llywodreth 'i hun ni fyddai dirwasgiad o gwbwl. Y gwŷr bonheddig yn Llunden a Banc Lloeger sydd yn rheoli'r wlad, ac y ma'n nhw wedi gwneud cawl o bethau.'

'Gwed ti beth a fynni, 'dôs gyta chi ddim blydi *hopes*.'

Parablu a dadlau a wnaethant wrth ddisgyn o ben y Graig, ac wedi dod i lawr i'r pentre fe wahoddodd Cynddylan Hopcin y ddau i weld ei fam. Nid oedd ef wedi dod â'i wraig gydag ef am na allai ei fam siarad Saesneg â hi, ac nid oedd am ei gweled chwaith oherwydd y driniaeth a gafodd hi a'i gŵr ychydig flynyddoedd yn ôl. Yno yr oedd Mari Hopcin yn eistedd yn ei chadair wrth y tân ac yn pletio ei ffedog ac yr oedd hi wedi bod yn cysgu ci bwtshwr.

'Sut mae'r hwyl, Mari Hopcin?' gofynnodd Taliesin Niclas.

'Gweddol fach,' atebodd yr hen wraig, 'ac ystyried yn oedran i.'

Fe sylwodd Cynddylan Hopcin ar lun Cenhadon Hedd yr Hen Gorff ar y wal, ac meddai wrth ei fam:

'Pryd ŷch chi, 'mam, yn mynd i symud yr hen lun 'na?'

'Symud yr hen lun 'na ddwedest ti. 'Dwyt ti ddim

yn ffit i lanw sgitshe un o'r Cenhadon 'na. Ma mwy
o Efengyl ym mys bach pob un o'r rheina nag sydd yn
dy bregethe di. Fe fydda i yn cadw'r llun tra bydda i
byw, ac ar ôl i fi fynd o'r hen fyd 'ma fe fydd Myfanwy
yn 'i gâl, a 'rwy'n siŵr y bydd hi yn 'i barchu. Ma
Myfanwy yn garedig iawn i'w mam. Ma hi yn câl llaw
galed iawn, druan fach, wrth edrych ar ôl dwy hen
wraig a magu 'i phlentyn. Fe fydde dy dad yn falch
iawn o'i ferch.'

Fe arswydai Ianto Powel wrth feddwl am y llun hyll
ofergoelus yn dyfod i'w dŷ, ac yn hongian ar y wal,
ond ni ddywedodd ddim wrth yr hen wraig, ac ar y
llaw arall, yr oedd Taliesin Niclas yn falch fod y llun
yn cael ei gadw a gwyddai y byddai yn hongian ar wal
tŷ Ianto Powel, yr anffyddiwr, am fod ei wraig yn ddigon
o feistres arno. 'Roedd Cynddylan Hopcin wedi gweled
baban ei chwaer.

' Llongyfarchiadau calon ar y babi, Myfanwy,' ebe
Taliesin Niclas.

' Diolch, Tal,' atebodd Myfanwy Powel. ' Uchelges
pob merch yw bod yn fam, ac y mae yn un o freintie
Duw.'

' Ydi'r babi yn llefen ar y llofft?' gofynnodd Hanna
Powel i'w merch-yng-nghyfraith.

' Nac ydi: chi sy'n meddwl hynny,' atebodd Myfanwy.

Fe gâi Myfanwy Powel law galed gyda'i mam-yng-
nghyfraith am ei bod hi am fagu'r baban o hyd: ei fagu
yn y siôl, ei anwylo a'i faldodi, ac fe fyddai'r hen wraig
yn chwerthin ac yn crio bob yn ail. Fwy nag unwaith
y daliodd Myfanwy hi yn dihuno'r babi er mwyn ei
fagu. 'Roedd yr hen wraig feddal wedi gwirioni arno.

' Ŷch chi wedi bod ar ben y Graig, sbo,' ebe'r hen
wraig wrth y tri gŵr ifanc. ' Yn trio rhoi'r byd yn 'i le.

331

Pam ŷch chi yn poeni gyda'r hen bolitics 'na. Fe ddwedes wrth Gomer 'y ngŵr lawer gwaith am bido poeni 'i ben gyda'r *politics;* a wnaethon nhw ddim lles iddo. 'Rŷch chi yn meddwl trefnu'r byd a bywyd. Duw a'ch helpo chi. Fe fydd plant yn câl 'u geni i'r byd, bydd merched a bechgyn yn priodi, ac yn câl plant; ac fe fydd pawb yn marw. Dyna yw bywyd, a gallwch chi ddim newid y pethe yma.'